עמוס עוז

קופסה שחורה

ספריה לעם 331

עמוס עוז

קופסה שחורה

ספריה לעם
הוצאת עם עובד

Amos Oz
Black Box

נדפס ראשונה בתשמ"ז, 1986
הדפסה עשרים תשנ"ה, 1995

צילום העטיפה: רון רותם
הדפסת העטיפה: גרפיקה אומנים

הוצאת ספרים עם עובד בע"מ תל אביב
נסדר ב"מחשב־אות" – מ. רכלין בע"מ
נדפס בתשנ"א בדפוס ניידט תל אביב

Am Oved Publishers Ltd Tel Aviv 1991
Printed in Israel • ISBN 965–13–0417–0

וְאַתְּ יָדַעַתְּ כִּי לֵיל וְגַם לֹא נָע עָלֶה
וְרַק נַפְשִׁי קוֹשֶׁבֶת וְחוֹלָה
וְרַק עָלַי בִּכְיֵךְ כְּמוֹ דוֹרֵס עוֹלֶה,
וְרַק אוֹתִי בָּחַר לוֹ לְאוֹכְלָה.

כִּי יֵשׁ אֶחְרַד פִּתְאוֹם וּכְמוֹ אוֹבֵד אֵלֵךְ
וּפַחַד־הַסּוּמִים עָלַי עוֹבֵר,
עֵת מֵאַרְבַּע רוּחוֹת קוֹרֵא אֵלַי קוֹלֵךְ
כְּנַעַר הַמַּתְעֶה אֶת הָעִוֵּר.

וְאַתְּ פָּנִים כִּסִּית וְהֶרֶף לֹא אָמַרְתְּ
וְחָשֵׁךְ בִּבְכְיֵךְ וְדַם יוֹנָה
וּבְמַחְשַׁכָּיו נִצְרַרְתְּ וּבְמֶרְחַקָּיו מֵרַרְתְּ
עַד שִׁכָּחוֹן, עַד כְּלוֹת, עַד אֵין בִּינָה – – –

["הבכי", מתוך "שמחת עניים" לנתן אלתרמן]

ד״ר אלכסנדר א. גדעון
המחלקה למדעי המדינה
אוניברסיטת מדינת אילינוי,
שיקאגו, אילינוי, ארה״ב.

ירושלים 5.2.76

שלום אַלק. אם לא השמדת את המכתב הזה ברגע שזיהית את כתב־ידי על המעטפה, סימן שהסקרנות חזקה אפילו מן השנאה. או שהשנאה שלך זקוקה לדלק טרי.

עכשיו אתה מחויר, מהדק כמנהגך את הלסתות הזאביות שלך עד ששפתיך נעלמות פנימה, ומסתער על השורות האלה כדי למצוא מה אני רוצה ממך, מה אני מעיזה לרצות ממך, אחרי שבע שנים של שתיקה גמורה בינינו.

ומה שאני רוצה הוא שתדע שבועז במצב לא טוב. שתעזור לו בדחיפות. בעלי ואני לא יכולים לעשות שום דבר מפני שהוא ני־תק כל מגע. כמוך.

עכשיו תוכל להפסיק לקרוא, ולזרוק את המכתב הזה ישר אל תוך האש (משום־מה אני מדמה אותך תמיד בתוך חדר מוארך, מלא ספרים, יושב לבדך ליד מכתבה שחורה ומולך בחלון משתרעים מישורים ריקים מכוסים שלג לבן. מישורים בלי גב־עה, בלי עץ, שלג בוהק וצחיח. ואש בוערת באח לשמאלך וכוס ריקה ובקבוק ריק על השולחן הריק לפניך. כל התמונה היא אצ־לי בשחור־לבן. וגם אתה: נזירי, מסוגף, גבוה, וכולך בשחור־לבן).

אתה מקמט כרגע את המכתב הזה, פולט המהום מהסוג הבריטי, וקולע בדייקנות אל האש: כי מה אִכפת לך בועז. ומלבד זאת, הלא אינך מאמין לאף מלה שלי. הנה אתה נועץ את עיניך האפורות באש המהבהבת ואומר לעצמך: שוב היא מנסה לעבוד עלי. הנקבה הזאת לא תוַתר ולא תתן מנוחה.

ובכן למה לי לכתוב אליך?

מרוב יאוש, אַלק. ולעניני יאוש הלא אתה מומחה עולמי. (כן, ודאי שקראתי – כמו כל העולם – את ספרך "האלימות הנואשת – מחקר בקנאוּת השׂוָאתית"), אבל אני לא מתכוונת עכשיו לסֵפר שלך אלא לחומר שנשמתך קורצה ממנו: יאוּש קפוא. יאוּש אַרקְטי.

עדיין אתה ממשיך לקרוא? להחיות את שנאתך אלינו? לטעום את השׂמחה־לאיד בלגימות קטנות, כמתענג על ויסקי טוב? אם כן, מוטב לי להפסיק להתגרות בך. מוטב לי להתרכז בבועז.

האמת היא שאין לי מושג מה ידוע לך ומה לא. לא אתפלא אם יתברר שאתה יודע כל פרט, דורש ומקבל מעורך־דין זקהיים שלך דין־וחשבון חָדשי על חיינו, מחזיק אותנו כל השנים האלה על מסך הראדאר שלך. מצד שני, לא אופתע אם אינך יודע כלום: לא שהתחתנתי עם אדם ששמו מיכאל סומו, לא שנולדה לי בת, ולא מה קרה לבועז: די מתאים לך להסב את גבך במחוָה אחת ברוּטלית ולרטש אותנו פעם ולתמיד מחייך החדשים.

אחרי שגירשת אותנו, הלכתי עם בועז לקיבוץ של אחותי ובעלהּ. (לא היה לנו שום מקום בעולם, וגם לא כסף). אני חייתי שם ששה חֳדשים וחזרתי לירושלים. עבדתי בחנות ספרים. ואי־לו בועז נשאר בקיבוץ חמש שנים, עד אחרי שמלאו לו שלוש־עשׂרה. מדי שלושה שבועות הייתי נוסעת אליו. כך היה עד שהתחתנתי עם מישֶל, ומאז הילד קורא לי זונה. כמוך. אפילו פעם אחת לא בא אלינו לירושלים. כשנולדה בתנו (מַדלֶן יפעת) טרק את הטלפון.

ולפני שנתַים הופיע אצלנו פתאום בליל חורף באחת לפנות־בוקר כדי להודיע לי שהוא גמר להיות בקיבוץ: או שארשום או־תו לבית־ספר חקלאי, או שהוא הולך "לחיות ברחוב ויותר לא אשמע ממנו".

בעלי התעורר ואמר לו שיוריד את הבגדים הרטובים, שיאכל איזה דבר ויתרחץ וישכב לישון ומחר בבוקר נשוחח. והילד (כבר אז, בגיל שלוש־עשרה וחצי, הוא היה רחב וגבוהַ הרבה יותר ממישל) ענה לו כמו רומס מקק: "ומי אתה בכלל? מי דיבר אליך?" מישל צחק והציע: "תצא רגע מהבית, חביבי, תירָגע, תחליף קאסֶטָה, תדפוק עוד פעם על הדלת ותיכָּנס מהתחלה על

תקן בן־אדם במקום על תקן גורילה.״

בועז פנה אל הדלת, אבל אני נעמדתי בינו ובין היציאה. ידע־תי שהוא לא יגע בי. התינוקת התעוררה ובכתה, ומישל הלך להחליף לה חיתול ולחמם חלב במטבח. אמרתי: ״בסדר בועז. אתה תלך לבית־ספר חקלאי אם זה מה שאתה רוצה.״ מישל, בגופיה ותחתונים לגופו, התינוקת רגועה בזרועותיו, הוסיף: ״רק בתנאי שלפני זה תגיד סליחה לָאמא שלך ותבקש יפה ואח־רי זה תגיד תודה. מה, אתה סוּס?״ ובועז, בהעוָיית התיעוב הנו־אש והלעג, שירש ממך, לחש לי: ״ולַדבר הזה אַת נותנת לדפוק אותך כל לילה?״ ומיד הושיט את ידו ונגע לי קלוֹת בשׂערותי ואמר בקול אחר, קול שלבי מתכווץ לזכרו: ״אבל התינוקת שלכם די יפה.״

אחר־כך הכנסנו את בועז (בפרוֹטֶקציה של אחיו של מישל) לבית־הספר החקלאי ״תלמים״. זה היה לפני שנתַים, בתחילת שבעים וארבע, זמן קצר אחרי המלחמה, שאתה – כך סיפרו לי – חזרת לארץ כדי להשתתף בה כמג״ד־טנקים בסיני ואחריה שוב ברחת. וגם נכנענו לדרישתו שלא נבוא לבקר. שילמנו שׂכר לימוד ושתקנו. זאת אומרת, מישל שילם. וגם לא בדיוק מישל.

אף גלוית־דואר אחת לא קיבלנו מבועז במשך השנתַים האלה. רק אזעקות מהמנהלת: הילד אַלים. הילד הסתכסך ופתח את הראש לשומר־הלילה של המוסד. הילד מסתלק בלילות. לילד יש תיק במשטרה. הילד נמצא בפיקוח קצין־מבחן. הילד הזה יצטרך לעזוב את המוסד. הילד הזה הוא מפלצת.

ומה אתה זוכר, אַלק? הלא הדבר האחרון שראית היה יצור בן שמונה, בהיר ודק וארוך כמו גבעול, שעות־על־שעות עומד בשתיקה על שרפרף, רכון אל מכתבתך, מרוּכּז, בונה למענך דגמי מטוסים מעץ בַּאלזָה על־פי חוברות ״עשׂה זאת בעצמך״ שאתה היית מביא לו – ילד זהיר, ממושמע, כמעט פחדן, אף כי כבר אז, בגיל שמונה, מסוגל לכבוש עלבונות במין תוקף חרישי עצור. ובינתים, כמו פצצת־זמן גֶנֶטית, בועז הוא עכשיו כבן שש־עשרה גבהו מטר תשעים ושנַים ולא אמר עדיין את המלה האחרונה, ילד מר ופראי שהשנאה והבדידות העניקו לו כוח פי־סי מדהים. והבוקר קרה הדבר שאֲני ידעתי מזמן כי יקרה באחד

הימים: קריאת טלפון דחופה. הוחלט לסלקו מן המוסד, מפני שתקף את אחת המורות. פרטים סירבו למסור לי.

ובכן, נסעתי לשם מיד, אבל בועז סירב לראותני. רק שלח להגיד כי "אין לו שום ענינים עם הזונה הזאת." האם התכוון לאותה מורה? או אלי? אינני יודעת. מסתבר שלא בדיוק "תקף" אלא השמיע איזו חָכמה מורעלת, חטף מידיה סטירת־לחי ובו־ברגע החזיר לה שתַיִם. אני התחננתי שידחו את הגירוש עד שאמצא לו סידור. ריחמו עלי ונתנו לי שבועַיִם.

מישל אומר שאם ארצה, יוכל בועז להיות כאן אצלנו (אף־על־פי שאנחנו עם התינוקת גרים בחדר וחצי, שעליהם עדיין לא גמרנו לשלם את המשכנתא). אבל אתה יודע כמוני שבועז לא יסכים. הילד הזה מתעב גם אותי גם אותך. כך שיש לנו, לי ולך, משהו משותף בכל־זאת. אני מצטערת.

גם אין סיכויים שיקבלו אותו למוסד אחר, עם שני התיקים שלו במשטרה וקצין־המבחן על גבו. אני כותבת אליך מפני שאינני יודעת מה לעשות. אני כותבת אליך אף־על־פי שאתה לא תקרא, ואם תקרא לא תשיב לי. לכל היותר תצווה על עורך־דין זקהיים שלך לשלוח לי מכתב רשמי אשר בו מתכבדים להזכיר לי כי שולחו ממשיך להכחיש את אבהותו, כי בדיקת־הדם לא נתנה תוצאה חד־משמעית וכי אני עצמי הייתי זו שהתנגדה בזמ־נו בכל תוקף לעריכת בדיקת רקמות. שַח מט.

והגט הן פטר אותך מכל אחריות לבועז ומכל התחייבות כלפי. כל זאת אני זוכרת על־פה, אלק. אין לי מקום לתקוָה. אני כותבת אליך כאילו עמדתי בחלון ודיברתי אל ההרים. או לעֵבר החושך שבין הכוכבים. היאוּש הוא השטח שלך. אם תרצה, תסוּג אותי.

האם עדיין אתה צמא לנקמה? אם כן, אני מושיטה לך בזאת את הלחי השניה. שלי וגם של בועז. בבקשה: תכּה בכל הכוח.

ודווקא אשלח אליך את המכתב הזה, אף־על־פי שכרגע הנח־תי מידי את העט והחלטתי לוַתר: כי אין לי מה להפסיד. כל הדר־כים סגורות לפנַי. תבין: גם אם קצין־המבחן או העובדת הסוציאלית יצליחו לשכנע את בועז שיתמסר לאיזה טיפול, שיקום, סיוע, סידור במוסד אחר (ואינני מאמינה שיצליחו) – הלא ממילא אין לי כסף.

ולך יש הרבה, אלק.

ואין לי קשרים, בעוד שאתה יכול להזיז כל דבר בשלושה טלפונים. אתה חכם וחזק. או היית חכם וחזק לפני שבע שנים. (אנשים סיפרו לי שעברת שני ניתוחים. לא ידעו לומר לי איזה ניתוחים). אני מקווה שעכשיו אתה בסדר. יותר מזה לא אכתוב כאן פן תקבל את דברי כצביעות. התרפסות. חנופה. ואינני מכחישה, אַלק: עדיין אני מוכנה להתרפס לפניך כל כמה שתר־צה. מוכנה לעשות כל דבר שתדרוש ממני. ואני מתכוונת: הכול. ובלבד שתציל את בנך.

לו היה לי קצת שׂכל הייתי מוחקת עכשיו את המלה בנך וכות־בת במקומהּ בועז, כדי שלא להרגיז אותך. אבל איך אוכל למחוק את האמת? אתה אביו. ומה שנוגע לשׂכל שלי, הלא אתה כבר מזמן הסכמת עם עצמך סופית שאני מטומטמת לגמרי.

ארשום כאן הצעה: אהיה מוכנה כעת להתוַדות בכתב, לפני נוֹטריוֹן, אם תרצה, כי בועז הוא הבן של כל מי שתדרוש ממני שאגיד. הכבוד העצמי שלי נהרג כבר מזמן. אני אחתום על כל נייר שהעורך־דין שלך ישׂים לפני, אם תמורת זאת אתה תסכים להושיט לבועז במהירות עזרה ראשונה. נגיד עזרה הומניטרית. נגיד, חסד לילד זר לגמרי.

ובאמת, כשאני נעצרת כאן ומפסיקה לכתוב וחושבת אותו, רואה אותו לפני, אני מתיַצבת מאחורי המלים האלה: בועז הוא ילד זר. לא ילד. אדם זר. לי הוא קורא זונה. לך הוא קורא כלב. למישל – "האָרְס הקטן". לעצמו הוא קורא (גם במסמכים) בשם־המשפחה שלי מלפני שהתחתנתי אתך (בועז ברַנדשטטר). ולמור־סד שאליו הכנסנו אותו בקושי רב, על־פי הדרישה שלו, הוא קורא אי־השֵדים.

עכשיו אגלה לך משהו שתוכל להשתמש בו נגדי. הורי בעלי שולחים לנו מפריס כל חודש קצת כסף כדי לקיים אותו במוסד הזה, אף־על־פי שהם מעולם לא ראו את בועז ובועז כנראה אפילו לא שמע על קיומם. והם אנשים מאוד לא־עשירים (מהגרים מאלג׳יריה) ולהם, מלבד מישל, עוד חמישה ילדים ושמונה נכדים, בצרפת ובארץ.

אלק. תשמע. על מה שעבר אני לא אכתוב לך במכתב הזה אף

מלה. חוץ מדבר אחד, שאותו לעולם לא אשכח לך, אף־על־פי שאתה בודאי תשתומם איך ומנַיִן נודע לי. חֳדשים לפני הגט בועז אושפז ב״שערי־צדק״ במחלת כליות זיהומית. והיו סיבוכים. אתה הלכת בלי ידיעתי לפרופסור בלומנטל לברר אם אדם מבו־גר יוכל, במקרה הצורך, לתרום כליה לילד בן שמונה. אתה התכוונת לתרום לו כליה שלך. והזהרת את הפרופסור כי יש לך רק תנאי אחד. שאני (והילד) לעולם לא נדע. ובאמת לא ידעתי, עד שהתידַדתי עם ד״ר אדורנו, עוזרו של בלומנטל, אותו רופא צעיר שאתה התכוונת לתבוע לדין על רשלנות פלילית בטיפול בבועז.

אם עדיין אתה קורא, ודאי ברגע זה אתה מחוִיר עוד יותר, בתנועה של אלימות חנוקה אוסף את המצית ומגיש אש אל שׂפ־תיך שהמקטרת אינהּ ביניהן, ומסכים עם עצמך מחדש: בטח. דוקטור אדורנו. אלא מה. ואם עוד לא השמדת את מכתבי, זה הרגע שבו אתה משמיד אותו. וגם אותי ואת בועז.

ואחר־כך בועז הבריא ואחר־כך אתה גירשת אותנו מהוִילה שלך, מהשם שלך ומהחיים שלך. שום כליה לא תרמת. אבל אני דווקא מאמינה שהתכוונת ברצינות לתרום. מפני שהכּוֹל אצלך ברצינות, אַלֵק. זה – כן: הרצינות שלך.

שוב אני מתחנפת? אם תרצה, אני מודה באשמה: מתחנפת. מתרפסת. על הברכַּיִם לפניך והמצח נוגע ברצפה. כמו אז. כמו בימים הטובים.

כי אין לי מה להפסיד ולא אִכפת לי להתחנן. אני אעשה מה שתצווה עלי. רק אל תתמהמה, מפני שבעוד שבועים זורקים או־תו לרחוב. ויש מי שמחכה לו ברחוב.

הלא שום דבר בעולם הוא לא למעלה מכוחך. שלח את העו־רך־דין המפלצת שלך. אולי בפרוֹטֶקציה יקבלו אותו לבית־הספר לקציני־ים (יש לבועז משיכה מוזרה אל הים, וזה עוד מיל־דותו המוקדמת. אתה זוכר, אַלֵק, באשקלון, בקיץ של ששת־הימים? המערבולת? הדייגים ההם? הרפסודה?)

ודבר אחרון, לפני שאסגור את הדפים האלה במעטפה: אני גם אשכב אתך אם תרצה. מתי שתרצה. ואיך שתרצה. (בעלי יודע על המכתב הזה ואפילו תמך בי שאכתוב אותו, חוץ מהמשפט

האחרון. ועכשיו אם יתחשק לך להשמיד אותי, תוכל פשוט לצלם את המכתב, להדגיש את המשפט האחרון בעפרונך האדום ולשלוח לבעלי. זה יעבוד מצוין. אני מודה: שיקרתי לך כשכתב־תי כאן קודם שאין לי מה להפסיד.)

והנה ככה, אַלק, עכשיו כולנו לגמרי בידיך. אפילו בתי הקט־נה. ואתה תעשׂה בנו מה שאתה רוצה.

אילנה (סומו)

☆

הגברת האלינה ברנדשטטר־סומו
רח׳ תרנ״ז 7 ירושלים. ישראל. אכספרס.

לונדון 18.2.76

גבִרתי,

אמש הועבר אלי מארה״ב מכתבך מיום 5.2. ש״ז. אשיב רק על חלק קטן מן הענינים שבחרת להעלות בו.

לפני הצהרַיִם דיברתי בטלפון עם מכּר בארץ. בעקבות שׂיחה זו התקשרה אלי זה־עתה, מיָזמתהּ, מנַהלת המוסד שבנך מתחנך בו. סוּכַּם בינינו כי הסילוק מן המוסד מבוטל וכי במקומו תירָשם אזהרה. אף־על־פי־כן, אם יתברר שבנך מעדיף – כמרומז במעורפל במכתבך – לעבור למוסד להכשרה ימית, יש לי יסוד סביר להניח שהדבר יוכל להתבצע (דרך עו״ד זקהיים). כמו־כן יעביר לכם עו״ד זקהיים המחאה ע״ס אלפים דולר (בלירות ישראליות, ועל שם בעלך). בעלך יתבקש לאשר בכתב קבלת סכום זה כמענק לאור חומרת מצבכם, ובשום פנים לא כתקדים ולא כביטוי למחויבות כלשהי מצדנו. בעלך יצטרך גם להצהיר שלא תבואנה מצדכם שום פניות נוספות בעתיד (אקווה כי המשפחה העניה והמסועפת מאוד מפריס אינהּ מתכוונת ללכת בעקבותיכם ולבקשׁ ממני הטבות כספיות). על שאר הכתוב במכתבך, לרבות שקרים גסים, סתירות גסות וסתם גסות־רוח אני עובר בשתיקה.

(–) א.א. גדעון

נ״ב: מכתבך שמור אצלי.

☆

ד"ר אלכסנדר א. גדעון
לונדון סקול אוף אקונומיקס, לונדון, אנגליה.

ירושלים 27.2.76

אַלק, שלום. כידוע לך חתמנו בשבוע שעבר על הניירות שהציג העורך־דין שלך וקיבלנו את הכסף. אבל בועז קם ועזב את בית־הספר החקלאי וכבר כמה ימים הוא עובד בשוק הסיטו־נאי בתל־אביב, אצל קבלן ירקות אחד הנשוי לבת־דוד של מישֶל. מישל הוא שהסדיר לו את העבודה הזאת, על־פי רצונו של בועז.

זה היה כך: אחרי שהמנַהלת הודיעה לבועז כי אין סילוק מהמוסד ובמקום זה יש רק אזהרה, בועז פשוט לקח את הקיטבֶּג שלו והסתלק. מישל התקשר למשטרה (יש לו שם כמה קרובים) והם בירר והודיעו לנו שהילד נמצא אצלם, עצור באבו־כּבּיר על החזקת רכוש גנוב. חבר של אחיו של מישל, אדם הממלא תפקיד בכיר במשטרת תל־אביב, הלך לדבר למעננו עם קצין־המבחן של בועז. אחרי כמה סיבוכים הוצאנו אותו בערבות.

בשביל הערבות הזאת השתמשנו בחלק מהכסף שלך. אני יודעת שלא לזה התכוונת כשנתת לנו, אבל כסף אחר פשוט אין לנו: מישל הוא בסך־הכּוֹל מורה לא־מוסמך לצרפתית בבית־ספר ממלכתי־דתי, והמשכורת שלו אחרי ניכוי המשכנתא בקושי מספיקה לנו לאוכל. וישנה גם הבת הקטנה (מַדלֶן יפעת. בת שנתים וחצי).

אני רוצה שתדע כי לבועז אין מושג מנַיִן בא הכסף לשחרורו בערבות. אילו אמרו לו, אני חושבת שהוא היה יורק על הכסף, על קצין־המבחן ועל מישל ביחד. גם כך, בהתחלה הוא סירב בכל תוקף להשתחרר ודרש "שיעזבו אותו".

מישל נסע בלעדי לאבו־כּביר. הידיד של אחיו (זה הבכיר במשטרה) סידר שיכניסו אותו ואת בועז לבדם למשרד בית־המעצר, שיוכלו לשוחח בפרטיות. מישל אמר לו, תראה, אולי במקרה אתה שכחת מי אני בכלל, אני מיכאל סומו ושמעתי שאתה קורא לי מאחורי הגב האֶרֶס של אמא שלך. אתה יכול גם לקרוא לי ככה ישר בפנים אם זה יעזור לך להירָגע קצת. אני

מצדי הייתי יכול להגיד לך בחזרה שאתה מופרע על כל הראש. וככה אנחנו נעמוד ונקלל אחד את השני עד הערב ואתה לא תנ־צח, כי אני יכול לעבור לגדף אותך גם בצרפתית ובערבית ואתה אפילו עברית בקושי אתה יודע. אז אחרי שייגָמרו לך הקללות מה יהיה? אולי יותר טוב במקום זה תקח אויר, תירָגע, ותתחיל לפרט לי מה בדיוק אתה רוצה לקבל מהחיים? ואחרי זה אני אגיד לך מה אני ואמך יכולים לתת. ונראה – אולי נשתווה?

בועז אמר שהוא לא רוצה מהחיים כלום, והכי פחות הוא רוצה שיבואו כל מיני טיפוסים לשאול אותו מה הוא רוצה מהחיים.

וכאן מישל, שהעולם אף פעם לא פינק אותו, עשה דָבר נכון: הוא פשוט קם ללכת ואמר לבועז אם ככה אז תהיה לי בריא, חביבי, מצדי – שיכניסו אותך למוסד סגור למפגרים או לקשי־חינוך וגמרנו אתך. אני הולך.

בועז עוד ניסה להתנגד קצת, אמר למישל מה הבעיה, אני ארצח מישהו ואברח. אבל מישל רק הסתובב אליו מהדלת וענה בשקט: תראה, מותק, אני לא האמא שלך ואני לא האבא שלך ואני לא כלום שלך, אז אל תעשה לי הצגות, כי מה אִכפת לי עליך. רק תחליט תוך ששים שניות אם אתה רוצה לצאת מכאן בערבות, כן או לא. מצדי, תרצח את מי שאתה רוצה, רק אם אפשר תשתדל לא לפגוע. ועכשיו שלום.

וכשבועז אמר לו חכה רגע, מישל ידע מיד שהילד מיצמץ רא־שון: את המשחק הזה מישל מכיר יותר טוב מכולנו מפני שגורלו היה לראות את החיים רוב הזמן מלמַטה והסֵבל עשה אותו לאיש־יהלום: קשה ומקסים (כן, גם במיטה, אם אתה סקרן לדעת). בועז אמר לו: אם באמת לא אִכפת לך עלי, אז למה באת מירושלים להוציא אותי בערבות? ומישל צחק מהדלת: בסדר, שתי נקודות לטובתך, האמת שבסך־הכּוֹל באתי להסתכל מקרוב איזה גאון ילדה האמא שלך, אולי במקרה יש איזה פוטנציאל גם אצל הבת שלי שהיא ילדה לי. אתה בא או אתה לא בא?

וכך יצא שמישל שיחרר אותו בכספך והזמין אותו למסעדה סינית כשרה שפתחו לא מזמן בתל־אביב ושניהם הלכו לסרט (מי שישב מאחוריהם אולי חשב שבועז הוא האב ומישל – הילד שלו). בלילה חזר מישל לבדו לירושלים וסיפר לי הכּוֹל, ובועז

היה מסודר אצל קבלן הירקות מהשוק הסיטונאי ברחוב קר־ליבך, זה הנשוי לבת־דודו של מישל. כי זה מה שבועז אמר לו שהוא רוצה: לעבוד ולהרויח כסף ולא להיות תלוי באף אחד. על כך ענה לו מישל בו־במקום, בלי להתיָעץ אתי, "זה דווקא מוצא חן בעיני ואת זה אני מסדר לך עוד הערב כאן בתל־אביב." וסידר.

בלילות בועז לן עכשיו בַּפְּלָנֶטריוּם ברמת־אביב: אחד האחר־אים שם נשׂוי לבחורה שלמדה עם מישל בפריס בשנות החמי־שים. ובועז יש לו איזו משיכה לפלנטריוּם. לא, לא לכוכבים אלא לטֶלֶסקוּפּים ולאוּפּטיקה.

אני כותבת אליך את המכתב הזה עם כל הפרטים בענין בועז על דעתו של מישל, האומר כי היות ואתה נתת את הכסף, חובת־נו להודיע לך מה עושים בכספך. ואני חושבת שאתה תקרא את המכתב הזה שלוש פעמים בזו אחר זו. אני חושבת שהקשר שהצליח מישל לקשור אל בועז יכה אותך בין הצלעות. אני חושבת שגם את מכתבי הראשון אתה קראת שלוש פעמים לפחות. ואני נהנית לחשוב על הזעם שגרמתי לך בשני המכת־בים. הזעם עושׂה אותך גברי ומושך אבל גם ילדותי וכמעט נוגע ללב: אתה מתחיל לבזבז כוח גופני עצום על חפצים שבירים כמו עט, מקטרת, משקפַיִם. ואתה מבזבז את כוחך לא כדי לרסק אלא כדי להתאפק ולהזיז את החפצים האלה שלושה סנטימטרים ימינה או שני סנטימטרים שׂמאלה. הבזבוז הזה שָמור אצלי כזכ־רון מקסים ואני נהנית לדמיין לי איך הוא מתרחש גם עכשיו, למקרא מכתבי, שָם בחדר השחור־לבן שלך, בין האש והשלג. אם יש לך איזו אשה ששוכבת אתך, אני מודה שכרגע אני מקנ־את בהּ. ומקנאת אפילו במה שאתה עושה למקטרת, לעט, למשקפַיִם, לדפים שלי שבין אצבעותיך החזקות.

אני חוזרת אל בועז. כותבת אליך כמו שהבטחתי למישל שאכתוב. כאשר נקבל בחזרה את דמי הערבוּת ילך כל הסכום שהענקת לנו לתכנית־חסכון על שם בנך. אם יחליט ללמוד, בכסף הזה אנחנו נממן את לימודיו. אם ירצה לשׂכור לו חדר בתל־אביב או כאן בירושלים, למרות גילו הצעיר, אנחנו נשׂכור לו חדר בכספך. לעצמנו לא נִקח ממך כלום.

אם כל זה מקובל עליך, תוכל גם לא לענות לי. אם לא – תודיע בהקדם, לפני שהשתמשנו בכסף, ואנחנו נחזיר לעורך־דין שלך ונסתדר גם בלי זה (אף־על־פי שמצבנו החָמרי די רע).

ועכשיו נשארה לי רק בקשה אחת:

או שתשמיד את מכתבי זה וגם את מכתבי הקודם, או – אם החלטת להשתמש בהם – עשה זאת עכשיו, מיד, אל תוסיף להת־מהמה. כל יום שחולף וכל לילה הם עוד גבעה ועוד עמק שהמוות כבש מידינו. הזמן עובר, אלק, ושנינו הולכים ודוהים.

ועוד משהו: אתה כתבת לי כי השקרים והסתירות שבמכתבי עוררו בך שתיקת בוז. השתיקה שלך, אַלק, וגם הבוז שלך, הפילו עלי חרדה פתאום: האומנם לא מצאת בכל השנים האלה, בכל המקומות שלך, אף נפש אחת שתעניק לך – ולו גם פעם באלף שנה – גרגר אחד של רוך? צר לי עליך אלק. נורא ואיום הוא ענְיָננו: אני הנני הפושעת ואתה ובנך מרצים את מלוא אכז־ריות העונש. אם תרצה, מחק את בנך וכתוב בועז. אם תרצה, מחק את הכּול. מצדי, עשה בלי להסס כל דבר שיָקל את יסוריך.

אילנה

מר מישֶל־אַנרי סומו
רח' תרנ"ז 7, ירושלים, ישראל. בדואר רשום.

ז'נבה 7.3.1976

א.נ.

בידיעתך – ולפי דבריה, גם בעידודך – מצאה רעייתך לנכון לשלוח אלי באחרונה שני מכתבים ארוכים ומביכים למדי שאינם מוסיפים להּ כבוד. אם הצלחתי לרדת לסוף דבריה המעורפלים, מתקבל הרושם שגם מכתבהּ השני בא למעשה לרמז לי על מצוקתכם החָמרית. ואני מניח כי אתה, אדוני, מושך בחוטים ועומד מאחורי בקשותיה.

הנסיבות מאפשרות לי (בלי קרבן מיוחד מצדי) לבוא לעזרת־כם גם הפעם. הוריתי לעו"ד זקהיים להעביר לחשבונך מענק נו־סף בסך חמשת אלפים דולר (על שמך, ובלירות ישראליות). אם גם בזה אין די, אבקשך אדוני לא לחזור ולפנות אלי באמצעות

אשתך ובמונחים רב־משמעיים אלא להודיעני (באמצעות מר זקהיים) מה הוא הסך הסופי והמוחלט הדרוש לך כדי לפתור את כל בעיותיך למיניהן. אם תואיל לנקוב סכום סביר, ייתכן שתמ־צאני נכון ללכת לקראתך במידת־מה. כל זאת – בתנאי שלא תט־ריח עלי בחקירת מניעַי למתן הכסף, ולא בהבעות־תודה רגש־ניות בסגנון הלֶבָנט. אני מצדי נמנע כמובן מחריצת משפט על ערכיך ועקרונותיך המניחים לך לבקש ולקבל מידי מענקים כספיים.

בכבוד הראוי,
א.א. גדעון

☆

·לכבוד העורך־דין מר מאנפרד זקהיים
משרד זקהיים את די־מודינא
המלך ג׳ורג׳ 36, כאן.

ב"ה, ירושלים י"ג באדר ב׳ תשל"ו (14.3.)

לעורך־דין הנכבד מר זקהיים, שלום וברכה!

בהמשך לשׂיחתנו הטלפונית מיום אתמול: אנחנו זקוקים בסך־הכּוֹל לסכום של כששים אלף דולר אמריקאי לגמר תשלום המשכנתא שלנו ולבניית חדר וחצי נוספים ועוד סכום כזה לסי־דור עתידו של הבן וכנ"ל גם לבת הקטנה, ס"ה מאה ושמונים אלף דולר אמריקאי. כמו־כן מתבקשת תרומה בסך תשעים וחמישה אלף דולר אמריקאי למטרת רכישתו ושיפוצו של בית אלקלעי ברובע היהודי בחברון העתיקה (רכוש יהודי שנתפס בכוח בידי פורעים ערבים בפרעות תרפ"ט, ואנחנו מבקשים עכ־שיו להשיב לידינו את הגזילה בכסף מלא ולא בחזקת־יד).

בתודה לך מראש על טרחתך ובהוקרה לד"ר גדעון, אשר עבודתו המדעית מעוררת הערצה בעַמנו ומרימה את כבוד יש־ראל בין הגויים, ובברכת חג פורים שמח,

אילנה ומיכאל (מישל־אנרי) סומו

☆

[מברק] א. גדעון מלון אֶכּסֶלסיוֹר מערב־ברלין. אלכּס נא

השׂכּילני מיד האם מדובר בנסיון סחיטה האם להרויח
זמן התרצה שאכניס לתמונה את זאנד מצפה להנחִיות
מאנפרד.

☆

[מברק] אישי זקהיים ירושלים ישראל. מכור נכס זכרון־יעקב
אם נחוץ גם הפרדס בבנימינה ושלם להם בדיוק מאה
אלף. בדוק בהקדם רקע הבעל בדוק מצב הנער שלח
צילום מסמכי הגירושין חוזר ללונדון בסוף השבוע.
אלכּס.

☆

אילנה סומו
תרנ"ז 7, ירושלים.

20.3.

אילנה,

ביקשת שאחשוב יום־יומים ואכתוב לך מה דעתי. שתינו יוד־
עות כי כשאַת מבקשת דעה, או עצה, אַת מבקשת בעצם אישור
לְמַה שכבר עשית או לְמַה שהחלטת לעשות. ובכל־זאת החלטתי
לכתוב, כדי לברר לעצמי איך קרה שנפרדנו במרירות.

הערב שביליתי אצלכם בירושלים בשבוע שעבר הזכיר לי
את הימים הרעים. חזרתי מכם בחרדה. אף כי לכאורה היה הכּוֹל
כרגיל, חוץ מהגשם שירד כל הערב וכל הלילה בירושלים. וחוץ
ממישל שנראה לי עייף ועצוב. כשעה וחצי טרח להרכיב אִטצ־
בּת ספרים חדשה, יפעת הגישה לו את המַברג והפטיש והצבת
וכשקמתי אני פעם אחת לעזור לו בהחזקת שני העמודים, אַת
מתוך המטבח הצעת בלגלוג שאקח אותו איתי לקיבוץ מפני
שכאן כשרונותיו מתבזבזים. אחר־כך ישב אל מכתבתו בחלוק
על פיג'מת־הפלנֶל שלו ותיקן בדיו אדומה את מחברות תלמידיו.
כל הערב תיקן מחברות. תנור־הנפט דלק בפינת החדר, יפעת
שׂיחקה שעה ארוכה לבדהּ על מחצלת־הקש בכִבשׂת־הצמר
שקניתי להּ בתחנה המרכזית, ברדיו נתנו קונצרט לחליל עם
רמפאל, אַת ואני ישבנו והתלחשנו במטבח, ולכאורה היה לנו

ערב משפחתי שקט. מישל צימצם את עצמו ואַת לא הקדשת לו יותר מעשרים מלים במשך כל הערב. ובעצם גם לא ליפעת ולא לי. היית שקועה בעצמך. כאשר סיפרתי לך על מחלות הילדים, על תפקידו החדש של יואש במפעל הפלסטיקה של הקיבוץ, על החלטת המזכירות לשלוח אותי לקורס של בישול דיאטטֶי, אַת הקשבת־לא־הקשבת בלי להציג לי אפילו שאלה אחת. בלי קושי הבחנתי בכך שאַת, כרגיל, מצפה לסיום הדו״ח הבנלי שלי כדי לעבור אל הדרמות הגורליות של עצמך. שאַת מצפה לי שאש־אל. ובכן שאלתי אבל לא קיבלתי תשובה. מישל נכנס למטבח, מרח פרוסת לחם במרגרינה ובגבינה, חלט לו קפה והבטיח כי אין בכוונתו להפריע וכי תיכף ישכיב את יפעת, שנוכל שתינו להמשיך בשיחתנו בלי הפרעה. כשיצא סיפרת לי על בועז, על שני מכתביךְ אל אלכס, על שני הסכומים שהעביר לכם ועל החלטתו של מישל ״לתבוע ממנו הפעם את כל המגיע,״ מתוך הנחה ״שהמנוול אולי סוף־כל־סוף מתחיל להכיר בחטאיו.״ הגשם דפק בחלונות. יפעת נרדמה על המחצלת ומישל הצליח להלביש לה פיג׳מה ולהכניס אותה למיטה בלי שתתעורר. אחר־כך הדליק את הטלביזיה בקול נמוך, שלא להפריע לשיחתנו, צפה בחדשות של תשע וחזר בשתיקה אל מחברותיו. אַת קילפת ירקות לארוחת־הצהרים של מחר ואני עזרתי לך קצת. אמרת לי: תראי, רחל, אַל תשפטי אותנו, לכם בקיבוץ אין מושג מה זה כסף. ואמרת: כבר שבע שנים שאני מנסה לשכוח אותו. ואמרת גם: אַת בין כך לא תביני. מבעד לדלת המטבח יכולתי לראות את גבו המעוגל של מישל, את כתפיו השחוחות, את הסיגריה שהחזיק כל הערב בין אצבעותיו והתאפק מלהדליק מפני שהחלונות היו סגורים, וחשבתי לי: היא שוב משקרת. גם לעצ־מה משקרת. כרגיל אצלה. אין חדש. אבל כל מה שאמרתי לך כאשר דרשת לשמוע מה דעתי, היה משהו כמו: אילנה, אַל תשחקי באש. תיזָהרי. כבר היה לך די.

שֶעל כך ענית לי בכעס: ידעתי שתתחילי להטיף.

אני אמרתי: אילנה, אם לא אִכפת לך, לא אני העליתי את הנו־שא. ואַת: אבל גררת אותי. ובכן הצעתי שנפסיק. והפסקנו, כי מישל שוב נכנס למטבח, התנצל־התבדח על חדירתו ״לעזרת־

הנשים", שטף וניגב את כלי ארוחת־הערב וסיפר בקולו החרוך על משהו ששמע בחדשות. אחר־כך הצטרף אלינו, התלוצץ על "תה של פולנים", פיהק, התעניין במעשׂיו של יואש ובשלום הילדים, כבהיסח־הדעת ליטף את ראשי שתינו, ביקש סליחה, הלך לאסוף את צעצועי יפעת מהמחצלת, יצא לעשן במרפסת ונפרד והלך לישון. אַת אמרת: הרי אינני יכולה לאסור עליו להיפָּגש עם העורך־דין של אלכּס. ואמרת: כדי להבטיח את עתידו של בועז. ובלי קשר הוסַפת: ממילא הוא נוכח כל הזמן בחיים שלנו.

שתקתי. ואַת, בשׂנאה כבושה, קראת לי: רחל החכמה והנורמָלית. רק שהנורמָליות שלך היא בריחה מפני החיים.

לא יכולתי להבליג, ואמרתי: אילנה, כל פעם שאַת משתמשת במלה "החיים" אני מרגישה בתיאטרון.

נעלבת. קטעת את השׂיחה. סידרת לי מיטה ונתת לי מגבת והבטחת להעיר אותי בשש, שאספיק להגיע לאוטובוס של טבריה. שלחת אותי לישון וחזרת לשבת במטבח ולרחם על עצמך לבדך. בחצות הלכתי לשירותים, מישל השמיע נחרה רכה, ואוּתך ראיתי יושבת במטבח בדמעות. הצעתי לך לשכב לישון, הצעתי לשבת אתך, אבל כשאמרת בגוף שני רבים "תעזבו אותי," החלטתי לחזור למיטתי. הגשם לא חדל כל הלילה. בבוקר לפני צאתי, כששתינו קפה, אַת ביקשת ממני בלחש שאחשוב יום־יומַים בשקט ואכתוב לך מה מחשבותי. ובכן ניסיתי לחשוב על מה שסיפרת לי. לולא היית אחותי היה לי יותר קל. ובכל־זאת החלטתי לכתוב לך שלפי דעתי אלכּס הוא אסונך ומישל ויפעת הם כל מה שיש לך. אֶת בועז מוטב שתעזבי עכשיו במנוחה, מפני שכל נסיון שלך "להושיט לו יד אִמהית" רק יעמיק את בדידותו. ואֶת מֶרחקיו ממך. אַל תגעי בו אילנה. אם שוב יהיה צורך להתערב, הניחי למִישל לעשות זאת. ואשר לכספו של אלכּס, כמו כל דבר הקשור בו, זה כסף נושׂא קללה. אַל תשׂחקי ברולֶטה על כל מה שיש לך. כך אני מרגישה. ביקשת שאכתוב, אז כתבתי. נסי לא לכעוס עלי.

רחל

ד"ש מיואש ומהילדים. נשיקה למישל וליפעת. תהיי טובה אליהם. אין לי מושג מתי שוב אהיה בירושלים. גם אצלנו גש־מים כל הזמן והרבה הפסקות חשמל.

☆

ד"ר א.א. גדעון
16 המפסטד הית' לֵין, לונדון אֶן. דַבליו 3, אנגליה
בדואר רשום – אכספרס.

ירושלים 28.3.76

אלכּס שלי, אם אתה סבור שהגיע זמני ללכת לעזאזל, אנא שלח לי מברק בן שלוש מלים, "מאנפרד לך לעזאזל", and I shall be on my way right away. אבל אם, לעומת זאת, החל־טת לבדוק קצת מבפנים את האגף הפסיכיאטרי – אז תואיל בטו־בך ללכת לשם לבד ובלעדַי. אני לא מקבל מזה שום קִיק.

לפי הוראותיך ובניגוד למיטב הכּרתי, הפשרתי אתמול את הפרדס שלנו על־יד בנימינה (אבל לא את הנכס בזכרון־יעקב: אני לעת־עתה עוד לא השתגעתי). על־כל־פנים אוכל לממש לך כמאה אלף אמריקאים בהתראה של עשׂרים וארבע שעות ולמסור לבעלהּ של גרושתך היפה, אם אמנם תִתן לי הוראה סו־פית לעשות זאת.

מצד שני, הרשיתי לעצמי שלא לסגור את הענין עדיין ולהש־איר לך אפשרות להתחרט ולבטל את כל פסטיבל סַנטָה־קלאוּס שלך בלי שעד כה נגרם לך שום נזק (חוץ מהקוֹמיסיון שלי).

אנא, לכל הפחות הַמצא לי בדחיפות הוכחה משכנעת לכך שאתה לא נפלת שם על הראש: אתה תסלח לי, אלכּס שלי, על הלשון הבוטה. המעט שנשאר לי לעשות במצב הנחמד שבו העמדת אותי הוא לחבר ולשלוח אליך מכתב התפטרות יפה. הצרה שאתה קצת יקר לי.

כידוע לך היטב, אביך המופלא קיצר לי את החיים במשך כשלושים שנה, לפני הסְקלֶרוֹזה שלו ובזמן הסקלרוזה וגם אחרי שכבר שכח מה שמו ומה שמי ואיך כותבים אלכּס. ומי כמוך יודע איך הוצאתי לי את הנשמה במשך חמש־שש שנים עד שהצלחתי

לסדר שאתה תוכרז אפוטרופוס יחיד על כל נכסיו, ובלי ששלושה רבעים ילכו לַמַס עזבון או להיטל סֶניליוּת או לאיזו משאבה בּוֹלשביקית אחרת. כל התרגיל ההוא העניק לי, לא אע־לים ממך, מידה של סיפוק מקצועי, דירה יפה בירושלים ואפילו קצת שעשועים, שאת מחירם שילמתי כנראה באולקוס. אבל אילו שיערתי אז שכעבור עשׂר שנים הבן־יוחיד של וולודיה גור־דונסקי יתחיל פתאום לחלק אוצרות לעלובי־החיים, לא הייתי עושה מאמצים טיטָניים כאלה להעביר את כל הנדוניה ההיא קוֹמפלֶט ממשוגע למשוגע – בשביל מה?

תרשה לי להעמיד אותך, אלכּס, על כך שהנתח שאתה מתכוון לתת לפַאנַאט הקטן הוא, בחשבון גס, כשבעה־שמונה אחוזים מכל מה שיש לך. ומניִן לי להיות בטוח שמחר לא תקבל שם עוד מכה על הראש ותחליט לחלק את היתר בין המעון לאבות בלתי־נשׂואים לבית־המחסה לבעלים מוּכּים? ובעצם, למה שתִּתן לו כסף? רק עבור זה שהואיל בטובו להתחתן עם גרושתך המשומ־שת? או בתור סיוע דחוף לָעולם השלישי? ואולי בתור שילומים על קיפוח עדות המזרח? ואם כבר השתגעת לגמרי, אולי בכל־זאת תעשה רק עוד מאמץ קטנטן ותשתגע בזוִית קצת אחרת ותוריש את הנכסים שלך לשני הנכדים שלי? אני מסדר לך את זה בלי לקחת קומיסיון. מה, אנחנו היֶקים לא סבלנו כאן לפחות כמו המרוקאים? אותנו לא ביזיתם ורמסתם, אתם האצולה הרו־סית המצורפֶּתת מפלך צפון־בנימינה? ותביא בחשבון, אלכס, שהנכדים שלי ישקיעו את הונך בפיתוח המדינה! באלקט־רוֹניקה! בלייזרים! הם, לפחות, לא יבזבזו אותו על שיפוץ חור־בות בחברון ועל הפיכת מחראות ערביות לבתי־כנסת! כי עלי לבשׂר לך, אלכס יקירי, שהאדון הנכבד מישל־אַנרי סומו שלך הוא אמנם איש קטן מאוד, אבל פאנאט די גדול. אמנם, לא פא־נאט רעשני אלא פאנאט מן הסוג המוסוֶה: שקט, מנומס ואכזרי. (ועיין בהזדמנות בספרך המצוין מאוד, בפרק "Between Fanaticism and Zealotry").

אתמול בדקתי קצת את מיסטר סומו. כאן במשרדי. מרויח או־לי בקושי איזה אלפיִם שש מאות לירה בחודש, ותורם כל חודש רבע מזה לקבוצה דתית־לאומנית קטנה, בערך שלוש אצבעות

ימינה מארץ־ישראל־השלמה. דרך־אגב, הסומו הזה, אפשר היה לחשוב שאשתך המסחררת, אחרי שבדקה אישית כל גבר חמישי בירושלים, בחרה לה בסוף את גרֶגורי פֶּק, והנה מתגלה שהאדון סומו מתחיל (כמו כולנו) על הרצפה אבל נפסק פתאום כעבור מטר ששים בערך. כלומר, נמוך ממנה לפחות בראש שלם. אולי קנתה אותו בהנחה, לפי מטר רץ.

והנפוליון בונפרט האפריקאי הזה מופיע אצלי במשרד לבוש מכנסי־גַבַּרדין, הז׳קט המשובץ קצת גדול עליו, מקורזל, מגולח עד חָרמה, טָבול היטב באַפטֶרשֵייב רדיואַקטיבי, מרכיב משקפים דקים במסגרת־זהב, עונד שעון־זהב על שרשרת־זהב ועניבה באדום־ירוק מחוזקת בתפס־זהב, ועל ראשו – כדי למנוע כל אי־הבנה אפשרית – כיפה קטנה.

מתברר שהג׳נטלמן רחוק מלהיות טיפש. וביחוד כשזה מגיע לכסף, להפעלת רגשי אשמה, וגם לרמזים חודרי שריון על כל מיני קרובים חזקים שלו שממוּקמים בעמדות אסטרטגיות בעי־ריה, במשטרה, במפלגה שלו, ואפילו במס הכנסה. אני יכול להבטיח לך כמעט בוַדאות, אלכּס שלי, שיום אחד אתה עוד תר־אה את הסומו הזה יושב בכנסת ויורה משם צרורות פטריוטיים ארוכים וקטלניים על יפי־נפש כמוך וכמוני. אז אולי בכל־זאת יותר טוב לך שתיזָהר ממנו, במקום לממן אותו?

אלכּס. מה, לכל הרוחות, אתה חייב להם? אתה, שבמשפטי הגירושין עשית לי את המוות, במיטב המסורת של אביך המטורף, שאני אילָחם כמו נמר על כך שהיא לא תקבל ממך אף גרוש, אף בַּלָטָה אחת מהוִילה ביפה־נוף, אפילו לא את העט שבו נאלצה לבסוף לחתום על המסמכים! בקושי הסכמת שהיא תוציא לה את החזיות והתחתונים שלה עם קצת מחבתות וסירים, בתור נדיבות מיוחדת, ועוד התעקשת כמו פרד שיהיה כתוב שם כי גם זה ״לפנים משורת הדין״?

אז מה קרה פתאום? תגיד, אולי מישהו במקרה מאיים עליך במשהו? אם כן, ספר לי על כך מיד, בלי להעלים אף פרט, כמו לרופא־משפחה. שלח לי סיגנַל מהיר – ואחר־כך תישָען לך אחורנית בכורסה ותִראה איך אני מכין מהם מרק עצמות בשבילך. ובתענוג גדול.

שמע נא, אלכס, האמת היא שהשגעונות שלך לא צריכים לעניין אותי. יש לי עכשיו על כַּן השיגור דיני ממונות אחד רקוב ועסיסי (נכסי הכנסיה הרוסית האורתודוכּסית) ומה שאני מרויח אצלם אפילו אם אפסיד במשפט שוֶה בערך פי שנַיִם מהדמי חנוכה שאתה החלטת להעניק לרגל חג הפסח ליהדות צפון־אפ־ריקה או לאגודת הנימפוֹמַניות המזדקנות. go fuck yourself, אלכּס. רק תן לי הנחיה סופית – ואני מעביר מה שתרצה, מתי שתרצה, למי שתרצה. לכל אחד – לפי צריחותיו.

אגב, האמת היא שהסומו לגמרי לא צורח. להיפך, מדבר יפה מאוד, בטוֹנים רכים ומעוּגלים, בעדינות דידַקטית חייכנית, כמו של אינטלקטואל קתוֹלי. אלה עברו, כנראה, בדרך מאפריקה לארץ, הסָבה יסודית מאוד בפריס. כלפי חוץ הוא מופיע כמעט יותר אירוֹפאי ממך או ממני. ובקיצור, יכול להעביר לחנה בבלי השתלמות בנימוסים טובים.

אני שואל אותו, למשל, אם יש לו מושג לכבוד מה מעניק לו פתאום הפרופסור גדעון את מפתחות הקופה? והוא מחייך אלי במתינות, חיוך "נוּ, באמת" כזה, כאילו הצגתי לו שאלה ילדו־תית, למטה מכבודו ומכבודי, מסרב לקבל ממני סיגריה קֶנְט ומציע לי מהאירופה שלו, אבל ניאות – אולי כמחוָה של אהבת ישראל – לקבל ממני אש. ומביע את תודתו ומעיף בי מין מבט שנון, שמשקפיו במסגרת המוזהבת מגדילים אותו כמו מבט של ינשוף בצהרים: "אני סבור שהפרופסור גדעון יוכל להשיב על השאלה הזו יותר טוב ממני, מר זקהיים."

אני מבליג ושואל אותו, האם מתנה בסדר גודל של מאה אלף דולר לא מעוררת לכל הפחות את סקרנותו? על כך הוא משיב לי: "בהחלט כן אדוני" – ומשתתק ואינו מוסיף מלה. אני ממתין לו אולי עשרים שניוֹת לפני שאני נכנע ושואל, האם יש לו במק־רה איזו השערה משלו בענין. על כך הוא עונה בנחת כי אכן יש לו השערה, אבל הוא, ברשותי, מעדיף לשמוע מה היא השערתי שלי.

ובכן בשלב זה אני מחליט להמם אותו בפגז בכינון ישיר, לובש את פרצוף־זקהיים־האיום המשַמש אותי בחקירות שתי־וערב, ומטיח בו, עם הפסקות־טֶרוֹר קטנות בין מלה למלה: "מר

סומו. אם לא אִכפת לך, השערתי היא שמישהו מפעיל על מרשי לחץ חזק. מה שקוראים אצלכם דמי־לא־יחרץ. ויש בדעתי לגלות מהר מאוד מי, ואיך, ולמה." והקוף הזה לא נבהל, מחייך מין חיוך דתי מתוק ומשיב לי: "רק הבושה שלו, אדון זקהיים, זה כל מה שלוחץ עליו." – "בושה? על מה?" אני שואל, והתשובה מוכנה לו על קצה לשונו הממותקת עוד לפני שסיימתי לשאול: "על חטאיו, אדוני." – "ואיזה חטאים, למשל?" – "הַלבּ־נת־פנים למשל. הלבנת־פנים ביהדות כמוה כשפיכות־דמים."

"ואתה מה, אדוני? אתה מחלקת הגביה? ההוצאה לַפּועל?"

"אני," הוא אומר בלי להניד עפעף, "ממלא כאן רק תפקיד סמלי. הפרופסור גדעון שלנו הוא איש־הרוח. מפורסם בכל העו־לם. מכובד באופן לא־רגיל. אפשר להגיד – נערץ. אבל מה? עד שלא יתקן את מה שעיוֵת, כל מעשיו הטובים הם בחזקת מצוָה הבאה בעבירה. עכשיו לבו נוקף וכנראה הוא מתחיל סוף־סוף לחפש שערי תשובה."

"ואתה השוער של שערי תשובה, אדון סומו? אתה עומד שם ומוכר כרטיסים?"

"אני נשׂאתי לאשה את גרושתו," הוא אומר ונועץ בי, כמו פרוֹזֶ'קטור, את עיניו המוגדלות פי שלושה בעדשות משקפיו, "אני אספתי את חרפתה. ואני גם שומר צעדי בנו."

"במחיר מאה דולר ליום כפול שלושים שנה ובמזומנים מראש, אדון סומו?"

ובכך הצלחתי סוף־סוף להוציא אותו משלוָתו. הציפוי הפרי־סאי התנפץ והזעם האפריקאי פרץ כמו מוגלה מתחתיו:

"מר זקהיים הנכבד מאוד. ברשותך, הרי אתם עבור ההתחכ־מויות שלכם משלמים לכם בחצי שעה יותר שׂכר ממה שראיתי אני בכל עמלי. תואיל נא לרשום לפניך, מר זקהיים, כי אני לא ביקשתי לקבל מפרופסור גדעון מחוט ועד שׂרוך נעל. הוא שביקש להעניק. ואני גם לא ביקשתי את הפגישה הנוכחית אתך, אדוני. אתה ביקשת להיפָּגש אתי. ועכשיו," המורה הקטן קם פתאום על רגליו, לרגע חששתי שבדעתו להרים סרגל משולחני ולהצליף לי על אצבעותי, ובלי להושיט יד, מחניק בקושי את שׂנאתו, פלט: " – ועכשיו ברשותך האדיבה אני שם

קץ לשיחה הזו מחמת הזדון והרמזים המגוּנים שמצדך.״

ובכן, מיהרתי להרגיע אותו. ביצעתי מה שאפשר לכנות ״נסיגה אֶתנית״: הטלתי את האשמה על חוש ההומור היֶקי הבל־תי־אפשרי שלי. הפצרתי בו שיואיל נא להתעלם מן הבדיחה הלא־מוצלחת ויראה את דברי האחרונים כאילו לא נאמרו. ומיד הבעתי התעניינות בַתרומה הכספית שביקש ממך לטובת איזה מַאנְקי־בִּיזְנֶס של הפאנאטים בחברון. כאן צלחה עליו פתאום רוח דידַקטית נלהבת, ועדיין בעמידה על רגליו הקצרות ותוך מחווֹת פילדמרשליוֹת על־פני מפת הארץ שבמשרדי, הוא נידב לי בחינם ובלהט (אם לא להחשיב את הזמן שלי, שממילא אתה משלם בעדו) דרשה קוֹמפַּקטית בענין זכותנו על הארץ וכו׳. לא אַלאֶה אותך בדברים אשר שנינו מכירים עד לזרא. והכּוֹל טבול בפסוקים ובמדרשים והכּוֹל קל ומנוקד, כאילו נראיתי לו קשה־תפיסה במקצת.

שאלתי את הרמב״ם המיניאטוּרי הזה, האם הוא ער לעובדה שהשקפותיך הפוליטיות קרובות במקרה לקצה השני של הקשת, וכל שגעונות חברון הללו מנוגדים במאה ושמונים מעלות לעמדותיך הציבוריות המוצהרות?

גם הפעם לא התבלבל (אני אומר לך, אלכס, אנחנו עוד נשמע הרבה על הדֶרוִיש הזה!) אלא פתח והשיב לי בסבלנות, דבש ונו־פת צוף, כי לפי עניוּת דעתו הצנועה ״עוברת בימים אלה על הדוקטור גדעון, כמו על הרבה יהודים אחרים, חוָיה של הזדככות המביאה הרהורי תשובה העתידים לגרום בקרוב לשינוי לבבות כללי.״

בנקודה זו, לא אעלים ממך, אלכס שלי, הגיע תורי לאבד את הציפוי האירופאי ולהתפרץ עליו בשצף־קצף: על סמך מה, לכל השדים והרוחות, נדמה לו שהוא יודע מה קורה בעומק לבך? מנַין חוצפתו, בלי להכירך כלל, לקבוע בשבילך – ואולי גם בשביל כולנו – מה מתרחש בנפשנו ומה עומד להתרחש, עוד לפני שאנחנו יודעים על כך?

״הלא הפרופסור גדעון כבר עכשיו מנסה לכפר על חטאים שבין אדם לחברו. בשביל זה אתה הזמנת אותי היום לפגישה הזו במשרדך, מר זקהיים. אז למה שלא נפתח לפניו באותה הזדמנות

פתח לכַפר על־ידי תרומה גם על חטא שבין אדם למקום?"

ולא נרגע ולא הסתלק עד שטרח וביאר לי את התרתי־משמע של המלה העברית "דמים". Ecce Homo.

אלכס שלי: אני מקווה שאכן התרתחת כהוגן למקרא התיאור הזה. או, מוטב, שפרצת בצחוק הגון וחזרת בך מכל הענין. בדיוק לשם כך טרחתי לשחזר בשבילך בכתב את כל הסצינה. איך אומר הדרשן הקטן? "שערי תשובה אינם נעולים". ובכן, חזור נא מיד בתשובה מהרעיון המשונה שלך ושלח את שניהם לעזאזל.

אלא אם כן יש משהו באינטואיציה הזקנה שלי, הלוחשת לי כי איכשהו נודע למישהו איזה פרט מביך אשר בעזרתו השד הזה – או מי שמסתתר מאחוריו – מאיים עליך ומפעיל סחיטה גסה כדי לקנות בכספך את שתיקתו (וגם את חורבות חברון). אם אמ־נם כך, אני חוזר ומפציר בך שתִתן לי סיגנַל קליל ותראה באיזו אֱלֶגַנציה אני אפרק בשבילך את מטען החבלה שלהם.

ובינתים, על־פי ההנחיה שבמברקך, הורדתי על סומו חקירה פרטית קטנה (שלמה זַאנד ידידנו), ואני מצרף את הדו"ח. אם תטרח לקרוא בשׂוּם־לב, ודאי תבחין בכך שבמקרה שמדובר בהפחדה – יש גם לנו אחיזה, ובלי קושי נוכל להדגים לג'נטלמן כי במשחק הזה יכולים לשחק שנַיִם. אם רק תִתן לי אישור, אני שולח אליו את זאנד לשׂיחת־נפש קטנה, ותוך עשר דקות ישתרר שקט מוחלט בחזית. על אחריותי. יותר לא תשמע מהם אף ציוץ.

מצורפים אפוא שלושה נספחים למכתבי: א) דו"ח זאנד על סומו. ב) דו"ח עוזרו של זאנד על הנער ב.ב. ג) העתקי פסה"ד הרבני בענין סיום נישואיך ופסיקת ביה"מ המחוזי בתביעת היפהפיה שלך נגדך. את הקטעים החשובים הדגשתי בשבילך באדום. רק תשתדל בבקשה לא לשכוח כי כל העסק נגמר לפני יותר משבע שנים, ועכשיו זו רק ארכיאולוגיה.

עד כאן מה שביקשת ממני במברקך. אני מקווה שלפחות אתה מרוצה ממני, כי אני ממך – לגמרי לא. ולהנחיות נוספות אחכה, כדרכי, בהכנעה. Just don't go mad, for god's sake.

מאנפרד שלך המודאג מאוד

☆

[מברק] אישי זקהיים ירושלים ישראל. חרגת מסמכותך. שלם מיד מאה בדיוק ותפסיק להשתולל ולבלבל המוח. אלכס.

☆

[מברק] א. גדעון ניקפור לונדון. שילמתי. מסתלק מניהול ענייניך. נא מידית הוראותיך למי להעביר התיקים. אתה לא נורמלי. מאנפרד זקהיים.

☆

[מברק] אישי זקהיים ירושלים ישראל. התפטרותך לא מתקבלת. עשה מקלחת קרה תירָגע ותהיה ילד טוב. אלכס.

☆

[מברק] א. גדעון ניקפור לונדון. התפטרותי בתָקפהּ. לך לעזאזל. זקהיים.

☆

[מברק] אישי זקהיים ירושלים ישראל. אל תעזוב אותי. מר לי מאוד. אלכס.

☆

[מברק] א. גדעון ניקפור לונדון. טס אליך הערב. אגיע לפנות־בוקר לבית ניקלסון. רק אל תעשׂה בינתים שום שטויות נוספות. שלך מאנפרד.

למיכאל סומו
תרנ״ז 7 ירושלים

שלום. תראה מישל, אני ניגש איתך ישר לעניין – אני צריך הלוואה ממך. אני עובד חזק אצל הגיס שלך אברם אבודרם, סו־חב כל היום ארגזי ירקות. תוכל לבדוק אצלו שאני בסדר. גם אני מרוצה כי הוא מתנהג איתי פֶר גם משלם יומית וגם שתי ארוכות על חשבונו. תודה שסידרתה לי את זה. ההלוואה זה בשביל לקנות חומרים לבנות טלסקוף לפי שיתת עשה זאת בעצמך. החברה שלך ג׳נין (גברת פוקס) סידרה לי כמו שאתה יודע גם שמירת לילה (לינה) בפלנתריום בלי כסף. זאת אומרת אני לא משלם ולא משלמים לי. אבל אם אני יהיה טוב בתכזוקת ציוד אופטי שאני קצת מתמצה בזה ויש להם תקן הם גם ישלמו לי קצת. יוצא שכמעט אין לי הוצאות, רק החנסות. אבל עם הטלסקוף אני רוצה להתחיל כבר עכשו והמחיר זה ארבת אלפים לירות ככה שאני מבקש ממך הלוואה שלושת אלפים (יש לי כבר אלף בצד). אני יחזיר לך בעשרה תשלומים 300 כל חודש מהמס־כורת שלי וזה באנחה שאתה לא רוצה לקחת מימני ריבית. אם אי אפשר או סתם קשה לך אז אל תיתן אין דבר (בנתים עוד לא רצכתי אף אחד). מה שאני מבקש אותך זה שהאשה לא תידע כלום מכל העסק. לך אישית וגם לילדה הקטנה אני מאכל כל טוב. בתודה

בועז ב.

☆

לאברהם אבודרהם עבור בועז ברנדשטטר
השוק הסיטונאי, רח׳ קרליבך, תל־אביב.

ב״ה, ירושלים א׳ דחוה״מ פסח (16.4.)

בועז היקר,

קיבלתי את מכתבך והצטערתי מאוד שאתה לא באת לליל הסדר בהתאם להזמנתנו. אבל אני מכבד את ההסכם בינינו, שלפיו אתה עושה כל מה שאתה רוצה בתנאי שאתה עושה זאת בזיעת אפיך וביושר. לא באת – לא באת. אין דבר. מתי שתרצה

לבוא, תבוא. אברם טילפן ואמר שאתה מצוין. גם דרך גברת ז׳אנין פוקס קיבלנו דרישת־שלום חיובית ממך. טוב מאוד בועז! כמעט בן־גילך הייתי כשהגעתי עם הורי מאלג׳יריה לפריס ועבדתי קשה בתור שוליה של טכנאי רנטגן (דוד שלי) בשביל להרויח קצת כסף. אמנם, בניגוד לך, אצלי העבודה היתה רק בשעות הערב, אחרי הלימודים בתיכון. ומעניין להשוות שגם אני ביקשתי פעם הלוָאה מהדוד הזה שלי למטרת רכישת מילון לַארוּס שהצטרכתי אז מאוד (אבל הוא לא נתן לי).

מה שמביא אותי אל בקשתך אתה: הנה כאן השלושת אלפים ל״י בהמחאות־דואר בשבילך. אם תצטרך עוד סכום, ואם תציין מטרה חיובית, נשתדל לתת לך ברצון רב. אשר לריבית שהזכ־רת, אני דווקא לא אתנגד שתחזיר לי את הכסף בריבית, אבל לא עכשיו בועז אלא בעוד הרבה שנים כשתזכה להתעשר במצוות ובמעשים טובים וגם בחומר (ולפני זה תלמד לכתוב בלי שגיאות!!). אבל כעת יותר טוב לך שתמשיך במקום זה לשים לך קצת חסכונות בצד. תשמע לי בועז.

בענין אחד נאלצתי להפר את משאלתך: אמך יודעת על הכסף שאני שולח לך בזאת. זה מפני שאין בינינו סודות ועם כל הכבוד לך אני לא מוכן לעשות אתך שום קנוניות מול אמך, אפילו לא לשם־שמים. אם לא מוצא חן בעיניך – אל תִקח את הכסף. אסיים כאן באיחולים חמים ובברכת מועדים לשמחה.

שלך מיכאל (מישל)

למיכאל סומו
תרנז 7 ירושלים

מישל שלום ותודה על ההלואה. כבר קניתי והתחלתי לאט לאט להרקיב את המכשיר. ברונו פוקס מהפלאנתריום (הבעל של ג׳נין) עוזר לי קצת. בן אדם טוב. יודע אופטיקה ולא מתיף מוסר. זה הדעה שלי ואל תצחק, שכול אחד צריך לדעת דבר אחד טוב־טוב ולעשות אותו טוב־טוב ולא להאגיד לאחרים מה לעשות ואיך. אז יהיה הרבה יותר סיפוקיות במדינה ופחות בעיות אישיות. זה לא כל כך משנה לי שאשתך יודעת מההלואה

פשוט אני לא רוצה להסתבך ממנה. איתך – זה משהו אחר. תגיד? איך קנית את המילון שהצטרחת אז בפריז? ושוב תודה ודש לילדה הקטנה היפה ממני בועז. נ"ב בכל זאת אני יתחיל מהחודש הבא להחזיר לך לאט את הכסף שלך. הכסף הוא שלך, נכון?

בועז ב.

☆

בועז ברנדשטטר ע"י א. אבודרהם
השוק הסיטונאי, רח' קרליבך, תל־אביב.

ב"ה, ירושלים כ"ג ניסן תשל"ו (23.4.)

בועז היקר,

מכיוָן ששאלת – עלי החובה להשיב. הכסף הזה הוא של אביך ולא שלי. אם תעלה אלינו לירושלים לשבת זו או לשבת אחרת, אנחנו נספר לך ברצון על הענין הזה מכל צדדיו הידועים לנו (יש גם צדדים הנעלמים מעינינו כנראה). אמך ואחותך מצטרפות להזמנה. תפסיק להיות חמוֹר בועז – פשוט תבוא וזהו. מתחילים עוד מעט לבנות אצלנו הרחבה לדירה, תוספת שני חדרים (לכיוון החצר מאחור) שאחד מהם מיועד לך למתי שתרצה אותו. אבל גם עוד לפני זה יש לנו תמיד מקום בשבילך. אז אַל תהיה ילד ותבוא שבת זאת. לפי דעתי הגאוָה שלך עובדת כל הזמן בכיווּן הלא־נכון. אני סבור, בועז, שההבדל בין ילד לגבר זה שגבר כבר לא משחית ארצה לא את הזרע שלו ולא את הגאוָה שלו כי אם שומר לשעה הנכונה, עד שתחפץ כמו שכתוב אצלנו. ואתה כבר לא ילד בועז. אני נתתי את המשל הזה גם כנגד סי־רובך (עד כה) לבוא הביתה, גם כנגד יחסך הכללי הסורר כלפי האמא שלך, וגם כדי לרמוז לך שלא תגיב בצורה ילדותית על הידיעה שאני מסרתי לך בזאת בקשר למקור הכסף. הרי יכולתי גם לא לספר לך, נכון?

מה שמביא אותי לשאלה השניִה ששאלת במכתבך: איך קניתי אז את הלַארוּס בפריס כשהייתי בן־גילך אחרי שהדוד שלי מיאן לתת לי הלוָאה. התשובה היא שפשוט לא קניתי אלא כעבור שנה, אבל אותו הדוד על המקום הפסיד עוזר זול וחרוץ, כי אני

נעלבתי ממנו ועברתי לעבוד במקום זה בניקוי חדרי־מדרגות (אחרי שעות בית־הספר!). זה היה עוד בשנת חמישים וחמש, ואתה בהחלט יכול להגיד שהייתי חמור גדול. בכל־אופן הייתי עוד ילד. אסיים כאן באיחולים טובים ובידידות,

שלך,
מישל

נ״ב:

אם אתה מתעקש להחזיר לי את ההלוָאה כבר עכשיו, בתשלו־מים חָדשיים, אין לי שום התנגדות. זה דווקא די מוצא חן בעיני! אבל במקרה כזה שיהיה ברור לך שהריבית יורדת מהפרק.

☆

שלושת הנספחים למכתבו של עו״ד זקהיים מירושלים אל ד״ר גדעון בלונדון, מיום 28.3.76

נספח א׳: דו״ח שלמה זאנד (חוקר פרטי) ממשרד ש. זאנד בת״א בנידון מישל־אנרי (מיכאל) סומו. נערך עפ״י הזמנת עו״ד מ. זקהיים ממשרד זקהיים את די־מוֹדינא בירושלים והוגש למזמין ביום 26.3.76.

א.נ.,

מכיוָן שהמשימה הוטלה עלינו ביום 22.3 ונתבקשנו לערוך בירור מהיר ביותר ולהגיש לכם דו״ח תוך כמה ימים, אין לראות בחומר המצ״ב דו״ח חקירה מלא אלא רק ממצאים ראשונים, פרי איסוף חפוז. עם־זאת נציין כי יש בחומר אחיזה לפיתוח כיווּני חקירה שונים, לרבות כיוונים העשויים להתגלות כרגי־שים. אם אתבקש להמשיך בעבודתי על תיק זה, סבורני שאוכל להגיש לכם דו״ח מקיף תוך חודש ימים בערך.

הזמנתכם כללה איסוף עובדות על רקעו של מ.א.ס. וכן על אורח־חייו בהווה, לרבות התחום המקצועי, התחום הכספי והתחום המשפחתי. להלן ממצאינו החלקיים.

רקע כללי. מ.א.ס. נולד באוֹרַאן, אלג׳יריה, במאי 1940. שמות ההורים ז׳אקוֹב (יעקב) וסילבי. האב עבד כמוכס באוֹראן עד 1954, שאז עברה המשפחה להתגורר בפרוָר של פריס. (שלושה אחים ואחות אחת, כולם מבוגרים מ־מ.א.ס., היגרו

לצרפת עוד קודם־לכן והקימו משפחות משלהם. האח הבכור חי בארץ).

מ.א.ס. למד בַליסֶה על שם וולטֶר עד 1958 ואחר־כך למד שנתים ספרות צרפת באוניברסיטת סורבּון. לא השלים לימודיו ואינו מחזיק בתואר אקדמאי. בתקופה זו התקרב לחוגי תנועת בית״ר בפריס (בהשפעת אחיו הבכור) וגם החל לשמור מצוות (כנראה בהשפעת אח אחר, שחזר בתשובה ועוסק עד היום בהו־ראה דתית־ציונית בפריס).

מ.א.ס. הזניח בהדרגה את לימודיו בסורבּון והתמסר ללימודי עברית ומקצועות היהדות. סמוך לעלייתו ארצה כבר שלט בשפה העברית. בסוף 1960 עלה לישראל ועבד חֳדשים אחדים כפועל בנין אצל קבלן דתי בפתח־תקוָה. אחר־כך פנה והתקבל (כנראה בהמלצת אחד מקרוביו) לבית־הספר לשוטרים, אך עזב באמצע (את הרקע לא הצלחנו לברר), ונכנס ללמוד בישיבת "מנורת המאור" בירושלים. גם כאן לא התמיד, ובין השנים 1962–1964 הוא עובד לפרנסתו במשרה חלקית כסדרן בקולנוע אוריון ומנסה, בלי הצלחה, להשלים את לימודיו במחלקה לתר־בות צרפת באוניברסיטה העברית. בתקופה זו הוא מתגורר בחדר־כביסה על גג בית־הדירות שגר בו אחי־גיסו, בשכונת תלפיות. בשנת 1964 שוחרר מ.א.ס. לצמיתות משירות צבאי (מילואים ביחידת קצין־העיר) בעקבות מחלת כליות עם סיבוכים.

מאז 1964 עובד, תחילה כמורה־עוזר ואח"כ כמורה קבוע (בלתי־מוסמך) לצרפתית, בביה"ס הממלכתי־דתי לבנים "אוהל יצחק" בירושלים. מאז נישואיו ב־1970 לאילנה (הַאלינה) גדעון לבית ברנדשטטר מתגורר בדירת חדר וחצי ברח' תרנ"ז 7 בירושלים. דירה זו נרכשה בסיוע בני משפחתו בארץ ובצרפת, במשכנתא חדשית לעשר שנים אשר כמחציתה כבר שולמה.

מצב כספי: מ.א.ס. משתכר מעבודתו 2550 ל"י לחודש. האשה אינה עובדת. מקורות הכנסה נוספים: שיעורים פרטיים (כ־400 ל"י לחודש) פלוס תמיכה קבועה מהוריו בפריס (500 ל"י לחודש). הוצאות עיקריות: 1200 ל"י משכנתא חָדשית על הדי־רה. 500 ל"י לחודש להחזקת בן אשתו בועז ברנדשטטר

בביה״ס החקלאי ״תלמים״ (עד לפני שלושה שבועות). תרומה חודשית, עפ״י הוראת קבע בבל״ל סניף תלפיות, לתנועת ״אח־דות ישראל״ – בסך 600 ל״י לחודש. לעתים קרובות מפגר בתשלומים שוטפים (חשמל, מים, מסים), אך מדייק תמיד בתש־לום המשכנתא, שכר הלימוד והתרומה.

בתחום המשפחתי: נשוי (מאז 1971) פלוס ילדה בת שלוש (מַדלֶן יפעת). האשה היא גרושתו של פרופ׳ א. גדעון הידוע (כעת בארה״ב). עפ״י פס״ד רבני ובעקבות משפט בין הצדדים ב־1968, לא קיימת שום חבות כספית משום צד. חיי הנישואים של מ.א.ס. ואשתו תקינים. המשפחה שומרת שבת, כשרות וכו׳ ומקיימת אורח־חיים שאפשר להגדירו כמסורתי או דתי מתון (אינם מתנזרים מהליכה לקולנוע, למשל).

לא מצאנו שום מידע על קשרים רומנטיים מחוץ למסגרת הנישואים, מצד מ.א.ס. או מצד אשתו. נמצא, לעומת זאת, מידע זָמין (החורג ממסגרת המשימה שהטלתם עלינו) בנוגע להסתב־כויות כנ״ל מצד אילנה גדעון־סומו בתקופת נישואיה הראשו־נים. כמו־כן יש מידע על היותו של בנהּ בועז נתון לפיקוח קצין־מבחן מאז מאי 1975 (ועיין בדו״ח החוקר א. מימון ממשׂרדנו המוגש לכם עפ״י בקשתכם יחד עם דו״ח זה). יחסי הנער בועז עם מ.א.ס. ואשתו משובשים (נמנע זה כמה שנים מלבקרם בירושלים). לעומת זאת, יחסי מ.א.ס. עם משפחת סומו המורח־בת (דודנים, גיסים וכו׳) הם הדוקים ביותר.

בתחום הציבורי: כאן מצאנו בלי קושי מידע רב. מ.א.ס. קרוב בהשקפותיו לימין. אחיו הבכור ובני משפחה אחרים ידועים בפעילותם בתנועת החירות – גח״ל (אחדים מהם – במפד״ל). מ.א.ס. היה בתקופות שונות חבר רשום בשתי המפלגות הנ״ל לסירוגין. בשנת 1964 היה בין מארגניה של קבוצת משכילים וסטודנטים מצפון־אפריקה בירושלים, בשם ״מולדת״. הקבוצה התפלגה על רקע כספי ואידיאולוגי וחדלה להתקיים ב־1965. ערב מלחמת ששת הימים היה מ.א.ס. פעיל ביותר בתעמולה ובהחתמה נגד מדיניות ההמתנה של ממשלת אשכול ובעד נקיטת יוזמה צבאית נגד מצרים ושאר מדינות ערב.

מיד אחרי מלחמת־ששת־הימים מתגייס מ.א.ס. לפעילות

בחוגי הועד לשלמות הארץ, שהפך לאחר־מכן לתנועה למען ארץ־ישראל השלמה, ועוסק בתעמולה ובהפגנות. בשנת 1971 עזב לפתע את התנועה. זמן קצר לאחר־מכן החזיר באופן הפגנ־תי את פנקס־החבר שלו למפד״ל. בשנת 1972 נמנה על מְיַסדיה של קבוצה המכוּנה ״אחדות ישראל״, שרוב חבריה הם צעירים עולים חדשים מארה״ב ומרוסיה. מ.א.ס. משמש עד היום חבר בועד הפעולה של קבוצה זו. אחרי מלחמת־יום־הכיפורים היתה הקבוצה מעורבת בהפגנות נגד הסכמי הפרדת הכוחות בסיני ובגולן, וכן בנסיונות לרכוש שלא כחוק קרקעות מידי ערבים בסביבות בית־לחם. מ.א.ס. זוּמַן פעמִים לחקירה משטרתית על רקע פעילותו בקבוצה הנ״ל (באוקטובר 74 ושוב באפריל 75) אך לא נעצר. ככל שהצלחנו לברר, לא היה מ.א.ס. מעורב אי־שית במעשים של הפרת חוק אלימה. פירסם כעשׂרה מכתבים למערכת (בשני עתוני הערב) שבהם הטיף להסתלקות האוכ־לוסיה הערבית מהמדינה ומהשטחים בדרכי שלום ובאמצעות פיתויים כספיים.

לסיום נביא פרט הנראה לנו משמעותי במיוחד, ומרמז ככל הנראה על מידע חשוב שטרם עלינו עליו: בדצמבר שנה שעברה (לפני כארבעה חֳדשים) פנה מ.א.ס. לשגרירות צרפת בת״א בבקשה לחדש את נתינותו הצרפתית (שעליה ויתר מרצונו ב־1963), לצד נתינותו הישראלית. בקשתו נדחתה. מיד לאחר־מכן, ב־10 בדצמבר שנה שעברה, יצא לפריס ושהה בהּ ארבעה ימים בלבד(!). לא ברור על חשבון מי ולאיזו מטרה נסע. זמן קצר לאחר שובו אכן הוענקה לו מחדש הנתינות הצרפתית, וזאת במהירות המעידה למעלה מכל ספק על חריגה, לטובתו, מן ההליך הרגיל. לא עלה בידינו לברר מה עומד מאחורי אֶפיזודה זו.

כאמור, אנו רואים בדו״ח שלפניכם עבודה חלקית ובלתי־ממַצָה, לאור מגבלת הזמן החמורה שהטלתם עלינו. נשׂמח לעמוד לרשותכם אם תהיו מעוניינים בהמשך עבודתנו בנושא זה או בכל נושא אחר.

(–)שלמה זאנד
זאנד חקירות פרטיות בע״מ, תל־אביב.

נספח ב׳: דו״ח אלברט מימון (חוקר פרטי) ממשרד זאנד בע״מ, ת״א, בנידון הנער בועז ברנדשטטר. נערך עפ״י הזמנת עו״ד מ. זקהיים ממשרד זקהיים את די־מודינא בירושלים והוגש למזמין ביום 26.3.1976.

א.נ.,

לפי בקשתכם ערכנו בירור חפוז (יום־עבודה אחד) והעלינו כי הנ״ל, בנהּ של הגב׳ א. ברנדשטטר־סומו מירושלים ואב לא ידוע, עזב ביום 19.2.76 מרצונו את ביה״ס החקלאי ״תלמים״ על רקע אי־הסתגלות כללית ובעיות משמעת חוזרות ונשנות, ויצא ליעד לא ידוע. כעבור יומים, ב־21.2 נעצר בתחנה המרכ־זית בת״א ונחקר על סחר ברכוש גנוב (לנ״ל שני תיקים קודמים על רקע דומה, והוא נתון לפיקוחו של קצין־מבחן לנוער מאז מאי 1975). למחרת, ביום 22.2, שוחרר בערבות מר מיכאל סו־מו מירושלים (בעלהּ של אמו) וכנראה – בתמיכת גורם פנימי במשטרה. מאז – מועסק ע״י קרוב־משפחה של מר סומו בשוק הסיטונאי בתל־אביב, וזאת – תוך עבירה לכאורה על חוק העס־קת קטינים. בהווה מתגורר ב.ב. במבנה הפלנטריום ברמת־אביב לפי הזמנת אחד האחראים למִתקן, ומוגדר כ״שומר־לילה בהתנדבות״. ב.ב. הוא בן פחות משש־עשרה (יליד 1960) אך נראה מבוגר בהרבה מכפי גילו (לפי ההתרשמות האישית שלי, הייתי נותן לו לפחות שמונה־עשרה: גדול מאוד מבחינה פיסית ומצטיין בכוח גופני יוצא מהכלל). ככל שהצלחתי לברר, אינו מקיים בהווה שום קשרים חברתיים. על מעמדו החברתי בתקופה שלמד במוסד ״תלמים״ קיבלתי עדויות סותרות. אין מידע משמעותי נוסף. נא הודיעונו אם נותרו שאלות ספציפיות שתהיו מעוניינים כי נברר עבורכם.

(–)א. מימון, חוקר,

משרד זאנד חקירות פרטיות בע״מ, תל־אביב

נספח ג׳: הקטעים שהדגיש עו״ד זקהיים בעפרון אדום בחומר שצירף למכתבו מיום 28.3.76 אל א.א. גדעון בלונדון.

1. מתוך פסיקת ביה״ד הרבני בתביעת הגירושין של א.א. גדעון נגד הַאלינה ברנדשטטר־גדעון, ירושלים 1968: ״...לפי־כך אנו קובעים כי התובעת זינתה תחת בעלהּ, וזאת על־פי

הודאתהּ שלהּ... מפסידה כתוּבָּתהּ ומזונותיה..."

2. מתוך פסיקת בית־המשפט המחוזי בירושלים, 1968:
"...באשר לתביעתהּ למזונותיה ולמזונות בנהּ הקטין... עקב טענתו של הנתבע כי הוא אינו אבי הקטין... לאור תוצאותיה הלא־חדמשמעיות של בדיקת סוג הדם... הציע בית־משפט זה לצדדים לעבור בדיקת סיווג רקמות... סירבה התובעת לעבור בדיקה זו... סירב גם הנתבע לעבור בדיקת סיווג רקמות... ומשחזרה בהּ התובעת מתביעתהּ למזונותיה ולמזונות הקטין... מוחק בית־המשפט את תביעתהּ לאחר שהצהירו הצדדים כי מכאן ואילך אין להם זה על זה ולא כלום."

☆

ד"ר אלכסנדר גדעון
המחלקה למדעי המדינה
אוניברסיטת מדינת אילינוֹי, שיקאגו, אילינוי, ארה"ב.

ירושלים 19.4.1976

אַלק הרחוק,

אני כותבת אליך גם הפעם על־פי כתָבתך באילינוי בתקוָה שאיזו מזכירה תטרח להעביר אליך את מכתבי זה. אינני יודעת היכן אתה. החדר השחור־לבן, שולחנך הריק, הבקבוק הריק והכוס הריקה מקיפים אותך תמיד במחשבותי כמו תא של חללית אשר בתוכו אתה מיטלטל בלי הרף מיבשת ליבשת. והאש הבוערת באח ומראה גֵווךָ הנזירי וראשך המלבין, המקריח, ושׂדות השלג העזובים הנשקפים אליך מחלונך ומשׂתרעים עד טמיעתם בערפל. הכּוֹל כבחיתוך עץ. תמיד. באשר הִנךָ.

ומה רצוני הפעם? מה עוד תדרוש אשת הדייג מדג־הזהב שיע־ניק להּ? עוד מאה אלף? או ארמון מאבני־אִזְמָרַגְדְ?

לא־כלום, אלק. אין לי שום משאלה. אני כותבת רק כדי לדבר אליך. אף כי כל התשובות כבר ידועות לי: למה יש לך אזנַיִם כל־כך ארוכות? ולמה זה עיניך נוצצות ובורקות מולי? ולמה השינַיִם החדות?

אין שום חדש, אלק.

בנקודה זו תוכל לקמט את המכתב ולקלוע אותו אל האש.

הנייר יתלהט לרגע ויסע לעולמות אחרים, לשון־אש תשתלח ותדעך כמתלהבת על לא דבר, פיסה דקיקה מפוחמת תתרומם להתערבל בחדר ואולי גם תנחת לרגליך. ושוב תהיה לבדך. תו־כל למזוג לך ויסקי ולחגוג עם עצמך את נצחונך: הנה היא מתפלשת לרגלי. נמאסה לה המציאה האפריקאית שלה ועכשיו היא מבקשת חנינה.

כי מלבד הזדון ומלבד השמחה־לאיד אין ולא היו לך שמחות אחרות בחייך, אלק הרשע הגלמוד. קרא ושמח. קרא וצחק בלי קול אל הירח בקצה השלג בחלונך.

הפעם הזאת אני כותבת אליך מאחורי גבו של מישל. ובלי לספר לו. בעשר וחצי כיבה את הטלביזיה, עבר וכיבה על־פי סדר את האורות בבית, כיסה את הילדה, בדק את נעילת הדלת, הניח סוֶדר על כתפי, התכרבל בשמיכה, הציץ ב"מעריב" ומיל־מל דבר־מה ונרדם. עכשיו משקפיו וחפיסת הסיגריות שלו מונ־חים לידי על השולחן, נשימת תרדמתו הרגועת מתערבת בתק־תוק האורלוגין החום שקיבלנו במתנה מהוריו. ואני יושבת אל מכתבתו וכותבת אליך, ובכך אני חוטאת גם לו וגם לילדתנו. הפעם אפילו לא אוכל להשתמש בבועז: הבן שלך מסודר. כספף וחָכמתוֹ של מישל חילצו את הילד מן הסבך. הידידים של משפחת סומו סגרו לו את התיק במשטרה. אט־אט מישל הולך ומגלה את הדרך אל בועז. כמפַלס נתיב ביער. התאמין, עלה בידו להביא את בועז אלינו לירושלים בשבת שעברה, ואני פרצתי כמה פעמים בצחוק למראה בעלי הקטן ובנך הענק המתחרים ביניהם כל היום על חסדי הילדה, שנראתה לי כנהנית מן המאבק ואפילו מלַבּה אותו. בצאת השבת הכין מישל לכולנו סלט עם זיתים ופלפלים חריפים, סטֵייקים עם צ׳יפס, הזמין את בן השכנים לשמור על יפעת, ואנחנו הלכנו עם בועז להצגה שניה בקולנוע.

ההתקרבות הזאת משבשת את כל האסטרטגיה שלך? צר לי. הפסדת נקודה. איך אמרת לי פעם? כשהקרב בעיצומו אין עוד משמעות לתדריכים. ממילא האויב לא מכיר את התדריך ואינו נוהג בהתאם לו. כך אירע לך שבועז ומישל הם עכשיו כמעט חברים ואני מביטה ומחייכת: למשל, כאשר מישל טיפס על

כתפיו של בועז כדי להחליף נורת חשמל במרפסת. או כשניסתה יפעת להעלות על רגליו של בועז את נעלי־הבית של מישל.

מדוע אני מספרת לך על כך?

בעצם צריך היה לחזור אל השתיקה הקבועה ביני ובינך. מעכשיו עד סוף חיינו. לקבל את כספך ולהחריש. אבל עדיין מהבהב איזה אור תעתועים עקשן מעל הבִּצה בלילות ושנינו לא נוכל לגרוע ממנו עין.

אם בכל־זאת החלטת משום־מה להמשיך לקרוא בדפים האלה, אם לא ירית אותם אל האש הבוערת בחדרך, ודאי ברגע זה לוב־שים פניך את מסיכת הבוז והיוהרה ההולמת אותך כל־כך ומעניקה לך הילה של עָצמה אַרקטית. זאת הקרינה הקפואה אשר למגעהּ אני נמַסה כתפוסת כישוף. מאז. נמסה ושונאת או־תך. נמסה ומתמסרת לך.

אני יודעת: מן המכתב שאתה מחזיק בידיך כרגע אין לי דרך חזרה.

אמנם גם שני מכתבי הקודמים יספיקו לך, אם תרצה להשמיד אותי.

מה עשית במכתבי הקודמים? לאש או אל תוך הכספת?

ובעצם, כמעט אין הבדֵל.

כי אתה הלא אינך דורס, אלק: אתה מכיש. בארס דק ואטי שאינו קוטל בן־רגע אלא מפרק וממוסס אותי לאורך שנים.

שתיקתך הממושכת, אשר שבע שנים ניסיתי לעמוד בפניה, להחריש אותהּ בקולות ביתי החדש, ובשנה השמינית נשברתי.

כשכתבתי אליך בפברואר את מכתבי הראשון והשני, אני לא שיקרתי לך. כל הפרטים שהבאתי לידיעתך בפרשת בועז היו מדויקים, כפי שזקהיים ודאי כבר אישר לך. ובכל־זאת, הכּוֹל היה שקר. אני רימיתי אותך. טמנתי לך מלכודת. בלבּי הייתי בטוחה לגמרי, בטוחה מן הרגע הראשון, בכך שמישל הוא שיח־לץ את בועז מן הצרות שלו. מישל ולא אתה. ואמנם כך היה. וידעתי מן הרגע הראשון כי מישל, גם בלי הכסף שלך, יעשה את הדבר הנכון. ויעשה אותו בזמן הנכון ובצורה הנכונה.

וידעתי גם זאת, אלק: שאתה, גם אם השֵד ידחוף אותך לנסות לעזור לבנך, אתה בעצם לא תדע מה לעשות. לא תדע אף במה

להתחיל. אף פעם בימי חייך אתה לא ידעת לעשות שום דבר בכוחות עצמך. אפילו כשעלה מלפניך לבקש את ידי, נרתעת. אביך ביקש בשמך. כל החכמה האולימפית וכל העָצמה הטיטָנית שלך מתחילות ונגמרות תמיד בפנקס הצ׳קים. או בקריאות טל־פון טרנסאטלנטיות אל זקהיים או אל איזה שׂר או אלוף מהחבורה הישָׁנה שלך (הם, בתורם, מצלצלים אליך כשמגיע הזמן לשתול את בניהם באיזה קולג׳ יוקרתי או לרפד לעצמם שנת־שבתון נינוחה).

ומה עוד אתה יודע? להקסים ולהטיל מורא קר בגינוני אדנותך המנומנמת. למיין קנָאים בהיסטוריה. להדהיר במִדבר שלושים טנקים ולדרוס ולרמוס ערבים. לחסל אשה וילד בנוק־אָאוט צו־נן. האם הצלחת בכל ימי חייך להוליד ולו חיוך אחד של שׂמחה על־פני איש או אשה? למחות דמעה מאיזו עין? צ׳קים וטלפונים, אלק. הוֹוַארד יוז קטן.

ואמנם לא אתה אלא מישל הוא שלקח והרים את בועז ומצא לו מקום נכון.

ובכן, אם מראש ידעתי כי כך יהיה, למה כתבתִי אליך?

כדאי שתיעָצר עכשיו. תעשה הפסקה קטנה. תדליק לך מקט־רת. הנח למבטך האפור לשוטט קצת על־פני השלגים. הגע את הריק בריק. אחר־כך תנסה להתרכז ולקרוא את הדברים הבאים באותה חומרה כירורגית אשר בה אתה מפרק לגורמים טֶכסט של ניהיליסט רוסי מהמאה הקודמת או איזו דרשה פראית של אחד מאבות־הכנסיה.

הסיבה האמיתית שהניעה אותי לכתוב אליך את שני המכת־בים בפברואר היתה הרצון שלי לתת את עצמי בידיך. האומנם לא הבנת? בהחלט לא מתאים לך לקבל את האויב על צלב־הכַוונת ולשכוח ללחוץ על ההדק.

או אולי כתבתי אליך כמו יפהפיה באגדות המשגרת אל האביר הרחוק את החרב אשר בה יוכל להשמיד את הדרקון ולהוציא אותה לחָפשי. הנה, עכשיו נפרשׂ על פניך חיוך הטורף שלך: חיוך מר ומרתק. התדע אלק, הייתי רוצה להלביש אותך לילה אחד בגלימה שחורה ולכסות את ראשך בברדס נזירים שחור. אתה לא תתחרט על כך, מפני שהתמונה הזאת מעוררת

אותי מאוד.

ואולי בכל־זאת חישבתי שתעזור איכשהו לבועז. אבל הרבה יותר מזה רציתי שתגיש לי את החשבון. נכספתי לשלם כל מחיר.

מדוע לא באת? האומנם כבר שכחת מה בכוחנו לעשות זה לזו? תערובת האש והקרח?

וגם זה היה שקר. הן אני ידעתי היטב שאתה לא תבוא. הנה עכשיו אפשוט לפניך את כותָנתי הדקה האחרונה: האמת לאמיתה היא שגם בכיסופי הסהרוריים לא שכחתי אף לרגע מה אתה. וידעתי שאין לי תקוָה לקבל מכת מחץ מאגרופך וגם לא צו התיַצבות. ידעתי כי לא אקבל ממך אלא מַשָּב אַרקטי של שתי־קת־מוות שקופה. או לכל היותר יריקת השפלה ארסית. לא פחות, אבל גם לא יותר. ידעתי שהכּול אבוד.

ובכל־זאת, אני מודה שיריקתך בבואהּ הממה אותי לגמרי. אלף דברים יכולתי לשער שתעשה, אבל לא עלה על דעתי שפשוט תפתח את מגופת הביוּב שלך ותטביע את מישל בכסף. הפעם סיחררת אותי. כאשר אהבתי תמיד. אין גבול לכשרון ההמצאה שנתן לך השד. ומתוך השלולית שאליה גילגלת אותי, אני מושיטה אליך את עצמי המגוֹאלת בבוץ. כאשר אהבת אלק. כאשר אהבנו שנינו.

ובכן, שום דבר לא אבוד?

אין ולא תהיה לי דרך חזרה מן המכתב הזה. אני בוגדת במי־של כמו שבגדתי בך כל־כך הרבה פעמים בשש מבין תשע שנות נישואינו.

זונה בדם.

ידעתי שעכשיו תאמר זאת, והרֶשע האוֹקיָני שלך יהבהב כמו זוהר צפוני בעומק עיניך האפורות. אבל לא, אַלק. אתה טועה. הבגידה הזאת היא שונה: בכל פעם שבגדתי בך עם חבריך, עם המפקדים שלך מהצבא, עם תלמידיך, עם החשמלאי והשרברב, תמיד הייתי בוגדת מפָּניך אליך. רק אליך הייתי מתכוונת אפילו ברגעי הצעקה. וביחוד ברגעי הצעקה. כמו שכתוב בזהב על ארון־הקודש בבית־הכנסת של מישל: שיויתי אדוֹני לנגדי תמיד.

והנה עכשיו שתַים בלילה בירושלים, מישל מקופל כמו עוּבָּר

בין הסדינים המיוזעים, ריח גופו השׂעיר מתערב באויר החם עם ריח השתן העולה מערימת סדיני הילדה בפינת החדר הדחוס, רוח צחיחה לוהטת באה מן המדבר עוברת בחלוני הפתוח ונוש־פת בשׂנאה על פנַי, אני בכתונת־לילה יושבת אל שולחנו של מישל מוקפת במחברות תלמידיו וכותבת אליך לאור מנורת שולחן גיבנת, יתוש חולה־רוח מזמזם מעלי ואורות ערביים רחוקים נשקפים לי מעבר לואדי, כותבת אליך ממעמקים ובכך בוגדת במישל וגם בילדתי בגידה אחרת לגמרי. שכָּמוֹהָ לא בגד־תי בך אף פעם. ובוגדת בו דווקא אתך. ובוגדת ככלות שנים שבהן לא עבר אף צל חולף של שקר ביני ובינו.

האומנם נטרפה דעתי? האומנם השתגעתי כמוך?

מישל בעלי הוא נדיר. לא פגשתי אדם כמוהו. אבא אני קוראת לו עוד מלפני שנולדה יפעת. ויש לפעמים שאני קוראת לו ילד ואוספת אלי את גופו הדק, הנִכמר, כאילו הייתי אמו. אף כי בעצם מישל הוא לא רק אבי וילדי כי אם בעיקר אחי. אם יש לנו איזה חיים אחרי שנמות, אם נגיע אי־פעם לאיזה עולם שלא ייתָּ־כן בו שקר, מישל יהיה שָׁם אחי.

אבל אתה היית ונשארת בעלי. אדוני. לתמיד. ובחיים שאחרי החיים מישל יאחז בזרועי ויוביל אותי לחופה לטקס כלולותי אתך. אתה אדון שִׂנאתי וגעגועי. עריץ חלומותי בלילות. מושל שׂערותי וגרוני וכפות־רגלי. שליט שדַי בטני ערוָתי ורחמִי. כשפחה אני מכורה לך. אהבתי את אדוני, לא אובה לצאת לחָפ־שי. גם אם אתה שילחת אותי בחרפה אל פאתי הממלכה, אל המדבר, כמו הגר עם בנהּ ישמעאל, למות בצמא בישימון: בַּצמא אליך אדוני. גם אם השלכת אותי מלפניך להיות שעשוע לעבדיך במרתפי הארמון.

אבל אתה לא שכחת, אַלק הרשע הגלמוד. אותי לא תוכל לרמות. שתיקתך שקופה לי כמו בכי. הכישוף שהטלתי עליך מכרסם בך עד העצם. לשָׁוא תתחבא בענן כמו אלוהות ערירית. יש אלף דברים בעולם שאתה יודע לעשותם פי אלף יותר טוב ממני – אבל לא לרמות. זה – לא. בזה לא הגעת וגם לא תגיע אף פעם עד קרסולי.

"אדוני השופט," כך אמרת לפני מתן גזר־דיננו בקולך

האדיש, המנומנם, "כבוד השופט. כבר הוכח כאן למעלה מכל ספק שהגברת הזאת היא שקרנית פָּתולוגית. אפילו כשהיא מתעטשת מסוכן מאוד להאמין לה."

כך אמרת. ובתוך הקהל באולם עבר לשמע דבריך איזה צח־קוק לא־נקי. אתה חייכת דק־דק וכלל לא נראית אז כמו בעל נב־גד שהצמיחו לו מאה קרנים והפכוהו לבדיחת העיר. להיפך, או־תו רגע נראית לי גבוה יותר מהפרקליטים, גבוה יותר מהשופט על דוכנו הרם, גבוה יותר מעצמך. והיית דומה לאביר שהמית דרקון.

הנה גם עכשיו, ככלות שבע שנים, קרוב לשלוש לפנות־בוקר, כשאני רושמת את זכרון הרגע ההוא, גופי יוצא אליך. הדמעות ממלאות את עיני ובקצות פטמותי כמו צמרמורת.

קראת, אַלק? פעמַים? שלוש? התענגת? גמרת ללעוג? האומנם הצלחתי כרגע להצמיח ולו גבעול אחד של שׂמחה בתוך ישימון בדידותך?

אם כך, הגיע הזמן שתמזוג לך ויסקי חדש. אולי תחליף מקט־רת. כי עכשיו, מיסטר אֶל־נקמות, אתה תזדקק מאוד לויסקי הקטן שלך.

"כמו אביר שהמית דרקון," כתבתי לפני רגע. אבל אַל תמהר להתמוגג. אין מקום לזחיחות, אדוני: הלא אתה האביר המטורף שקטל את הדרקון ופנה ושחט את היפהפיה ולבסוף גם את עצמו שיסף.

בעצם, אתה הדרקון.

וזה הוא הרגע הנחמד לי ביותר לגלות לך כי מישל־אַנרי סומוֹ גם במיטה הוא הרבה יותר טוב ממך. בכל הנוגע לגוף, מישל ני־חן בשמיעה אַבסולוּטית מלידה. בכל עת תמיד הוא יודע להגיש לי, ובשפע, את מה שגופי עוד לא יודע עד כמה הוא נכסף לקבל. לרתק אותי חצי לילה במסעות אהבה הלוך וחזור בין מחוזות של עדנת דמדומים, כמו עלה שנתפס ברוח, דרך שדות של חסד סבלני, דרך עָרמה וערגה, דרך אוֹרצל יערות ודכי נהרות והתדפקות הים הפתוח עד טמיעה.

האם ריסקת עכשיו את כוס הויסקי שלך? מסור נא דרישת־שלום מאילנה לעט שלך, למקטרת, וגם למשקפי־הקריאה. חכה,

אַלק. לא גמרתי.

בעצם, לא רק מישל. כמעט כולם היו יכולים לתת לך שיעור. אפילו הבחור הלבקן שהיה הנהג שלך בצבא: בָּתוּל כמו גדי ואו־לי בקושי בן שמונה־עשרה, אָשֵׁם, מבוֹהל, נמוך מעשׂב, רועד כולו, שיניו נוקשות, כמעט מתחנן שאוּתַּר לו, כמעט פורץ בבכי, ומתחיל פתאום להשתפך עוד לפני שהספיק לגעת בי, ופולט יבבת גור כלב, ועם־זאת אַלק הלא בו־ברגע העניקו לי עיניו המבוהלות של הנער הזה הזדהרות כה זכה של תודה, של פליאה, של התפעלות־חלום נלהבת, כזמרת המלאכים לטוֹהַר, ובכך הוא הרעיד לי את גופי ואת לבי יותר משהצלחת אתה בכל שנותינו.

שאגיד לך מה אתה, אַלק, לעומת האחרים שהיו לי? אתה הר טרשים קירֵח. בדיוק כמו בשיר ההוא. אתה איגלוּ בשלג. התז־כור את המוות בסרט "החותם השביעי"? המוות שמנצח בשח־מט? זה אתה.

ועכשיו אתה קם ומשמיד את דפי מכתבי. לא, הפעם לא קורע בזהירות לריבועים פֶּדנטיים, אלא משליך אל האש. ואולי ככלות הכּול אתה חוזר ומתיַשב אל מכתבתך ומתחיל להטיח את ראשך המלבין בטבלה השחורה; הדם ניגר מתוך שׂערך אל עיניך. וכך סוף־סוף עיניך האפורות זולגות. אני מחבקת אותך.

לפני שבועים, כשזקהיים מסר למישל את הצ'ק המדהים שהענקת, הוא מצא לנכון להזהיר את מישל במלים: תביא בחש־בון, אדוני, כי במשׂחק הזה יכולים לשׂחק גם שנַיִם. נחמד בעיני המשפט הקטן הזה, ואני מוצאת לנעים לשגרו אליך כעת בתפ־קיד ברכת לילה טוב. אתה לא תשתחרר ממני, אַלק. לא תצליח לפדות את עצמך בכסף. לא תקנה את חירותך. לא יהיה לך דף חדש.

ואגב, המאה אלף שלך: אנחנו אסירי־תודה. הכסף הזה, אַל תדאג, נמצא בידים טובות. גם אשתך ובנך נמצאים בידים טו־בות. מישל מרחיב את הבית ונוּכל לגור בו כולנו. בועז יבנה ליפעת מגלשה וארגז חול בחצר. תהיה לי מכונת־כביסה. תהיה מערכת סטיריאוֹ. ליפעת נקנה אופנַים ולבועז יהיה טלסקוֹפּ.

עכשיו אסיים. אתלבש ואצא לבדי לרחוב החשוך והריק. אטייל אל תיבת הדואר. אשלח אליך את המכתב הזה. אחר־כך אשוב הביתה ואתפשט ואעיר את מישל ואסתתר בין זרועותיו. מישל איש תם וענוג.

מה שאי־אפשר להגיד עליך. וגם לא עלי, אהובי. אנחנו שני־נו, התדע, יצורים מאוסים. רקובים. וזאת הסיבה לחיבוק ששולחת כעת השפחה אל דרקון־השַיש הרחוק.

אילנה

☆

לכבוד בועז ברנדשטטר
אצל משפחת פוקס, רח׳ הלימון 4,
רמת־השרון.

ב״ה, ירושלים יום ב׳ באייר תשל״ו (2.5.)

שלום בועז החמוֹר בן נעוַת המרדוּת!

שלא תחשוב שאני קורא לך בכינויים האלה מפני שהדם עלה לי פתאום לראש. אני דווקא כבשתי את יצרי וחיכיתי עם המכ־תב הזה עד שתפסתי אותך הבוקר בטלפון ושמעתי בשבע אזנַיִם גם את הגִרסה שלך על מה שקרה (לא יכולתי לרדת אליך כי אמך בדיוק נֶחלתה, וגם זה לדעתי בגללך). עכשיו שדיברנו בטלפון אני מודיע לך בועז שאתה עוד אינפנטיל ולא בן־אדם. ושאני מתחיל לפחוד שאף פעם לא יֵצא ממך בן־אדם. אולי הגורל שלך זה לגדול בריון חמום־מוח. אולי הסטירות שנתת למורה ההיא ב״תלמים״ והראש שפתחת שם לשומר־הלילה שלהם לא היו מקרה ביש אלא סימן אזהרה שהולך לגדול לנו פרד. ולגדול – זאת לא המלה הנכונה במקרה שלך, כי אתה יותר טוב לך שהיית מפסיק כבר לגדול כמו איזה מלפפון ומתחיל במקום זה להתבגר קצת.

ותגיד לי משהו בבקשה: זה היה מוכרח לקרות דווקא יומים אחרי שהיית אצלי בבית ששי־שבת? אחרי שכולנו עשׂינו מאמ־צים כאלה (כן, גם אתה) והתחלנו איכשהו להרגיש שאנחנו בכל־זאת משפחה? אחרי שהאחות שלך התחילה להתרגל אליך ואחרי שככה התרגשנו מהדובי שהבאת לה? דווקא אחרי שאתה

נתת לאמא שלך קצת תקוָה בתוך הסבל שהורדת עליה? מה, אתה לא נורמלי?

לא אכחד ממך בועז שאם במקרה היית בני או תלמידי לא היי־תי חושׂך שבטי ממך – על הפרצוף וגם על התחת. אם כי במחש־בה שניה אין לי בטחון אצלך. אתה עוד היית מסוגל להרים ארגז גם עלי.

ככה שאחרי הכּוֹל אנחנו אולי בכל־זאת עשינוּ טעות שהצלנו אותך מהמוסד לעבריינים צעירים. אולי שמה זה המקום הכי טב־עי לקליֶנט מהמין שלך. אני מבין טוב מאוד שֶׁמה שקרה זה שאברם אבודרהם הכניס לך בעיטה קטנה אחרי שהתחצפת אליו. ותרשה לי לכתוב לך בזאת שאני די מצדיק אותו (אף־על־פי שאני אישית לא דוגל בבעיטות).

אבל לָמה אתה חושב את עצמך, תגיד לי? מַרקיז? או בן־מלך? אז חטפת בעיטה קטנה בעד הפה הגדול שלך, אז מה? זאת סיבה מספקת להתחיל להרים ארגזים? ועל מי הרמת ארגז? על אברם אבודרהם, בן־אדם בן ששים, שסובל, לידיעתך, מלחץ־דם! וזה אחרי שהוא קיבל אותך לעבוד אצלו עם שני התיקים שלך במשטרה והתיק השלישי שאני ופַקד אלמליח סגרנו לך בקושי? תגיד לי, אתה ערבי? אתה סוס?

כמעט השתגעתי ממך שאמרת לי בטלפון, שאתה באמת הרמת ארגז על אברם בעד זה שהכניס לך בעיטה צנועה על התחצפוּת. אתה אמנם הבן של אשתי והאח של הבת שלי אבל אתה לא בן־אדם בועז. כתוּב אצלנו: חנוֹך לַנער על־פי דרכו. והפירוש שלי הוא שבמקרה שהנער הולך בדרך הישר חונכים לו ביד רכה, אבל אם הנער ליכלך – אז מגיע לו שיחטוף! מה, אתה מעל החוק? נשיא המדינה אתה?

אברם אבודרהם היה מיטיבך ואיש־חסדך, ואתה השבת לו רעה תחת טובה. הוא השקיע בך הרבה מאוד ואתה איכזבת אותו ואיכזבת גם אותי ואת פַּקד אלמליח, ואמך כבר שלושה ימים חו־לה במיטה בגללך. איכזבת את כל מי שהתעסק אתך. כמו שכתוב אצלנו: ויקַו לעשׂות ענבים, ויעשׂ באוּשים.

למה עשׂית את זה?

עכשיו אתה שותק. יפה מאוד. טוב, אז אני אגיד לך למה:

בגלל היהירות, בועז. שאתה נולדת גדול ויפה כבני־עליון ומהשמים נתנו לך הרבה כוח־הזרוע ואתה באיוַלתך חושב שכוח – זה בשביל להרביץ. כוח זה בשביל להתגבר, חמור! בשביל לכבוש את היצר! לחטוף על הראש את כל מה שהחיים מחטיפים לנו ולהמשיך להתקדם בשקט אבל בתוקף בקו שהחלטנו ללכת בו, זאת אומרת – בדרך הישר. לזה אני קורא כוח. לפתוח את הראש לבן־אדם – את זה יכול לעשות כל קרש וכל אבן!

ולכן אמרתי לך לעֵיל שאתה לא בן־אדם. ובטח שלא יהודי. אולי באמת מתאים לך להיות ערבי. או גוי. כי להיות יהודי, בועז, זה לדעת לחטוף ולהתגבר ולהמשיך לצעוד בדרך העתיקה שלנו. זאת כל התורה כולהּ על רגל אחת: להתגבר. וגם להבין טוב־טוב בעד מה החיים החטיפו לך, וללמוד מזה לקח ולהיטיב תמיד את דרכיך, וגם להצדיק עליך את הדין בועז. אברם אבוד־רהם, אם תחשוב על זה רגע, התנהג אתך כמו עם בן. אמנם, בן סורר ומורה. ואתה בועז במקום לנשק בתודה את היד שלו, אתה לקחת ונשכת את היד שאכלת ממנה. תרשום לפניך בועז: אתה ביזית את אמך ואותי, אבל קודם־כּוֹל ביזית את עצמך. כנראה שאתה כבר לא תלמד ענוָה. סתם אני משחית עליך מלים. לא תקח מוסר.

ושאני אגיד לך למה זה? אפילו שיכאב לך לשמוע? טוב, אני אגיד לך. למה לא. זה הכּוֹל מפני שתקוע לך עמוק בראש שלך שאתה איזה מין נסיך או בן־מלך כזה. דם רוזנים ושׂוֹעים זורם כביכול בעורקיך. דוֹפֶן מבטן ומלידה. אז תשמע ממני משהו, בועז, כמו שמדברים בין גברים, למרות שאתה עוד רחוק ת״ק פרסה מלהיות גבר, בכל־זאת אני אשים את הקלפים לפניך על השולחן.

את אביך הנחמד והמפורסם אין לי הכבוד להכיר ואני מוַתּר על הכבוד. אבל זאת אני יכול להגיד לך באחריות, שאביך לא מַרקיז ולא מלך אלא אולי רק מלך המנוּוָלים. אם רק היית יודע לאיזה בושות ואפילו שפל־המדרגה הוא הוריד את אמא שלך ואיך הלבין את פניה ואיך חילל את כבודהּ ואותך בעצמך השליך מעל פניו כמו נצר נתעב חלילה!

אז נכון שעכשיו הוא נזכר לשלם משהו דמי צער ובושת.

ונכון שאני החלטתי למחול על כבודנו ולקבל ממנו כסף. ואולי שאלת את עצמך למה החלטתי לקבל את הכסף הטמא שלו? למענך, חתיכת חמור־גרם! בשביל לנסות להעלות אותך על דרך הישר!

עכשיו תקשיב טוב בשביל מה סיפרתי את כל זה. לא בשביל להכניס בלבך שׂנאה לאביך חלילה אלא בתקוָה שאולי אתה תב־חר לקחת דוגמה ממני ולא ממנו. תלמד שאצלי הגאוָה והצלם־אדם מתבטאים בהתגברות על היצר. קיבלתי ממנו כספים במקום להרוג אותו. זה הכבוד שלי בועז: שהבלגתי על ההשפ־לה. כמו שכתוב אצלנו, כל המוחל על כבודו – כבודו אינו מחול.

אני ממשיך את המכתב אליך בערב, אחרי שעשׂיתי הפסקה בשביל לתת שני שיעורים פרטיים ולהכין ארוחת־ערב ולטפל באמא שלך החולה בגללך ואחרי זה ראיתי חדשות ומבט שני בטלביזיה. חשבתי לנכון להוסיף כאן משהו על החיים שלי, בהמשך לדברים שכתבתי לך על ההתגברות וכיבוש היצר. בלי להזכיר כבר, בועז, את מה שאנחנו בשעתנו חטפנו באלג׳יריה בתור היהודים של הערבים ואחרי זה בפריס בתור הערבים של היהודים ובתור הרגלַיִם השחורות של הצרפתים אם אתה במק־רה יודע מה זה, אם לדבר אתך אך ורק על מה שאני בעצמי חטפ־תי על הראש כאן בארץ ועדיין ממשיך לחטוף בגלל האמונות והדעות שלי, בגלל הצורה שלי ובגלל המוֹצָא שלי, אם היית יו־דע אולי היית תופס שלחטוף בעיטה קטנה מבן־אדם טוב ויקר כמו אברם אבודרהם זה בעצם בחזקת לטיפה. אבל מה? אותך פינקו בחיים. לא תבין בין כה. אני מהתחלת החיים שלי רגיל לחטוף שלוש פעמים ביום בעיטות אמיתיות באמת ולא מתחיל להרים ארגזים על אף אחד. וזאת לא רק מתוך קיום מצוַת ואהבת לרעך כמוך אלא בראש־וראשונה מפני שאני אומר לך שהאדם חייב לדעת לקבל יסורים באהבה.

ואתה מוכן לשמוע ממני עוד משהו? לפי דעתי יותר טוב לקבל אלף יסורים מאשר חלילה לגרום אפילו אחד. בטח יש בפנקס של הקדוש־ברוך־הוא גם כמה נקודות שחורות על שם מיכאל סומו. אני לא אומר שלא. אבל בין הנקודות השחורות שלי אתה לא תמצא בשום אופן סעיף גרימת יסורים. זה – לא. תשאל את

האמא שלך. תשאל את אברם, אחרי שתבקש ממנו יפה סליחה ומחילה. תשאל את גברת ז׳אנין פוקס שמכירה אותי טוב עוד מפריס. ואילו אתה, בועז, בחור שמהשמים נתנו לו יפי־קומה ויפי־תואר ותבונת־כפיִם להלל וצורה חיצונית של בן־מלך, אתה כבר התחלת ללכת בדרכים הטמאות של אביך: יהירות אכזריות ורשע. גרימת יסורים. פראות. אף־על־פי שבעצם אני נמניתי וגמרתי שלא לדבר אתך במכתב הזה אף מלה על היסורים הקשים שאתה גורם לאמך זה כבר כמה שנים, ועכשיו היא חולה ממך – כי אתה בעיני עוד בלתי־ראוי שידברו אתך על יסורים. כנראה שעדיין אתה פשוט קטן מדי בשביל זה. לפחות עד שתקום ותוכיח כמו גבר שיש לך בושה בלב.

ואם כבר החלטת להיות הדפסה חדשה של אביך הנחמד, אז לֵך תישָׂרף בגיהנום. סליחה על המלים האלה. לא התכוונתי לכתוב אותן. אבל אין אדם נתפס על צערו כמו שכתוב אצלנו. בעצם אני רוצה להגיד לך בדיוק את ההיפך: שאני מתפלל עליך שלא תישָׂרף בגיהנום. כי יש לי, זאת האמת, רגש אליך בועז.

עד כאן ההקדמה שלי ועכשיו אל גוף המכתב. הדברים הבאים להלן כתובים על דעתי ועל דעת אמך. מאת שנינו.

א. תלך מיד אצל אברם ותבקש סליחה ומחילה. זה דבר ראשון.

ב. כל זמן שמשפחת פוקס, ברוּנוֹ וז׳אנין, מסכימים להחזיק אותך אצלם במחסן־הכלים בגינה שלהם – למה לא, תישָׁאר אצ־לם. אבל מעכשיו אני משלם להם שכר דירה. מהפיצויים שהחזיר אביך. לא תגור שמה בחינם. אתה לא קבצן ואני לא מקרה סוֹציאלי.

ג. בעדיפות ראשונה אצלי, שאתה תלך עכשיו ללמוד תורה ומלאכת־כפים במדרשה בשטחים המשוחררים (הכתיב שלך הוא כמו של ילד בכיתה ב׳). אבל את זה בהחלט אין בדעתנו לכפות עליך. תרצה? נסדר לך. לא תרצה? לא. על התורה נאמר אצלנו: דרכיה דרכי נועם. לא דרכי כפיה. תיכף שאמך תבריא אני בא אליך לשׂוחח ונראה? אולי תשתכנע? אבל אם מה שאתה רוצה זה ללמוד אוֹפטיקה, רק תודיע לי מה המסלול או יותר טוב – תַראה לי פרוֹספֶקט, ואני משלם. מהקרן שהזכרתי קודם. ואם במקרה

אתה שוב פעם רוצה לחפש עבודה – תבוא כאן לירושלים, תגור בבית ונראה מה אפשר לסדר לך. רק בלי ארגזים.

ד. כל זה בהנחה שאתה מיטיב את דרכיך מהיום והלאה.

בעצב רב ובדאגה,

מישל יפעת ואמא

נ״ב: תואיל לרשום לפניך מלת־כבוד שלי: אם יהיה אפילו עוד מקרה קטן אחד של אלימות מצדך, בועז, יותר לא יועילו לך אצלי אפילו דמעות אמך. אתה תלך לבדך בדרכך הרעה ותעמוד לגורלך בלעדי.

☆

משפחת סומו

תרנ״ז 7 ירושלים

שלום. קיבלתי את המכתב הארוך שלך מישל וטילפנתי סליחה לאברם אפילו שאני לא בטוח מי היה צריך לבקש ממי סליחה. חוץ מזה השארתי פטק תודה רבה לברונו וג׳נין פוקס לפני שיצתי. שהמכתב הזה יגיעה אלכם אני כבר ישוט על אוניה בים. מצידי תשחכו ממני. וזה למרות שאת יפעת אני בעצם די הואב מהשתי פעמים שהייתי אצלכם ואותך מישל אני די מאריך אפילו שלפעמים אתה מנדנד. עליך אילנה אני מצתער כי היה לך יותר טוב אם בכלל לא היית מולידה אותי. בתודה בועז.

☆

לאילנה ומישל סומו

רח׳ תרנ״ז 7, ירושלים.

8.5.76

מישל ואילנה: אתמול כשטילפן מישל ושאל אם בועז הגיע אלינו, הייתי כנראה המומה מכדי לתפוס מה קרה. והקו היה כה גרוע שבקושי יכולתי לשמוע. לא הצלחתי להבין את סיפור הקטטה שבועז היה מעורב בה(?). הבוקר ניסיתי לטלפן לבית־הספר שלך מישל, אך אי־אפשר היה להשיג קשר. על־כן נכת־בות השורות האלה, שאשלח אליכם בידי גזבר הקיבוץ, הנוסע מחר לירושלים. כמובן שאודיעכם בו־ברגע אם לפתע בועז יו־

פיע כאן אצלנו. אבל האמת היא שאינני חושבת שיופיע. אני אופטימית ומאמינה שבימים הקרובים תקבלו ממנו סימן חיים. נראה לי שהצורך שלו להיעָלם ולנתק מגע לא נובע מהתקרית המסוימת שהיתה בתל־אביב. להיפך, ההסתבכות האחרונה, כמו קודמותיה, נובעת אולי מן הדחף להתרחק משניכם. מכולנו. כמובן שאינני כותבת את הפתק הזה סתם כדי להרגיע אתכם ולהמליץ על שאננות – צריך להמשיך לחפש אותו בכל דרך אפשרית. ובכל־זאת הייתי רוצה לשתף אתכם בתחושה – ואולי זה רק ניחוש, אינטואיציה – שבועז יהיה בסדר וימצא לבסוף את מקומו. הוא עלול כמובן להסתבך שוב ושוב בצרות קטנות פה ושם, אבל במשך השנים שהיה כאן אצלנו בקיבוץ, אני הבחנתי בצד האחר, היציב, יסוד נפשי מוצק של הגינות והגיון בהיר. אמנם הגיון שונה מזה שלכם או שלי.

אנא, האמינו: אינני כותבת זאת סתם כדי לעודד אתכם ברגע קשה, אלא מפני שאני משוכנעת בכך שבועז פשוט לא מסוגל בשום אופן לעשות רעה גדולה: לא לאחרים וגם לא לעצמו. הודיעונו מיד, על־ידי הגזבר שיביא לכם את הפתק, אם תרצו שיואש או אני או שנינו נִקח כמה ימי חופש ונבוא להיות אתכם.

רחל

☆

לכבוד פרופסור גדעון
באמצעות עורך־דין מר זקהיים
קינג ג׳ורג׳ 36, כאן.

בע״ה ירושלים יום ט׳ באייר תשל״ו (9.5.)

אדון נכבד,

אני החתום מַטה נדרתי נדר שלא יהיה לי אתך שום עסק מטוב ועד רע, לא בעולם הזה ולא בעולם הבא, מחמת מה שכתוב אצל־נו בספר תהילים פרק א׳ פסוק א׳.* הסיבה אשר בגללה אני מפר בזאת את הנדר היא פיקוח־נפש ויכול להיות, חס וחלילה, פיקוח

* ״אשרי האיש אשר לא הלך בעצת רשעים ובדרך חטאים לא עמד ובמושב לצים לא ישב״.

שתי נפשות.

א. הבן שלך בועז. כידוע לך מתוך קריאת מכתבי אמו, כבר כמה פעמים קרה שהבחור ירד קצת מהמסילה ואני עמלתי להעלותו בחזרה על דרך הישר. שלשום קיבלנו טלפון מהמשפחה היקרה שבועז היה גר אצלה: הוא נעלם. תיכף נסעתי לשמה כל עוד רוחי בי אבל מה כבר יכולתי להועיל? והנה הבוקר הגיע סימן חיים ממנו, מכתב קצר להודיענו שהפעם הוא בורח לעבוד על אניה. וזה אחרי ששוב הסתבך בתעלולים.

מסיבות שבן־אדם כמוך אדוני לא מסוגל לְהבין, אני החלטתי שלא לסלק את השגחתי ממנו והפעלתי תיכף ומיד את הקשרים שלי כדי שיחפשׂו אותו על כל ספינה ישראלית או זרה העומדת לעזוב את הארץ. לצערי אין בטחון שהחיפושים יתנו תוצאה חיובית: יכול להיות שהנער בכלל לא בים אלא דווקא ביבשה, מסתובב אי־שם בארץ. לכן החלטתי לפנות אליך למרות הכּול, לבקש שתעשה גם אתה משהו בכיוון של הושטת עזרה, לאור העוול הכבד שעוללת לו ולאמו. בשביל מלומד כמוך אקווה כי די גם ברמיזא לחכּימא, שתבין שלא מבקשים ממך כסף, מבקשים שתפעל בדחיפות (אולי באמצעות חוגים המקורבים אליך). אני מציין זאת פן תחזור על עצמהּ אי־הנעימות מהעבר הקרוב, כאשר אשתי ביקשה את עזרתך בצרוֹת של הילד ואתה לא נקפת אצבע לעזור ובמקום זה ניסית אולי להשתיק את מצפונך בכסף ששלחת לנו בלי שהתבקשת. כל זה בהנחה שיש איזה מצפוּן אפילו אצל אחד כמוך. אולי אני עוד תמים.

ב. אשתי אילנה סומו. התעלולים של בועז הפילוה על ערש־דוַי. אתמול התוַדתה לפנַי ששלחה לך בלי ידיעתי עוד מכתב אי־שי בעקבות התשלום הכספי שלך. תוּכל לשער שהתרגזתי עליה מאוד, אבל תיכף חזרתי בי מהכעס וסלחתי להּ מפני שהתוַדתה וביחוד מפני שהיסורים ממרקים עווֹנות. גברת סומו היא בעלת־יסורים ממדרגה גבוהה בזכותך אדוני הפרופסור.

אני כמובן לא עלה על דעתי לחקור מה הכניסה במכתבים שלהּ אליך (דבר כזה הוא למטה מכבודי), אבל היא מרצונהּ סיפּרה לי שאתה לא ענית להּ. לפי דעתי בשתיקתך אתה מוסיף חטא על פשע. אַל תדאג, אני לא אקרא מה תכתוב להּ, ולא רק מחמת

חרם דרבנו גרשום אלא גם מפני שאתה בעיני מוקצה מחמת מיאוס אדוני. אולי תשכך אחד משישים מהיסורים שגרמת לה אם תכתוב לה איגרת ותסביר למה התעללת בה ותתנצל על כל חטאיך. בלי זה, הכסף שנתת – כאילו לא נתת.

ג. הכסף. אתה אדוני שלחת אלי מז׳נֶב ביום השבעה במַרס מכתב יהיר ואפילו בדרגת שחצנות, להגיד לי שאקח את הכסף ואבלום את הפה ולא אגיד תודה. ובכן תרשום לפניך שבכלל לא עלה על דעתי להגיד לך תודה! תודה על מה? על זה שהואלת להיזָכר באיחור גדול לשלם חלק קטן ממה שמגיע ממך על־פי הצדק והיושר לבועז ולגברת סומו, ובעצם גם לבת הקטנה? כנראה שאין גבול לחוצפה שלך אדוני. כמו שכתוב אצלנו: מצח נחושה.

על־פי גודל הסכום שמצאת לנכון לשלוח (מאה ושבעה אלף דולר אמריקאי בלירות ישראליות בשלושה תשלומים לא שוים בגָדלם) הבנתי שהתרומה לפדיון בית אלקלעי בחברון נדחתה אצלך על הסף. בכל־זאת אשתמש בהזדמנות מצערת זאת לחזור ולהפציר בך שתתרום בהקדם סך מאה ועשרים אלף דולר אמרי־קאי למטרה קדושה זו: גם כאן אולי יש ענין של פיקוח־נפש, כמו בשני הסעיפים הקודמים, אם גם פיקוח־נפש במובן יותר רחב. כאמור לעיל, אם לא הפיקוח־נפש לא הייתי בא אתך בדברים מטוב ועד רע. אני אסביר זאת להלן. לפי אמונתנו יש קשר בין מעשיך הרעים ובין הצרה של בועז והיסורים שבאו על אמו. או־לי חרטתך ותרומתך יגלגלו על הנער את מידת הרחמים והוא יחזור בשלום. יש שׂכר ועונש בעולם, יש דין ויש דיין, אפילו שאני קטונתי מלהתיַמר להבין איך עובדת הנהלת־החשבונות של מעלה, למה פשעיך נפרעים ביסורי האשה והילד. מי יודע? ייתכן שדווקא בנך יזכה באחד הימים להתגורר בחברון תחת הגג שבדעתנו לפדותו מידי זרים בכספי התרומה שלך, וכך ייעָ־שׂה הצדק, ויושב בשמיִם ישׂחָק? כמו שכתוב אצלנו סובב־הולך הרוח וכמו שכתוב שַלח לחמך על־פני המים כי ברוב הימים תמ־צאנו. ואולי התרומה הזאת תעמוד לך מול פשעיך כשיבוא יומך לעמוד לפני שופט אשר אין מלפניו לא שׂחוק ולא קלות־ראש. ותזכור אדוני, ששָמה לא יהיה לך שום עורך־דין ואתה במצב

קשה.

מה שמביא אותי להדגיש כאן, לסיום, כי את המכתב הזה אני נאלץ לשלוח באמצעות העורך־דין מר זקהיים מסיבות שאינן תלויות בי, כי מר זקהיים פשוט ממאן למסור לי את הכתובת שלך, ומאשתי לא אבקש כי אין ברצוני לגלות לה את עובדת המכתב – עצביה מספיק מרוגזים גם בלי זה.

ברצוני להתלונן בזאת על התנהגותו של מר זקהיים. כנראה שבראש שלו יושב סרט־מתח קלוקל על איומים וסחיטת כספים, סרט מתח עם מיכאל סומו בתפקיד דון קורליאונה מהמַאפיה או איזה משהו דומה. אם דבר כזה היה בא ממישהו אחר, לא הייתי עובר בשתיקה. אבל מר זקהיים, לפי השם שלו אני מבין שהוא או משפחתו יכול להיות שהם באו אלינו מהשואה. ליהודים שבאו מהשואה אני סולח הכול: אולי עברו על מר זקהיים חוָיות שגרמו לו חשדנות חולנית, וביחוד נגד בן־אדם כמוני עם דעות לאומיות כמו שלי ומהמוֹצָא שלי, ועוד גם שומר־מצוות. כמו שכתוב אצלנו רואה צל הרים כהרים.

החלטתי אפוא לסלוח לעורך־דין שלך. אבל לא לך אדוני. לך אין מחילה. אולי אם אתה תמלא בנאמנות אחר כל שלושת הסעיפים שבמכתבי זה, חיפוש הנער, התנצלות לגברת ותרומה לגאולת הארץ, אולי מהשמים ידונו אותך במידת הרחמים. לפחות יראו שיש לך משהו על כף הזכות.

בברכת חג עצמאותנו,
מיכאל סומו

[נספח]

9.5.76

אלכס שלי. רק כמה שורות. בזאת אני מעביר אליך מעטפה חתומה מאת היורש הקטן שלך. אני מתערב שהוא שוב מבקש ממך כסף. בטח חושב שהצליח להתחבר במסוף אוטומטי ישר למדפיס הממשלתי. אם במקרה תחליט הפעם לבנות על חשבונך את המקדש או סתם להעניק בּוֹנוּס לחמור של המשיח, עשה זאת בבקשה בלעדי. אני מתאסלם וגמרנו.

הבנתי מסומו שהילדון הקוֹלוֹסלי שוב ברח: לא שאני תופס איך אוֹבֶּליסק כזה מצליח כל פעם להיעָלם להם. אבל אין מה

לדאוג, בטח ימצאו אותו בעוד יום־יומים עומד בתחנה המרכזית ומוכר סחורות של ימאים, כמו שהיה כשנעלם להם בפעם הקודמת.

אגב, במקרה ראיתי את הגרושנקה שלך לפני כמה ימים ברחוב בן־יהודה. מסתבר שהג'נטלמן נותן לה תחזוקה על רמה: היא נראית טוב מאוד בשביל הקילומטרז' שלה, ביחוד אם מביאים בחשבון כמה ידים כבר החליפה.

מה שאי־אפשר להגיד עליך, אלכס: די נבהלתי מהצורה שלך כשהתראינו הפעם בלונדון. קח את עצמך בידים ותפסיק לחפש צרות.

מאנפרד הנאמן שלך

☆

[מברק] סומו תרנז 7 ירושלים. זקהיים קיבל הוראה למצוא את הילד. המכתב המבוקש יֵצֵא בקרוב אל הגברת. תקבלו עוד חמישים אלף אם תסכימו לערוך לילד בדיקת רקמות. אני אעבור בו זמנית בדיקה מקבילה כאן בלונדון. אלכסנדר גדעון.

☆

עו"ד מאנפרד זקהיים
משרד זקהיים את די־מודינא, המלך ג'ורג' 36, ירושלים.

14.5.76

מר זקהיים היקר,

בעלי לשעבר הודיע לנו במברק כי ביקש ממך לעזור לי למצוא את בני שברח כנראה לעבוד על אניה. אנא, עשה כל מה שתוכל, וברגע שתדע משהו – התקשר. בעלי לשעבר הזכיר במברקו בדיקת רקמות לבועז לצורך קביעת האבהות. כפי שאמרתי לך הבוקר בטלפון (ואתה ביקשת לקבל זאת ממני בכתב) אני מסירה את התנגדותי מלפני שבע שנים לעריכת בדיקה כזאת. הבעיה היחידה עכשיו היא למצוא את הילד ולשכנע אותו שיסכים לעבור את הבדיקה שאביו מבקש. וזה לא יהיה קל. בבקשה, מר זקהיים, תסביר לבעלי הקודם שאני מסירה את

התנגדותי לַבדיקה בלי שום קשר למענק שהוא הזכיר במברקו. במלים פשוטות, הוא לא מוכרח לתת לנו עוד כסף. להיפך, אני שׂמחה שהבקשה לבדיקה באה כעת ממנו. בזמן המשפט שלנו, כזכור לך מר זקהיים, אני התנגדתי לבדיקה – אבל גם הוא לא הסכים להיבדק.

אם יש ברצונו לתרום למטרה שבעלי הנוכחי ציין, שיעשה זאת בבקשה בלי שום קשר לענין הבדיקה. פשוט תגיד לו שמצדי זה בסדר גמור עכשיו. ובעיקר, מר זקהיים, אני מתחננת אליך אם רק תהיה לך איזו ידיעה היכן הילד, תודיע לנו ואפילו באמצע הלילה.

שלך בתודה,
אילנה סומו (גדעון)

☆

<u>לגב׳ סומו, פרטי, למסירה בידי עו״ד זקהיים.</u>

המפסטד, לונדון, 16.5.76

גברת סומו,

זקהיים פועל במרץ למצוא לכם את האבידה. אף כי אני מניח שלא קל לו לעמוד לבדו בתחרות עם כל שבט סומו שהתופים בודאי כבר הזעיקו את המוניו לציד. כך או כך, אני מניח שבעוד מכתב זה עושׂה את דרכו, יגיע סיגנַל מבועז. אגב, כמעט צר לי על כך: מי מאתנו לא חולם לפעמים לקום ולהיעָלם בלי להותיר שום עקבות?

אתמול הגיעני מכתב מאת בעלך. כנראה אירע לו איזה גילוי שכינה, בת־קול יצאה והורתה לו לפדות דווקא בכספי את הריסות פיתום ורעמסס. ובמסגרת תכנית־האב שלו לכינון ירושלים של מעלה הוא מצווה עלי לחזור מיד בתשובה ולהתחיל זאת בכך שאספק לך התנצלויות והסברים. אחר־כך יגיע כנראה תור הסיגופים והתעניות.

ואני לתומי חשבתי כי מה שהיה בינינו כבר הוסבר יפה בשתי ערכאות רבניות ובבית־המשפט המחוזי, וכל המוסיף גורע. בעצם, היה לי הרושם שאַת היא החייבת לי הסבר. ואמנם במכתביך ניכר נסיון מעורפל לבאר לי מה מצבך, לרבות פרטים

על ביצועי המיטה של מר סומו. אין לי ענין בנושא (הגם שתי־אורך כתוב לא־רע; אולי קצת ספרותי מדי לטעמי). גם הריגו־שים שדמותי ממשיכה או לא ממשיכה לעורר בך, אינם מעלים או מורידים לי. אשמח אם תפסיקו שניכם להתרימני במרץ כזה: אני לא הבנק־אוף־אינגלנד וגם לא בנק־הזרע. לעומת זאת, כלל לא נגעת בשאלה היחידה המטרידה אותי: למה בחרת בשעתו להתנגד בשצף־קצף לקיום בדיקת רקמות? לו היה מתברר שאני האב הביולוגי, כי אז כמובן היה לי הרבה יותר קשה, ואולי אף בלתי־אפשרי, לנצח אותך במשפט. עד היום לא הצלחתי לתפוס זאת: האם חששת שיוכח שאינני אביו? האם חששת שיוכח שאני אביו? האם יש צל של ספק מי הוא אביו, אילנה?

ומה גרם לך עכשיו לשנות פתאום את דעתך ולהסכים אחרי ככלות הכּול לעריכת הבדיקה ההיא? כלומר, אם באמת שינית את דעתך. ואם רק לא שינית אותהּ שוב.

האומנם רק הכסף? אבל כסף היה גם אז. וגם אז אַת נלחמת על הכסף. והפסדת. ובצדק הפסדת.

אני חוזר על הצעתי: תקבלו עוד חמישים אלף דולר (ולא אִכ־פת לי לאיזו מטרה; שיהיה גם גיוּר האפיפיוֹר) אחרי שתתבצע הבדיקה – ובלי קשר לתוצאותיה. אף כי זקהיים טוען שיצאתי לגמרי מדעתי: לפי הגיונו החותך, מרגע שהבטחתי לכם במברק שאתם תקבלו את הכסף בלי קשר לתוצאות הבדיקה – כל הקל־פים בידיכם, ואני במו ידי מגיש לכם את ראשי על טס של זהב. עד כאן זקהיים.

האם הוא צודק?

התסכימי להסביר לי עכשיו מדוע שרפת את עצמך ואת בועז בַּמשפט בכך שהתנגדת לבדיקה במקום לתבוע את קיומהּ? מה עוד היה לך להפסיד שלא הפסדת בין כך ובין כך? האומנם היה לך פקפוק מה תהיינה תוצאות הבדיקה? או אולי העדפת בזדון להפסיד הכּול ולהיזָרק עם הילד לרחוב, רק כדי להחדיר בי ספק?

ועכשיו אַת מעיזה לכתוב לי שאני "לא דורס. רק מכיש". האם זה מין הוּמוֹר שחור? הנה כאן לפניך עכשיו הצעה חדשה מאת הדרקוֹן בדימוס: אם תתני לי תשובה ישרה על השאלה מדוע התנגדת בשנת ששים ושמונה לעריכת בדיקת אבהוּת

ומדוע הסכמת כעת – אני מצדי מתחייב להסב את צוָאתי אל בועז. וגם לשלוח לכם עוד חמישים אלף דולר בדואר חוזר. בעצם, אם תתני לי תשובה הבדיקה תהיה מיותרת. אני מוַתֵּר עליה בתמורה לתשובה משכנעת על שאלתי היחידה.

לעומת זאת, אם תבחרי להוסיף שקר על שקר – מוטב שנחזור וננתק מגע. והפעם ננתק לתמיד. שקרים כבר האכלת אותי בכמות שיכלה להספיק לאוגדה שלמה של בעלים מרומים. לא תצליחי לשקר לי עוד. ואגב, איזה מין הסברים בעלך דורש שאתן לך אחרי שהתוַדית בעצמך באָזני שלושה רבנים כי הספקת בשנות נישואינו לשכב עם איצטדיון שלם?

בין כך ובין כך מוטב שננתק מגע. מה עוד אַת רוצה ממני? מה יש לי לתת חוץ מכסף? לפתע ניעור בך התיאבון לזלול סטֵייק־דרקון עם צ׳יפס? למה באת להרעיש פתאום את בית־הקברות שלנו כעבור שבע שנים?

עזבי. אני חי לבדי ובשקט. שוכב כל לילה בעשר וישן בלי חלומות. קם כל בוקר בארבע לעבוד על מאמר או הרצאה. כל התשוקות כבר כבו. אף קניתי לי מקל־הליכה בחנות עתיקות בבריסל. נשים ואנשים, כסף שׂררה ותהילה, מפילים עלי שממון. רק לעתים אני עוד יוצא לטייל קצת בין מושׂגים ורעיונות. קורא שלוש מאות עמוד כל יום. רוכן ומלקט פה ושם ציטטה או הערת־שולַיִם. זה מה שיש אילנה. ואם כבר מדברים על חיי, הנה תיאוריך הפיוטיים עם החלילית והשלג וכו׳ הם באמת די יפים (זה תמיד היה הצד החזק שלך), אבל במקרה, לידיעתך, בחדרי יש דווקא הסקה מרכזית ולא אח. ואין בחלוני שום שלג (חודש מאי עכשיו) אלא רק פיסת גן, דשא אנגלי מטופח עם אי־זה ספסל ריק, ערבה בוכיה ושמַיִם בצבע אפור. ובקרוב אשוב לשיקאגו. מה שנוגע למקטרת שלי ולוויסקי, כבר שנה ויותר אסורים עלי השתיה וגם העישון. אם באמת אִכפת לך שהצוָאה תוסַב אל בועז, אם בעלך חושק בעוד כמה עשׂרות אלפים, נסי לענות ביושר על השאלה היחידה שהצגתי לך. רק זכרי: עוד שקר אחד – ואתם לא תקבלו ממני לא תשובה ולא גרוש. לעולם. אחתום כעת בכינוי החדש שנתת לי:

אַלק הרשע הגלמוד

☆

ד״ר א. גדעון
ע״י עו״ד זקהיים.

ירושלים 24.5.76

אַלק הרשע הגלמוד,

היום קיבלנו גלויה מבועז. הוא נמצא אי־שם בסיני, לא מגלה לנו איפה, אך לפי הגלויה הוא ״עובד ומרויח כסף טוב״. לעת־עתה לא הצלחנו לאתר אותו. כנראה שגם זקהיים הכּול־יכול שלך עדיין לא הצליח. לעומת זאת אתה במכתבך הצלחת להכ־איב לי ואפילו להבהיל אותי. וזאת לא בקטעי הרעל שלך, אלא דווקא בזה שכתבת לי שאסור לך לעשן ולשתות. אנא כתוב לי מה קרה. מה היו הניתוחים. כתוב לי את כל האמת.

הצגת לי שתי שאלות: למה התנגדתי במשפט שהגשתי נגדך לכך שיערכו לשלָשתּנוּ בדיקת רקמות, והאם עדיין אני מתנגדת לעריכת בדיקה כזאת. התשובה לשאלה השניה היא שעכשיו אני לא מתנגדת. רק שעכשיו זה בעצם ענין שבינך ובין בועז. אם זה באמת חשוב לך, נסה לשכנע אותו להיבָּדק. ולפני־כן לֵך תמצא אותו. לך אתה, אל תשלח במקומך את זקהיים עם הבלשים שלו.

אני משחיתה מלים. אתה מסתתר במאורתך ולא תצא ממנה.

התשובה לשאלה הראשונה היא, שלפני שבע שנים אמנם רציתי מאוד להוציא ממך דמי מזונות וגם חלק מהרכוש, אבל לא במחיר הסגרת בועז לידיך. אני משתוממת איך זה שאתה עם השׂכל הבינלאומי שלך לא תפסת את זה כבר אז.

ובעצם, אני לא משתוממת:

מה שהניע אותי להתנגד לבדיקת הרקמות הוא שהפרקליט שלי ביאר לי כי במקרה שהבדיקה תוכיח שאתה הוא האב, ואח־רי שהכרחת אותי להודות בניאוף, בית־הדין הרבני, וגם כל בית־משפט, ימסרו לך את הילד. הייתי משוכנעת שאתה בשנא־תך אלינו לא תהסס לקחת ממני את בועז ולהשאיר לי במקומו קצת כסף. ובועז היה רק בן שמונה.

זה כל הסוד אדוני.

האמת הפשוטה היא שאני לא רציתי לזכות במשפט ולהפסיד

את הילד, אלא בדיוק להיפך. נכון שקיויתי להוציא ממך גם תמיכה, כי לא היתה לי פרוטה, אבל לא במחיר ויתור על בועז. זו הסיבה שבגללה השתמשתי בזכותי להתנגד לקיום הבדיקה, שהיתה מוכיחה כי הבן שלך הוא שלך.

האמת היא ששנינו הפסדנו. בועז שייך רק לעצמו ואולי גם לעצמו הוא זר. ממש כמוך. לבי מתכווץ כשאני חושבת על הדמיון הטרגי שבינך ובין בנך.

והרי לוּ נתת לי אז אפילו עשירית מהכסף שהתחלת להמטיר עלינו עכשיו, הייתי יכולה לגדל את בועז אצלי. והיה לי ולו פחות רע מאז ועד היום. אבל זאת בדיוק הסיבה שהניעה אותך לקחת ממני הכּוֹל. אתה גם עכשיו לא היית נותן לנו פרוטה לולא נבהלת עד מוות מזה שספרתי לך איך מישל סולל לו נתיב אל הילד ואיך בועז, בדרכו הסתומה, מחבב כנראה את מישל. אגב, לא אִכפּת לי שמישל ממשיך להאמין לפי תוּמוֹ כי אתה התחלת פתאום לחזור בתשובה ולתקן, כלשונו, את דרכיך. אבל אותי לא תרַמה, אלק: את הכסף נתת לנו לא כדי לתקן אלא כדי להרוס. אַלק האומלל: לחינם ניסית לברוח. לחינם ניסית להע־מיד פני אלוֹהוּת מתנַכּרת. לחינם נחבאת בענן וניסית לפתוח דף חדש. הצלחת עוד פחות ממני. לחינם שתקנו שבע שנים שנינו. התעטפת בגלימה השחורה? כיסית את ראשך בברדס? נמשיך. אני מוכנה.

רק כתוֹב לי את כל האמת על מצב בריאותך. הערבה הבוכיה והשמים האפורים בחלון החדר שלך הרעישו אותי פתאום.

חכה רק עוד רגע אַלק. הלא זהו משׂחק לשנַיִם. עכשיו הגיע תורי להציג לך שאלה: למה קיבלת את סירובי? ולמה בעצם סירבת גם אתה לעבור בדיקת רקמות? למה לא נלחמת על בועז לפחות כמו שנלחמת לדרוס אותי במשפט? למה לא נלחמת עליו כדי לדרוס אותי עד הסוף? ולמה דווקא עכשיו נזכרת להציע לנו הון כדי שהבדיקה תיעָרך? תורך לא לשקר. אחכה לתשובה.

אילנה

☆

לאילנה סומו, פרטי,
למסירה ביד ע״י עו״ד זקהיים.

לונדון 2.6.76

מפני שלא יכולתי, לא רציתי, לקחת את בועז אלי. לא ידעתי מה אעשה בו. לו הסכמתי לבדיקה היו מצמידים את הילד אלי על־פי צו. מה היה יוצא ממנו אילו צמח אצלי?

זו התשובה לשאלתך.

איך כתוב בסוף פסק־דיננו? ״ומכאן ואילך אין להם זה על זו ולא־כלום״.

ובינתים זקהיים והבלשים הצליחו למצוא את בועז. כלומר, אני ולא סומו. איך אומר הקדוש שלך? ״תואילי לרשום זאת לפניך.״ מתברר שהוא עובד על סירת תיירים עם רצפת־זכוכית בשרם־א־שֵיח׳ ובאמת מרויח די טוב. הוריתי לזקהיים בטלפון שיניח אותו לנפשו. אני סומך על בעלך שגם לו יהיה די שֵׂכל לא לנסות להתערב. אולי תציעי לו שירשום את בועז בתור התרומה שלי לגאולת השטחים המשוחררים וישלח לי קבלה מבוילת?

האם נתת לו לקרוא את מכתבַי? אני מניח שהוא עומד על זכותו לקרוא אותם עוד לפניך ואולי גם לצנזר פה ושם. מצד שני, ייתכן שהוא דווקא נמנע בכל הכבוד מלהציץ במכתבי אש־תו ולחטט בסתר במגירותיה. מצד שלישי, הוא מסוגל לקרוא כל מלה בחשאי בהיעָדרך מהבית ואחר־כך להישבע על התורה שהוא בוטח באשתו שאין לה חס ושלום שום הרהורי עבירה ומכתביה הם קודש בשבילו. אפשרות רביעית היא שאַת תבטיחי לי כי הוא לא קורא את מכתבי, אף כי תתני לו לקרוא. או שתגידי לי כי כן, ובעצם לא תתני לו. תבגדי בו אִתי, בי אִתו, בשנינו זה עם זה, או בשנינו עם החלבן. הכּול אפשרי אצלך. הכּול אפשרי, אילנה, חוץ מדבר אחד: שאדע מי אַת באמת. כל מה שיש לי הייתי נותן כדי לדעת. אבל כל מה שיש לי זה כסף, והכסף, כמו שכתבת לי, לא יעזור. שח מט.

ואם כבר הזכרתי כסף, כתבי לי כמה עוד נחוץ לך. האם באמת תרצי שאתרום לו לגאולת חברון? לא אִכפת לי. אקנה לו את

חברון. ואחר־כך אקנה לו את שכם. מתי יום־הולדתו? בתמורה אבקש שתגלי לי מה הסוד של הלמד־ואוניק הזה? איך הצליח לרתק אותך אליו? יש לי אישור מוסמך משני חוקרים פרטיים שכנראה אַת לא בגדת בו אף פעם (אם לא להביא בחשבון את קוּפּוֹן־המשגל ששלחת לי במחיר מאה אלף דולר, ושנינו נכנסים בזכותו לספר השׂיאים של גיניס בתור המחיר הכי גבוה ששולם אי־פעם בעד דפיקה שלא התקיימה). ואגב, בתביעת השילומים האחרונה (בינתים) שהגיש לי, רומז מהר־שלל־חש־בז שלך כי אני הוא ש״דחף אותך לחטא״. סיפורים כאלה נפוצים כנראה ברקע שממנו הוא בא. לא קשה לי לשחזר לעצמי מה סיפרת לו על־אודות חיינו. תולדות היפהפיה והמפלצת.

מה מצאת בו? מה בועז מוצא בו?

״ילד מר ופראי,״ כתבת לי, ״שהשׂנאה נתנה לו כוח פיזי מדהים.״ אני זוכר את צורת תרדמתו בלילות: אָסוּף כולו בעומק שְׂמיכת החורף עד למעלה מראשו הבלונדיני כמו גור מחופר במאורה. ואת רוך יקיצתו בבקרים, צף מתוך השינה פוקח בבת־אחת את עיניו ושואל אם הצב התעורר כבר. אני זוכר את ערוגת הסוכריות בגינה. את בית־הקברות לפרפרים. את המבוך ואת הלונה־פַּרק שהתקין בשביל הצב. את שתי ידיו הקטנות על הגה המכונית שלי. את קרבות הטַנקים על השטיח ואת המקטרת שרחץ לי פעם במים ובסבון. את בריחתו אל הואדי אחרי אחת ההתאבדויות שלך. ואיך חזרתי פעם בלילה ומצאתי על שולחן המטבח מצית ירוק לא שלי והיכיתי אותך באגרופים ופתאום הוא צץ במטבח בפיג׳מת איש־החלל שלו וביקש ממני בשקט שאפסיק מפני שאַת יותר חלשה. כשאמרתי לו אתה עוף למיטה והמשכתי להכותך, הוא הרים וזרק בי עציץ קקטוס קטן ופגע בלחיי ואני הרפיתי ממך ותפסתי אותו בטירוף ודפקתי את הראש הזהוב שוב ושוב בקיר. האקדח היה בכיסי ויכולתי לירות בשניכם אותו לילה ולהכניס לעצמי כדור. ובעצם עשיתי את זה, ומאז שלָשתּנוּ חלום.

אני רוצה שתדעי שבכל השנים האלה לא עבר אף חודש אחד בלי שקיבלתי מזקהיים והבלשים דו״ח עליך ועל בועז. וכל מה שנודע לי, לרבות האלימוּת שלו, מאוד מוצא חן בעיני: העץ הזה

צומח רחוק מהתפוחים הרקובים. שנינו לא ראויים לו. אף אחד מאתנו לא ראוי לשום דבר, מלבד כדור בראש. אולי רק השד השחור שלך ראוי לאיזה דבר. להיקָבר במערת־המכפלה שלו. ומה שיותר מהר.

מה מצאת בו אילנה? מה בועז מוצא בו?

אם תתני לי תשובה משכנעת תקבלו את הצ׳ק המובטח.

דאגתך הפתאומית לבריאותי (או להיטותך לירושה) נוגעת, כרגיל, ללב. אבל אל נא תגזימי: עדיין אני על המפה. למרות הניתוחים ההם. אמנם, בלי הויסקי והמקטרת, כך שמִן האַרסֶנל הפיוטי שלך נשארו רק העט והמשקפַיִם שאותם אני באמת מזיז לפעמים שני סנטימטרים שמאלה או שלושה סנטימטרים ימינה על־גבי המכתבה. ממש כפי שתיארת במכתבך. אף כי איני מנפץ כלי־זכוכית ולא משליך חפצים אל האש. במקום השלגים שלך והכוס הריקה והבקבוק הריק, תוכלי להשתמש בערבה הבוכיה שבחלוני. השחור־לבן די בסדר, אם רק תנצלי אותו במתינות ולא בסגנונך הפרוץ.

בכל־זאת אני אמזוג לי כעת קצת ויסקי לפני שאנסה את המר־שם שהמלצת לי עליו, להטיח את הראש בזוית השולחן עד שיכ־בה הכאֵב.

הדרקון

[מברק] גדעון ניקפור לונדון. בועז הופיע אצלי. מבקש ממך חמשת אלפים דולר לרכישת סירת־זכוכית לפתוח עסק עצמאי בשַרם ועוד אלף לבנות שם טלסקופ לתיירים. נתתי תשובה שלילית. לידיעתך. מאנפרד.

[מברק] אישי זקהיים ירושלים ישראל. תן לו אידיוט. אלכס.

[מברק] גדעון ניקפור לונדון. עכשיו הוא מבקש חמשת אלפים

לדירה באופירה. משרד זאנד מצאו בשבילי שהוא חי
שם בתחנת דלק עם שתי שבדיות צרפתיה ובֵּדוִי. לא
נתתי גרוש. אין לך כאן מזומנים ולא הצלחתי לממש
לך נכס. לך תראה פסיכיאטר. מאנפרד.

☆

[מברק] אישי זקהיים ירושלים ישראל. מאנפרד עשה לי טו־
בה. תלוֶה לי כנגד הנכס בזכרון ותִתן לו מה שביקש.
תגיד שזו פעם אחרונה. אלכס.

☆

[מברק] גדעון ניקפור לונדון. מסרב להלוות לך. מאנפרד.

☆

[מברק] אישי זקהיים ירושלים ישראל. אתה מפוטר. אלכס.

☆

[מברק] גדעון ניקפור לונדון. ברוך שפטרנו. למי להעביר את
התיקים. זקהיים.

☆

[מברק] אישי זקהיים ירושלים ישראל. התפטרותך לא מתקב־
לת. אתה בהמה. אלכס.

☆

[מברק] גדעון ניקפור לונדון. ממשיך בתנאי שמופסק מרגע זה
ולתמיד הסיוע לשכבות המצוקה ברחבי א״י השלמה.
כולל תשובה שלילית לסירות ודירות בשַׁרם. אתה
דמיטרי קאראמזוב או המלך ליר. מאנפרד.

☆

[מברק] אישי זקהיים ירושלים ישראל. בסדר ראספוטין תירָ־
גע נכנעתי לעת־עתה. אלכס.

☆

מר מ. א. סומו
רח׳ תרנ״ז 7 ירושלים. בדואר רשום.

7.6.1976

מר סומו הנכבד,

הנך מוזהר בזאת שלא להוסיף ולפנות אל מַרשי, ד״ר א. א. גדעון, אם במישרין, אם באמצעות רעייתך ואם באמצעות בנהּ של רעייתךָ בבקשות/דרישות נוספות להטבות כספיות מצדו, בנוסף למה שכבר קיבלת מידיו הרבה לִפנים משורת הדין.

הרשה נא לי להעמידך בזאת על העובדה שמַרשי הסמיך אותי במברק להטיל מכאן ואילך וֶטוֹ מוחלט על העברת כספים שהוצ־או או שיוצאו ממנו בעתיד באמצעים רגשיים או אחרים. במלים פשוטות, כדאי שתכניס לראשך שאם אתה רוצה עוד משהו – אין טעם שתמשיך להטריד, בעצמך או באמצעות קרוביך, את הד״ר גדעון. תנסה לפנות אלי ואם תנהג בתבונה, תמצא אצלי אוזן קשבת. לטובתך, אדוני, אציע שאתה תביא בחשבון כי מצויה תחת ידנו כל האינפורמציה הדרושה לנו למקרה שיתעוררו קשיים מצדך בעתיד.

לשירותך תמיד,
מ. זקהיים, עו״ד ומנהל עִסקי

☆

עורך־הדין מר מ. זקהיים
משרד מר זקהיים את מר די־מוֹדינא
המלך ג׳ורג׳ 36, כאן

בע״ה, ירושלים, יום י״ג בסיון תשל״ו (10.6.)

לעורך־הדין הנכבד מר זקהיים, ברכת חג שבועות שׂמח!

חס ושלום שתחשוב שיש לי אליך איזו טינה או טענה. כמו שכתוב אצלנו, ישמרני שומר פתאים מלחשוד בכשרים או מלה־טיל דופי חלילה. אדרבא, אני סבור שאתה ממלא את תפקידך על הצד הטוב ביותר בשירות הפרופסור גדעון. כמו־כן אני מוקיר את המאמצים שעשית למעננו לחידוש הקשר עם בועז, מתנצל

על עָגמת־הנפש שנגרמה לך, מודה לך על טרחתך ומביע את אמונתי שזכותך תעמוד לך.

יחד עם כל אלה, ובכל הכבוד הראוי, אתה תסלח לי על שאני מוצא את עצמי מחויב להעיר בזאת בתגובה על מכתבך, שאתה פסול מראש לשמש מתווך ביני ובין משפחתי לבין הפרופסור גדעון. וזאת מהסיבה הפשוטה שאתה מזוהה לגמרי עם הצד השני, וככה זה צריך להיות כל עוד הצד השני הוא שמשלם לך את שכר טרחתך. אז כמו שכתוב אצלנו, לא מעוקצך ולא מדוּב־שך מר זקהיים. במקרה שהפרופסור גדעון ישתכנע לטובתו־הוא להרים תרומה לבנין הארץ, אתה עם כל הכבוד אין לך שום זכות וֶטוֹ ואין לך שום זכות דעה ואינך שייך לתמונה ותואיל נא לצאת ממנה.

מצד שני, אם תחליט גם אתה לתרום משהו למען מטרתנו הקדושה – התרומה שלך בהחלט תירצה ותתקבל בהוקרה ובלי שנבדוק בציציות.

כמו־כן רשמתי לפנַי את הרמז המסוים שלך על החומר שכבי־כול אספת נגדנו. רשמתי אבל לא התרשמתי מהסיבה הפשוטה שאנחנו אין לנו מה להסתיר. כמו שכתוב אצלנו, מי יעלה בהר ה׳ ומי יקום במקום־קָדשו? נקי־כפים ובר־לבב אשר לא נשא לשוא נפשי, וכו׳. הרמז המסוים שלך מבייש רק אותך מר זק־היים. ואני מצדי על־פי המצוָה לא תִקוֹם ולא תִטוֹר החלטתי להתעלם ממנו ולראותו כלא היה.

אדוני הנכבד מר זקהיים. כמי שבא אלינו אולי מהשואה, היי־תי מצפה שדווקא בן־אדם כמוך יהיה בין הראשונים לשאוף לחזק את המדינה ולבסס את גבולותיה. וזאת בלי לפגוע לרעה חלילה בכבודם או ברכושם של התושבים הערבים. רצוני להמ־ליץ שתתקבל לארגון שלנו, ״התנועה לאחדות ישראל״ (אני מצרף פרוֹספֶקט עם פרטים מלאים). יתר־על־כן, מר זקהיים, בשים לב לרמה המשפטית שגילית בשירות הפרופסור גדעון הנני מתכבד להציע לך בזאת את תפקיד פרקליט התנועה, אם בהתנדבות ואם בשׂכר מלא והוגן.

כמו־כן אבקשך בזאת לקבל עליך את תפקיד מנהל הרכוש הפרטי שלי ושל בני־ביתי, לאור העובדה שבעזרת השם, ולהב־

דיל גם בעזרתך המבורכת, כבר הוחזר לנו חלק מהגזילה ואני מאמין שגם היתר יבוא.

אהיה מוכן לשלם לך שכר טרחה באחוזים המקובלים ועוד קצת. ואפשר גם על בסיס של שותפות בינינו מר זקהיים באשר יש בדעתי להכניס באמצעות הארגון שלנו כסף רב ביָזמות עס־קיות הקשורות בגאולת השטחים המשוחררים. שותפות בינינו עתידה להניב ברכה לכל הצדדים, מלבד הברכה שתצמח לעם ישראל ולמדינה. כמו שכתוב אצלנו, היֵלכו שנַיִם יחדיו בלתי אם נועדו? ההצעה שלי היא אפוא שאתה תעבור לצדנו בלי לנטוש חלילה את פרופסור גדעון מַרשך. בבקשה לשקול זאת ברצינות. אין צורך למהר להשיב לי. אנחנו רגילים לחכות ואיננו גורסים את החפזון.

ייתכן שהפרופסור גדעון מיַצג את הישׂגי העבר, אבל העתיד לפי אמונתי יהיה שלנו. תחשוב על העתיד, מר זקהיים!

בכבוד רב ובאהבת ישראל,

מיכאל (מישל־אנרי) סומו

רחל מורג,

קיבוץ בית־אברהם, דואר נע גליל תחתון.

11.6.76

שלום רחל הנוֹרמלית,

ובכל־זאת אני חייבת לך כמה שורות. לא עניתי לך קודם מפני שהייתי שקועה עד כאן בצרות של בועז. אַת ודאי תלבשי כרגע אֶת ארשת רחל המבינה והסולחת, ובטון־האחות־הגדולה תצייני בלבך שהייתי שקועה לא בבועז אלא, כמו תמיד, בעצמי. הן אַת ממוּנָה מילדותנו להצילני מכף שגיונותי. "הדרמוֹת שלי", כלשונך. ותתחילי להרעיף עלי את נזיד הפסיכוֹלוֹגיה השימו־שית שספגת בקורס למטפלות של הגיל הרך. עד שאצא מִכלַי ואצעק: תעזבי אותי כבר. שאז תחייכי לי בעצב, תבליגי כדרכך על העלבון, תשתתקי ותניחי לי להסיק בכוחות עצמי כי ההתפרצויות שלי רק מדגימות את מה שאיבחנת בחָכמתך. חָכמתך הסובלנית, הדידַקטית, המרתיחה אותי כל השנים, עד

שאני כמעט נחנקת מזעם ומתפרצת ומעליבה אותך, ובכך נותנת לך הזדמנות נהדרת לסלוח וגם חוזרת ומחזקת את דאגתך הקבועה למצבי. אנחנו מסתדרות לא רע? אַת רואה, בסך־הכּוֹל התכוונתי רק לכתוב לך כמה שורות תודה על נכונותכם, שלך ושל יואש, לעזוב הכּוֹל ולבוא לירושלים לעזור. ותראי מה יצא. סלחי לי. אף כי בעצם לולא הדרמות שלי – איזה קשר היה בין שתינו? לאן היית משגרת את מטחי טוב־לבך המוחץ?

כידוע לך, בועז בסדר. ואני משתדלת להירגע. עורך־הדין של אלק שכר חוקרים שגילו כי הוא עובד על איזו סירת תיירים בחוף סיני ולא זקוק לאף אחד מאתנו. הצלחתי לשכנע את מישל שלא יסע אליו בינתים. אַת רואה, קיבלתי את עצתך להניח לו לנפשו. אשר לעצתך האחרת, לשכוח לתמיד את אלק ולסרב לקבל את כספיו, אַל תכעסי אם אגיד לך שאַת לא מבינה שום דבר. מסרי ד"ש ותודה ליואש ונשיקות לילדים

מאילנה הבלתי־נסבלת

ברכה לכולכם ממישל. הוא מתחיל להרחיב את הדירה בכסף שקיבלנו מאַלק. וכבר השׂיג רשיון לתוספת שני חדרים לכיוון החצר מאחור. בקיץ הבא תוכלו לבוא לנוח אצלנו, ואני אתנהג יפה.

☆

מתוך הביקורת בעתוני העולם על הספר "האלימות הנואשת: מחקר בקנאות השוָאתית" מאת אלכסנדר א. גדעון (1976).

"עבודתו המוֹנוּמנטלית של החוקר הישראלי מטילה אור חדש – או בעצם, מפילה צל כבד – על הפסיכוֹפָּתוֹלוֹגיה שמאחורי אמו־נות ואידיאולוגיות שונות מימי־קדם ועד עצם ימינו אלה..."

("טַיימס ליטֶראָרי סַאפּלֶמֶנט", לונדון)

"ספר חובה... אנליזה קרה כקרח של תופעת הלַהט המשיחי בלבושיה הדתיים והחילוניים כאחד..."

("ניו־יורק טיימס")

"חומר קריאה מרתק... חיוני להבנת התנועות שזיעזעו ומוסי־פות לזעזע את המאה שלנו... הפרופסור גדעון מתאר את תופעת האמונה... כל אמונה שהיא... לא כמקורו של המוסָר אלא דווקא

כהיפוכו המוחלט..."

("פרנקפורטר אַלגֶמיינה צייטונג")

"החוקר הישראלי גורס כי כל מתקני־העולם משחר ההיס־טוריה, מכרו למעשה את נפשם לשטן הקנָאוּת... משאלתו הכמוסה של הקנאי למות מות־קדושים על מזבח הרעיון שלו היא, לדעת המחבר, המאפשרת לו להקריב בלי ניד עפעף את חייהם של אחרים, ולעתים – את חייהם של מיליונים... בנפש הקנאי מוּתָכים האלימות, הישועה והמוות למִקשה אחת... הפרופסור גדעון מבסס מסקנה זו לא על ספֶקולציות פסי־כולוגיות, אלא על ניתוח לשוני מדוקדק של אוצר המלים האָפייני לכל הקנאים בעידנים שונים ובקצווֹת שונים של הקשת הדתית והאידיאולוגית... לפנינו אחד מאותם ספרים נדירים המכריחים את הקורא לבחון ביסודיות את עצמו ואת כל השקפו־תיו ולחפשׂ בעצמו ובסביבתו גילויים של חולי לַאטֶנטי..."

("ניו סטייטסמן", לונדון)

"חושׂף בלי רחמים את פרצופם האמיתי של הפיאוֹדליזם והקפיטליזם... מוקיע בכשרון רב את הכנסיה, הפשיזם, הלאוּמ־נוּת, הציונות, הגזענוּת, המיליטריזם והימין הקיצוני..."

("ליטֶרטורנאיָה פּרַבדה", מוסקבה)

"בשעת הקריאה יש שנדמה לך שאתה מתבונן בציור של הירוֹ־נימוּס בּוֹש..."

("די צַייט")

☆

לד"ר א. גדעון
ע"י עו"ד זקהיים.

ירושלים 13.6.76

אַלק הנזיר,

לוּ רק נתת לי רמז לפני שבע שנים, במשפט, שאתה אינך זו־מם לנצל את ההודאה בניאוּף כדי לקחת ממני את בועז, לא היתה לי שום סיבה להתנגד לבדיקת האבהות, שממילא לא היה בהּ שום צורך. כמה סבל היה נחסך לו אמרת אז שתי מלים. אבל מה לי לשאול ערפד איך הוא מסוגל לשתות דם חי.

אני עושה לך עוול. הן אתה ויתרת על בנך מפני שחסת עליו. הן אתה התכוונת אפילו לתרום לו כליה. הן אתה גם עכשיו יכול לצלם ולשלוח למישל את מכתבַי אלה. אבל משהו מפריע את שַׁנאתךָ. משהו לוחש אצלך כמו רוח בעֵשׂב יבש ומפר את הדו־מיה הארקטית. אני זוכרת אותך בין חבריך לעת ויכוח ליל השבת: רגליך הארוכות פשוטות על שולחן הקפה. עיניך פקו־חות רק למחצה. עור זרועותיך מחוספס ושחום. אצבעותיך המהורהרות מעגלות אט־אט איזה חפץ שאינו נמצא ביניהן. ומלבדן – מאוּבּן בלי נוע. כלטאה אורבת לחרק. על זרוע הכור־סה שלך עומדת כוסך בשיווי־משקל מסוּכּן. ערבוביַּת הקולות בחדר, הנימוקים, ההפרכות, עשן הסיגריות, כמו מתרחשים הרבה מתחתיך. כתונת־השבת הלבנה מעומלנת, מתוחה, מגוה־צת. ופניך חתומות בשׂרעַפים. ולפתע, כמו צפע, היית מזדקר לפנים ומתיז אל תוך השיחה: ״רק רגע. סליחה. לא הבנתי משהו.״ המולת הויכוח היתה שוככת מיד. ואתה במשפט או שניִם היית קוצר את הדיון, חותך לרוחב העמדות מזוית חריפה, לא־צפויה, ממוטט את נקודת המוצא, מסיים ב״סליחה. תמ־שיכו״. וחוזר אל מסעד כורסתך אל תנוחת הנתֶק שלך. אדיש לַדממה שחוללת. מניח למישהו אחר לנסח בשמך את העמדה המשתמעת אולי מן השאלה שהצגת. אט־אט, במוֹרך, היה הוי־כוח חוזר ומתחמם. בלעדיך. אתה כבר שקעת כולך בעיון חמוּר בקוביות־הקרח שבכוסך. עד החיתוך הבא. מי זה הטריף את דע־תך לראות בחמלה תוּרפה, ברוֹך ובהיעָנות חרפה, באהבה אות חולשה לגבר? מי הגלה אותך אל ערבות השלגים? מי התעה איש כמוך להכחיד את כתם רחמיו לבנוֹ ואת בוֹשת געגועיו אל אש־תו? זוָעה חשכה אֵלֶיךָ. והחטא עצמו הוא העונש. יסורי המפלצת שלך כמו סופת רעמים מאחורי ההרים לפנות־בוקר. אני מחבקת אותך.

ובינתים ההוצאה העברית של ספרך היא כאן שׂיחת היום. תמונתך נשקפת אלי מעל דפי כל עתון. אלא שזוהי תמונה מלפני עשׂר שנים לפחות. ובהּ נראים פניך רזים ומרוכזים והתוֹקף הצבאי שלך מתוח לרוחב שׂפתיך – כמו עומד לתת פקודת־אש. האם זו תמונה שצולמה כשעזבת את צבא־הקבע וחזרת

לאוניברסיטה להשלים את הדוקטורט שלך? אני מתבוננת בה והזוהר הארקטי מהבהב לעומתי מתוך הענן האפור. כמו גץ שנלכד בקרחון.

לפני עשר שנים. עוד לפני שגמרת לבנות את הוילה הדומה למבצר בשכונת יפה־נוף, מההון אשר זקהיים הצליח לחלץ בשבילך מאביך, שכבר היה הולך ומתרחק בערבות המֶלַנכוליה שלו, שהפליג אליהן כאינדיאני זקן הפורש אל שדות הציד הנצחיים.

אנחנו גרנו עדיין בדירה הישנה באבו־תור עם חצר האֳרנים הטרשית. ואני זוכרת ביחוד את שבתות החורף הגשומות. היינו קמים בעשר, מוכים ומותשים מאכזריות הלילה שלנו, כמעט נו־חים זה לזו כשני מתאגרפים בין סיבוב לסיבוב בזירה. כמעט נשענים זה על זו, סחרחרים מרוב מהלומות. היינו יוצאים מחדר־השינה ומוצאים את בועז ער. התלבש כבר לפני שעתים (עם טעות בכפתורי הכותונת ובגרבים זרים זה לזה), יושב ברצינות מדעית אל שולחן הכתיבה שלך, מנורתך דולקת לפניו, מקטרתך תקועה בפיו, מצייר על דף אחר דף לוחות שעונים של חלליות. או מטוס בוער בנפילתו. לפעמים גוזר ומכין בשבילך ערימה של כרטיסיות מלבניות קטנות ומדויקות להפליא – תרומתו לדוקטורט שלך. או לגֵיסות השריון. זה היה עוד לפני שהתחילה תקופת מטוסי עץ־הבאלזה.

בחוץ ירד גשם עגום, עקשני, שהרוח הצליפה בו על צמרות האֳרנים ועל תריסי־הברזל החלודים. מבעד לחלון הזולג נראתה החצר כמצוירת במכחול יפני: מחטים נרעדות בערפל ובחודיהן אחוזים אגלי מים. מרחוק, בין גושי עננים, שָטו המגדלים והכי־פות כמו מצטרפים גם הם לשיירה המתגלגלת עם הרעמים מזר־חה, לעבר המדבר.

הייתי פונה למטבח להכין ארוחת־בוקר ומגלה שבועז כבר ערך שולחן לשלושה. בעינים מאודמות היינו אתה ואני עוקפים זה את מבטה של זו. יש שהייתי נועצת בך עינים כמסומרת אליך, בלי הרף, רק כדי שאתה לא תוכל להביט בי. והילד, כמו עובד סוציאלי, היה מתווך בינינו, שאמזוג לך עוד קפה, שתגיש לי את הגבינה.

אחרי ארוחת־הבוקר הייתי לובשת את שׂמלת־הצמר הכחולה, מסתרקת, מתאפרת, ויושבת עם ספר בכורסה. אלא שהספר כמעט תמיד היה נשאר הפוך ופתוח על ברכי: לא יכולתי לגרוע עין ממך ומבנך. הייתם יושבים שניכם אל המכתבה, גוזרים, ממיינים ומדביקים תמונות מתוך הג׳אוגרפיקל מגזין שלך. כמעט בשתיקה עבדתם, והילד מנחש בזריזות את רצונותיך. מגיש לך ברגע הנכון מספרַים, דבק, אולר, עוד לפני שהספקת לבקש. כמקיימים יחדיו איזה טקס. והכּול ברצינות עמוקה. מלבד המיית תנור הנפט לא נשמע שום רחש בבית. ויש שאתה בלי משׂים היית מניח כפך החזקה על שׂערותיו הבהירות, מלכלך אותן קצת בדבק. מה שונה היתה שתיקת הגברים התכליתית שנמתחה ביניכם בבָקרי השבת האלה מן השתיקה הנואשת שהיתה יורדת עלי ועליך ברגע שעזב אותנו פרכּוּס התשוקה האחרון. מה נרעדתי למראה נגיעת אצבעותיך בראשו, לעומת זעם הלילה שהעניקו לי רק שעות אחדות לפני־כן. מתי ראינו את המוות המנצח בשחמט בסרט ״החותם השביעי״? היכן מדבּריוֹת הקרח שהעניקו לך את כוחות הזדון להתכחש לילד הזה? מנַיִן אתה שואב את העָצמה הקפואה להכריח את אצבעותיך לכתוב: ״הבן שלָך״?

ובסוֹפי השבתות האלה, עם צאת השבת בדמדומים שבין גשם לגשם, עוד לפני שהשכבנו את בועז, אתה היית קם פתאום, בחימה שפוכה מוזג לך קוֹניאק מהיר, מעלע אותו באחת בלי לעוות את פניך, מנחית על גב בנך שתי טפיחות אלימות, כמו לסוס, מתעטף בפראות במעילך וזורק אלי מן הדלת: ״אחזור ביום גימל בערב. השתדלי קצת לפני זה לנקות אם אפשר את השטח.״ ויוצא וסוגר את הדלת במין התאפקות נואשת שמעבר לכל טריקה. בחלון ראיתי את גבך מתרחק אל החושך היורד. אתה לא שכחת את החורף ההוא. אצלך הוא נמשך ונמשך, ורק הולך ומאפיר הולך ומתכסה אזוב הולך ושוקע כמו מציבת־קבר נושנה. אם תוכל, נסה להאמין לי כי מישל לא קורא את מכתביך. אף כי סיפרתי לו על ההתכתבות בתיווכו של זקהיים. אַל תחשוש. ואולי הייתי צריכה לכתוב כאן: אל תקווה?

למרות ההכחשה שלך, אני ממשיכה לראותך יושב בחלון מול

שׂדות שלג, מישורים צחיחים בלי עץ, בלי גבעה, בלי צפור, משׂתרעים עד טמיעתם בגושי ערפל אפור, הכּול כבחיתוך עץ. הכּול בלב החורף.

ואילו אצלנו כאן הגיע בינתים הקיץ. הלילות הם קצרים וקרירים. הימים לוהטים, מסנוורים כמו פלדה נוזלת. מחלון החדר שלי אני רואה את שלושת הפועלים הערבים שהביא מישל חופרים בורות ליציקת יסודות ההרחבה שמישל בונה בכספך. מישל עצמו עובד עם הפועלים האלה יום־יום בשובו מבית־הספר שלו. אין לו צורך בקבלן, מפני שהוא היה פעם בנאי, בשנה הראשונה לבואו ארצה. מידי שעתים הוא מוציא להם קפה ומחליף עמם פתגמים ושנינויות. בן־אח של גיסו, פקיד בעיריַת ירושלים, הקדים לנו את היתר הבנייה. בן־דוד של ידידתו ז׳אנין הבטיח להתקין את מערכת החשמל ולחייב אותנו רק במחיר החֳמרים.

מעבר לגדר שתי תאנים וזית. אחריהם מתחילים מדרונות הוַאדי התלולים. ומעברו השני של הואדי נשקפת השכונה הער־בית, ספק פרוָר ספק כפר, להקת בתי־אבן קטנים מכונסת סביב צריח מסגד. לפנות־בוקר התרנגולים קוראים לי משם בעקש־נות, כמתכוונים להדיח אותי. עיזים פועות עם שחר, ויש שאני מצליחה לשמוע את צליל פעמוני העדר היוצא ללחוך על שׂפת המדבר. גדוד שלם של כלבים פורץ לפעמים בנביחה שהמרחק מעמעם לי אותהּ. כמו אֵפר תשוקות נושנות. בלילות יורדת נביחתם עד סף היבבה החנוקה. המואזין מצדו משיב יבבה משלו, גרונית, משולחת־רסן, אכולת געגועים סתומים. קיץ בירושלים אַלק. קיץ בא ואתה לא באת.

אבל בועז הופיע שלשום. כאילו לא קרה דבר. ורוחו כמעט מבודחת: ״אהלן מישל. אילנה. באתי לאכול לכם את יפעת. אבל לפני זה קחי, קטנה, תאכלי את הבּונבּונים האלה שתהיי לי יותר טעימה.״ וִיקינג בֶּדוִי צרוב שמש, מדיף ריח ים ואבק, שׂערו היורד עד כתפיו מלוּבן כמו זהב חרוך. כאשר הוא עובר בדלת כבר עליו לכופף את ראשו. אל מישל הוא פונה ומדבר ברכינה עמוקה, כמשתחוה, כמבצע בכוונה וביודעין מחוָה טקסית של כבוד. ואילו למען יפעת הוא ירד ועמד על ארבע והיא, קופיף

שחרחר, טיפסה ועלתה בענפיו עד שנגעה בתקרה. והזילה אל תוך שׂערו את ריר הבּוֹנבּוֹנים שנתן לה.

בועז הביא עמו בחורה צנועה, שתקנית, לא יפה וגם לא מכוערת. סטודנטית למתימטיקה מצרפת, גדולה ממנו לפחות בארבע שנים. מישל, אחרי שחקר ומצא שהיא באה מבית יהודי, נרגע והציע להם שישָׁארו ללון אצלנו על המרבד לפני הטלבי־זיה. ליתר בטחון השאיר אור דולק במקלחת ודלת פתוחה לרוָחה ביניהם ובינינו, כדי לוַדא "שאצלי בבית בועז לא יעשה לה שטויות".

מה מביא את בועז אלינו? מסתבר שפנה אל זקהיים וביקש סכום כסף למטרות הידועות לך. זקהיים החליט משום־מה לספר לו על המאה אלף שאתה הענקת למישל, אך סירב לתת לבועז אפילו דמי כיס. איזו תחבולת עָרמה שאינני מפענחת אותה הול־כת ונרקמת כנראה בתוך גולגָלתו השֵדית המגולחת, והיא שהניעה אותו להציע לבועז שילך אל מישל "וידרוש את מה שמגיע לו".

ואולי גם אתה שותף למזימה הזאת? אולי היא מזימתך שלך? האומנם רק מרוב טמטום איני מסוגלת אף פעם להבחין במה־לומה הבאה שלך, אפילו כשהיא כבר עומדת לנחות עלי? הלא זקהיים אינו אלא מין מַריוֹנֶטת־אופרטה צוהלת שאתה בוחר לפעמים לעטוף בה את אגרופך הקודר.

בועז בא להציע למישל לא פחות מאשר להיכָּנס אתו לשות־פות באיזה עסק של סירות תיירים בים־סוף. לשם כך עלה לירושלים. נחוצה לו, לדבריו, השקעה ראשונה, שאותה הוא בטוח כי "ירויח בחזרה" תוך כמה חֳדשים. בעת שדיבר, פירק קופסת גפרורים והרכיב ליפעת מין גמל על כרעי תרנגולת. הילד הזה הוא עצמך: כמוקסמת התבוננתי באצבעותיו המבזב־זות בלי חשבון נהרות של כוח רק כדי להתאפק מלשבור גפרור. הבזבוז המסחרר הזה, שלמראהו כמעט נמלאתי בו־ברגע קנאה גופנית משַׁוועת בתמהונית הצרפתיה שלו.

לשמע הצעת השותפות קם מישל ועשה, כרגיל אצלו, את הדבר הנכון והקולע ברגע המתאים ביותר. כלומר, טיפס ועלה פתאום על אדן החלון ופתח את תיבת התריס ופירק והרכיב את

ההַרגה כדי לשחרר את התריס המתגלגל שנתפס. ואחר־כך נשאר עומד על אדן החלון וכך יכול היה לדבר אל הבן שלך מלמעלה למטה, כמו מעל גשר פיקוד של ספינה. מישל הודיע לבועז בלי כעס, אך גם בלי שום סלסולי ריכוך, כי אין על מה לדבר, לא הלוָאות ולא השקעות ולא דובים ולא יער, ואף כי בועז הוא "בהחלט כליל החָכמה כשלמה המלך בשעתו, בכל־זאת משפחת סומו לא תממן על חשבונהּ לא את ההַרמון ולא את ספינות תרשיש." והוסיף ונעץ בבועז את הפסוק "בזיעת אפיך".

אבל מיד אחר־כך ירד מכַן השיגוּר שלו ופנה אל המטבח והכין לבועז ולחברתו סטייקים מלכותיים עם צ'יפס וסלט ירקות וִירטוּאוֹזִי. ובערב שוב הזמין את בן השכנים לשמור על יפעת ולקח את שניהם ואותי לקולנוע ואחר־כך לגלידה. רק בשובנו הביתה, קרוב לחצות, אזר בועז אומץ לשאול את מישל של מי, בעצם, "הכסף ההוא מאמריקה." מישל, אשר מבחינה סמלית לא ירד אף לרגע מעל הפֶּדֶסטַל שלו, השיב במנוחה: "הכסף הזה הוא של אמך ושל אחותך ושלך בשלושה חלקים שוים. אבל בינ־תים אתה ויפעת עוד קטינים בעיני החוק וכן כמובָן בעינַי. האמא שלכם לעת־עתה היא אחראית על שניכם ואני אחראי עליה, ואת זה בבקשה תלך תגיד לאדון זקהיים, שלא יבלבל לך את המוח. אתה, בועז, אפילו שתעבור את הגובהּ של טור אֵייפל, אצלי בכל־אופן אתה עוד על תקן של טור אֵייפל קטין. אם תרצה ללמוד, זה משהו אחר לגמרי: רק תגיד – והארנק פתוח. אבל לבזבז כספים שלא אתה הרוחת על דגים ותיירים ובחורות? את זה אני לא ממַמן אפילו שזה מתבצע בסיני המשוחררת. הכסף הזה נועד לעשות ממך בן־אדם. ואם במקרה מתחשק לך כרגע להרים עלי ארגז – בבקשה, בועז, יש אחד שעומד פנוי תחת המיטה של יפעת."

ובועז שמע ושתק, רק פרש על שׂפתיו את החיוך המהורהר שלך, ויָפיוֹ המלכותי, הטרגי, מילא את החדר כמו ריח, והוא לא חדל לחייך גם כשעבר מישל לצרפתית ושקע בשיחה ארוכה עם הבחורה הסטוּדנטית. מקסימה בעינַי הדרך אשר בהּ בעלי ובנך, מעוֹמק הבוז וההשפלה, מחבבים בשתיקה זה את זה. היזָהר

אדוני: קרבנותיך עלולים לעשות יד אחת נגדך. ואני מתענגת על קנאתך שוַדאי גרמה לך כרגע לצמצם את שׂפתיך כמו חוט־ברזל. לקצר בשלושה־ארבעה סנטימטרים את הרווח שבין משקפי־הקריאה והעט שעל מכתבתך. רק אל תגע שוב בויסקי: המחלה שלך היא מחוץ לכללי המשׂחק.

הבוקר באו בטֶנדר כמה חברים של מישל, רוסים ואמריקאים בכיפות, ולקחו את מישל ואת בועז וחברתו לסיור בסביבות בית־לחם. כך שעכשיו אני יושבת לבדי בבית, כותבת אליך על דפים תלושים ממחברת. יפעת נמצאת בגנון. הילדה הקטנה הזאת דומה למישל במין הגזמה מצחיקה, כאילו עיצבו אותהּ בכוונה לעשות עליו פרודיה: היא דקיקה, מקורזלת, פוזלת קצת, צייתנית, אף כי מסוגלת גם להתפרצויות של תוקף דקיק. אבל רוב הזמן היא מפזרת סביבהּ חיבה ביישנית, שאותהּ היא מעניקה בלי אפליה לחפצים, חיות ואנשים, כאילו העולם מצפה לקבל מידהּ הקטנה רק חן וחסד. כמעט מיום היוָלדהּ נוהג מישל לקרוא להּ "מדמואַזל סומו". הוא מבטא "מַמֶזל", והיא מחזירה לתוּמהּ וקוראת לו ממזר.

התדע אַלק כי מישל החליט לפרוש בסוף השנה מעבודתו כמורה לצרפתית? להתפטר מבית־הספר שלו ולחדול גם מהשיעורים הפרטיים? יש לו אֵילו חלומות על עסקי קרקעות בשטחים, על פעילות ציבורית בעקבות אחיו הנערץ עליו, אף כי אין הוא מרבה לספר לי. כספך שינה את חייו. לא לכך התכוונת, אבל יש לפעמים שאפילו דרקוֹן מחולל תוצאה תרו־מית, מדשן איזו חלקה העתידה להצמיח דגן.

באחת־עשרה עלי ללכת לקפה סביון, למסור את המכתב הזה לזקהיים בפגישת חשאין. כמצוָתך. אף כי מישל יודע. וזקהיים? מדושן־עונג. הוא בא לפגישות האלה זָחוּחַ, מסוגנן וארסי. לבוש זַ׳קט ספוֹרטיבי עם מטפחת־משי בוֹהֶמית סביב צווארו, קרקפתו הטטרית המגולחת נוצצת ומדיפה ריח בושם, צפָּרניו מטופחות היטב ורק מאפו ומאזניו מזדקרות ציצות שׂער שחו־רות. פעם אחר פעם עולה בידו לשבור את התנגדותי ולכפות עלי קפה ועוגה. שאז הוא פותח ומרעיף מחמאות אוֹפֶּרטיות, חידודים דו־משמעיים, לפעמים גם נגיעות אקראי שעליהן הוא

ממהר להתנצל בעינים מצועפות. בפעם האחרונה התקדם עד לשלב הפרחים. לא זֵר שלם, כמובן, אלא פרח צִפּוֹרן בודד. אני נאלצתי לחייך ולהריח את הפרח, אשר במקום ריחו שלו הדיף את בְּשָׂמוֹ של זקהיים. כאילו עבר טבילה.

אתה שואל מה מצאתי במישל. ואני מודה: שוב שיקרתי. וחוזרת בי מן הסיפור שסיפרתי לך על מישל המאהב הוִירטוּאוֹז. תוכל להירָגע בינתים. מישל במיטה הוא בסדר, ומשתדל להמ־שיך להשתפר. אפילו מצאתי איזה סיפרון הדרכה בצרפתית שהחביא מפנַי בתיבת הכלים שלו. צר לי אם בכך גזלתי ממך את אחד הסיגופים שלך. מיד תקבל ממני אחרים, ואפילו חריפים יו־תר. מישל ואני נפגשנו כשנה אחרי הגט. הוא נהג לבוא מדי ערב לחנוּת הספרים שעבדתי בהּ ולחכות לי, נובר בירחונים, עד שעת הסגירה. אחר־כך היה לוקח אותי למסעדות זולות, לקולנוע, לחוגי דיון ציבוריים. אחרי הסרט יש שהיינו הולכים קילומטרים־על־קילומטרים ברחובות הליליים הריקים בדרום־ירושלים – לא העז להזמינני לעלות עמו לחדרו. אולי התבייש במגוריו בכוך הכביסה על גג בית אחד מקרוביו. והיה מצייר לי במלים מבוּישות את השקפותיו ותכניותיו. התוּכל לתאר לך תאוַת־כבוד נכלמת? אף לשלב את זרועו בזרועי לא הספיק לו אומץ־לבּוֹ.

אני חיכיתי בסבלנות כמעט שלושה חֳדשים, עד שנמאסו לי מבטי הכלב הרעב־אך־מחונך שהיה מצדד אלי. פעם תפסתי את ראשו ונשקתי לו באחת הסִמטאות. כך התחלנו להתנשק לפע־מים. ועדיין היו לו פחדים מפני פגישתי עם משפחתו ומפני תגובתי על דתיוּתוֹ החלקית. חיבבתי את מורך־לבּוֹ. ניסיתי לא להאיץ בו. כעבור עוד כמה חֳדשים, כשקוֹר החורף הפך את טיו־לינו לקידוש־השם, לקחתיו אל חדרי, פשטתי מעליו את בגדיו כפי שמפשיטים ילד, וסגרתי את זרועותיו סביבי. כמעט שעה חלפה עד שהצליח להירָגע קצת. ואחר־כך עוד נאבקתי הרבה עד שהראה אות חיים. מתברר שהמעט שידע למד כנראה מנע־רוֹת מבוהלות כמוהו בימי בחרותו בפריס. ואולי, חרף הכחשו־תיו, באיזה בית־זונות לעניים. כשהוצאתי אנחה קטנה, נפלה

עליו אימה והוא החל למלמל: פַּרדון. והתלבש וירד חגיגית על ברכיו וביקש ביאוש את ידי.

אחרי נישואינו הריתי. חלפה עוד שנה אחרי לידת התינוקת עד שעלה בידי ללמד אותו איך לחכות לי. איך להיגָמל מגינוני גונב־האופנַיִם בעת מעשה האהבה. כשהצליח סוף־סוף להפיק ממני בפעם הראשונה את הצליל שאתה שואב מתוֹכי אפילו על־ידי הדואר, דומה היה מישל לאסטרונָאוּט הראשון על הירח: גאוָתו הכבושה, האֶכּסטטית, הרעידה את לבי מאהבה. למחרת, נסער ונלהב, לא הלך מישל לעבודתו אלא פנה אל אחיו ולוָה ממנו אלף לירות כדי לקנות לי חליפת קיץ. והוסיף וקנה לי גם מיקסֶר חשמלי קטן. ובערב בישל לכבודי ארוחה מלכותית עם ארבע מנות ובקבוק יין. לא חדל להרעיף עלי תפנוקים מבוי־שים. מאז הוא משתפר אט־אט ומשׂיג לפעמים צליל נקי.

האם נרגעת, אַלק? חיוך הערפד נבעה כמו חריץ בין שׂפתיך? שיני הטרף מלבינות לאור האש המהבהבת? הזדון האפור מרצד מאחורי המבט הקר? חכה. לא גמרנו. הן אתה לא הגעת ולעולם גם לא תגיע עד קרסולי מישל. הכבוד החרישי, אַלק, להט התו־דה הנכלמת אשר רוחו מחוָה אל גופי לפני האהבה ואחריה, הזו־הר החולמני הנפרשׂ בלילות על פניו: כמו כַּנַר־מסעדות עניו שהרשו לו לגעת בסטרָדיבַריוּס. בכל לילה, כמו היתה זו פעם ראשונה בחייו, אצבעותיו עוברות על גופי כמופתעות מן ההצל־פה שאינהּ ניחתת עליהן. ולאור מנורת־הלילה בקומו להגיש לי כותונת, עיניו קצרות־הרואי אומרות לי בדומיה נלהבת כי גדו־לים ונשגבים ממנו חסדי המלכות שלי, שהרעפתי עליו על־לא־זכוּת. אור רהוי, רוחני, כתפילה, מאיר את מצחו מבפנים.

אבל מה יוכל להבין דרקון קשׂקשׂים שכמוך, דרקון משוריין בקרום עצם, בחסד אחוָה ורוך? מאום לא היה לך אף פעם ומאום לא יהיה, מלבד מרתפי עינוייך. שבשׂרי יוצא אליהם. הגיהנום הטרוֹפי שלך. הג'ונגלים הטחובים המפעפעים תסיסות רקבון חמות. והם מדמדמים באוֹר העלוָה העמום ובהם הגשם השמנוּני עולה מן האדמה השוקקת לשַד דשן פרוץ, נתקל בצמרות העבו־תות וחוזר וניגר, פושר, מן הצמרות אל הבוץ ואל השָרשים הנמַקים. הרי לא אני היא שקמתי וברחתי. אתה שברת את

הכלים. אני הייתי מוכנה ועדיין אני מוכנה להמשיך. למה גירשת אותי? למה הבאת אותי אל לב המאפליה והשארת אותי ונמלטת? ועדיין אתה מתחבא מפנַי בחדר השחור־לבן שלך. אתה לא תשוב. הפחד משתק אותך. זָכָר מרוט, מותָש, מסתתר ורועד בחוֹרו. האומנם הדרקון כה מָהוּהַ? דרקון מדולדל ונרפה? ערפד ממולא סמרטוטים? כתוֹב לי היכן אתה. כתוב לי מה מעשיך. ואיך בריאותך באמת.

הערבה הבוכיה

☆

לכב׳ עו״ד מ. זקהיים, משרד זקהיים את די־מודינא,
המלך ג׳ורג׳ 36 ירושלים. אישי – למכותב בלבד.

תל־אביב 18.6.1976

מר זקהיים הנכבד,

עפ״י בקשתך הטלפונית מתחילת השבוע טסתי לכמה שעות לשרם א־שיח׳ ובדקתי את הסיפור. כמו־כן הצליח העוזר שלי, אלברט מימון, לעלות על עקבות הבחור ולגלות את מקום הימָצאו עד לפני יומים. להלן הדו״ח:

בלילה שבין ה־10 וה־11 ביוני נגנבה מהמעגן האזרחי באוֹפירה סירת התיור אשר ב.ב. עבד עליה באחרונה. אותו לילה, בשתיִם לפנות־בוקר, נתגלתה הסירה כשהיא נטושה לא הרחק מראס־מוחמד, לאחר שמבריחים בֶּדוִים השתמשו בהּ ככל הנראה להעברת סמים (חשיש) מהחוף המצרי. הפטרוֹל שגילה את הסירה עלה על עקבות המבריחים. בחמש בבוקר (אור ליום 11 ביוני) נעצר צעיר בֶּדוִי בשם חאמד מוּטאני, שהתגורר בתחנת דלק יחד עם ב.ב. ועם עוד שלוש צעירות מחו״ל. הבֶּדוִי גילה התנגדות למעצרו (הוא מכחיש זאת) ויש לי יסוד להאמין שאכן הוּכּה בו־במקום בידי השוטרים והחיילים (הם מכחישים זאת). ב.ב. התערב באירוע, ובעזרת צמיג מחובר לחבל השתולל ופגע בתשעה חיילים ובחמישה מאנשי משטרת אופירה, לפני שהצליחו לבסוף להשתלט עליו. הוא נעצר בעוון הפרעה לביצוע מעצר חוקי. גִרסתו של ב.ב., כפי שנרשמה מפיו במשטרה היא, שהיו אלה מבַצעי המעצר שהפעילו אלימות על חברו

הבֶּדוִי, אשר פעל יחד עם ב.ב. מתוך "הגנה עצמית". הבֶּדוִי הנ"ל שוחרר כעבור כמה שעות, לאחר שחוקריו שוכנעו כי לא היה לו שום קשר לגניבת הסירה או להברחה.

כעבור פחות מיממה, בלילה שבין ה־11 ל־12 ביוני, עלה בידי ב.ב. להפיל את קיר המבנה הטרומִי של תחנת המשטרה ולהימָלט. הקצין האחראי במקום סבור שהצעיר עדיין משוטט במדבר ואולי מצא מקלט אצל הבֶּדוים. בכיוון זה המשיכה משטרת אור־פירה לחפשׂ אחריו. כאמור, החוקר אלברט מימון ממשרדנו (שכבר הגיש לכם בשעתו דו"ח קצר על ב.ב.) פנה בכיוון אחר לגמרי (מ.א.ס.) ואמנם השׂיג במהירות תוצאות טובות: הנער ב.ב. שהה עד לפני יומים בדירה שכורה בקרית־ארבע, שמתגוררת בהּ קבוצה של חמישה רוָקים דתיים ממוצא רוסי ואמריקני. צעירים אלה קשורים לארגון ימני קטן המכנה עצמו בַשם "אחדות ישראל". כידוע לך, מ.א.ס. קשור אף הוא עם גורם זה.

בהתאם לחובתנו על־פי החוק, העברנו את הממצא לידיעת משטרת ישראל. אבל הנער שוב נעלם בינתים. עד כאן המידע שבידינו. (מצורף: חשבון). נא הודיעני בהקדם אם רצונך שנמשיך בעבודתנו בנידון.

(–) שלמה זאנד,
זאנד חקירות פרטיות בע"מ, תל־אביב

☆

[מברק] א. גדעון הילטון אמסטרדם. האם עודך מעוניין שאמכור הנכס בזכרון. יש לי קונה בתנאים מצוינים. ממליץ להזדרז. מחכה להנחיות. מאנפרד.

☆

[מברק] אישי זקהיים ירושלים ישראל. שלילי. אלכס.

☆

[מברק] גדעון גרַנדהוטל סטוֹקהוֹלם. ניסיתי להשׂיגך בטלפון. מדובר בהצעה חד פעמית. טלפן מיד לשמוע פרטים.

לא מזמן לחצת שאמכור. מה עובר עליך. מאנפרד.

☆

[מברק] אישי זקהיים ירושלים ישראל. אמרתי שלילי. אלכס.

☆

[מברק] גדעון ניקפור לונדון. בועז שוב בצרות. המשטרה מחפשת אותו. ייתָּכן שאתה תצטרך בדחיפות מזומ־נים. הקונה מוכן לתת מיד תשע מאות במטח וילהלם טל לחשבונך בהר הקסמים. תחשוב טוב. מאנפרד.

☆

[מברק] אישי זקהיים ירושלים ישראל. תן לבועז כתובתי שיפנה ישר אלי ותפסיק לנדנד. אלכס.

☆

[מברק] גדעון ניקפור לונדון. השד יודע איפה בועז. מה עם הנכס בזכרון. תפסיק לשנות דעתך פעמַים ביום פן תגמור כמו אביך. מאנפרד.

☆

[מברק] אישי זקהיים ירושלים ישראל. תן מנוחה. אלכס.

☆

[מברק] סומו תרנז 7 ירושלים ישראל. הודיעוני מיד מה עם בועז. האם נחוצה עזרתי. שלחו מברק לכתובת ניק־פור לונדון. אלכסנדר גדעון.

☆

[מברק] דוקטור גדעון אצל ניקפור בלונדון. כעת הכּול כבר בסדר. אנחנו סגרנו לו גם את התיק החדש במשטרה אחרי שהתחייב ללמוד ולעבוד בקריית־ארבע. אל תעשׂה טובות. מה עם התרומה שלך. מיכאל סומו.

☆

לאילנה, פרטי.
למסירה בידי עו״ד זקהיים.

שיקאגו 28.6.76

ערבה בוכיה,

הבוקר חזרתי לכאן בתום הסמֶסטר שלי בלונדון ואחרי כמה הרצאות בהולנד ובשבדיה. ממש לפני שעזבתי את לונדון הגיע־ני מכתבך הארוך, שזקהיים היקר העביר לי. מכתב הליחות והג׳ונגלים. קראתיו במטוס בערך מעל ניו־פאוּנדלֶנד. למה גירשתי אותך, זו שאלתך הפעם. תיכף נטפל בזה.

ובינתים אני שומע שבועז הולם שנית. וסומו שוב מושיע או־תו. די נחמד בעיני הסידור הקבוע הזה. החשש היחיד שלי הוא מפני החשבון שלָבטח יוגש לי בקרוב, בתוספת ריבית והצמדה.

האם בועז מתחיל לגדל שם פיאות? הולך לחיות בין האדוקים בגדה? סומו הכריח אותו לבחור בין התנחלות ובין מוסד לפוש־עים צעירים? מילא. אני סומך על בועז שבקרוב המתנחלים יקל־לו גם את סומו וגם את הרגע שהסכימו לקבל את פותח־הגולג־לות שלנו.

תשובתי לשאלתך היא: לא. אני לא אבוא אליך מלבד אולי בחלומות. לוּ התחננת לפנַי שאישָאר רחוק ממך, שאחוס עליך ולא אקרב אל חייך החדשים הטהורים עם כנר המסעדות העניו שמנגן לך בסטרדיבריוס שלך, ייתָכן שהייתי דווקא מגיע ברי־צה קלה. אבל אַת מפצירה בי, אילנה. הריח הסמיך של תשוק־תך, ריח תאנים שנקטפו לפני זמן רב מדי, מגיע אלי עד כאן. אף כי לא אכחיש שאני מתפעל ממאמציך לסטות מהרגלך הקבוע ולחבר מכתב בלי שקרים. יפה שאַת עובדת על עצמֵך. נוכל להמשיך בינתים.

אני חייב לך תשובה על שאלתך הפשוטה והערמומית: למה גירשתי אותך לפני שבע וחצי שנים.

טוב מאוד אילנה. שתי נקודות בעד עצם הצגת השאלה. הייתי נותן את זה בעתונים, ואפילו בטלביזיה: ״רחב רוכבת שנית – שכבה עם שלוש אוגדות ומשתוממת למה גירשוה. טוענת: בסך־הכּול רציתי לגמור בשלום״.

אני מתחמק. אשתדל למצוא לך תשובה. הצרה היא ששְׂנאתי מתחילה לנשור ממני. שְׂנאתי מקלישה ומאפירה ממש כמו שערי. וחוץ משִׂנאתי, מה נותר לי? רק הכסף. שגם הוא הולך ונשאב מעורקי אל תוך המכָלית של סומו. אַל תפריעי למוֹת אילנה. שבע שנים דעכתי במנוחה בתוך הערפל, ופתאום נפלת עלי להרוס לי גם את מותי. הסתערת בלי התראה בכוחות רענ־נים בעוד הטַנקים היגעים שלי דוממים בלי דלק ותחמושת. ואו־לי מתחילים להחליד.

ותוך כדי הסתערוּת אַת מעיזה לכתוב לי כי יש בעולם חסד ורוך ורחמים. הרוצחת פוצחת במזמורי תהילים לעילוי נשמת קרבּנהּ?

אולי במקרה שׂמת לב לַמוֹטוֹ שבחרתי להביא בשער ספרי. הפסוק מן הברית החדשה. לקחתי אותו ישר מישו הנוצרי, שאמר בהזדמנות אחת כנוח עליו הרוח: ״כל תופסי חרב בחרב יפולו״. מה שכלל לא הפריע לו, לפַאנַאט הענוֹג הזה, להרים את קולו בפרק אחר ולשאוג: ״אַל תחשבו כי באתי להטיל שלום בארץ, לא באתי להטיל שלום כי אם חרב״. והחרב אכלה גם אותו.

מה תעשי בחרבך אחרי שיפול הדרקון? תנַדבי אותהּ לגוש־אמונים, הנדן למזכרת־גדעון והלהב לתל־אלכסנדר שתיבָּנינה שתיהן מתרומותי?

והלא החרב שעקרת מאגרופי תתמוסס תִּידלדל ותבוֹל בין אצבעותיך. הכידון יהיה למְדוּזה. ובעתוּדה האסטרַטגית, רענן, שׂשׂ לקרב, מתודלק בשִׂנאת־מוות וחמוש מלוא בטנו בָּרוע האַרקטי שלי, ממתין לך בועז גדעון. תנועת המלקחַים שלך, מזימתך לשדך את בועז לסומו כדי לכתר אותי, תסתיים בשבילך בכי רע. בועז יטרוף את סומו ואַת תישָּׁארי בלי מנוס, פנים־אל־פנים מול ילד־ההרס שלי, המכה אלף איש בלחי חמור.

אני שואל את עצמי מדוע לא נהגתי לפי עצתך הטובה, מדוע לא מיהרתי להשליך את מכתבך הראשון, כמו עקרב חי, ישר אל תוך האש, אחרי שקראתי את משפט הפתיחה? כעת לא נותרה לי אפילו הזכות להתרעם עליך: הן אַת, בגודל־נפשך, טרחת להצ־ביע מראש על הדרך להימָנע מן המלכודת שטמנת לי. אף לרגע

לא חששת פן אתחמק מן הרשת. הכרת את החרק שדעתו נטרפת עליו לריח היחום הנקבי. מראש לא היה לי סיכוי. כוחותיך עו־לים על שלי ביחס של שמש מול שלג. ודאי שמעת פעם על־או־דות הצמחים הטורפים? אלה הצמחים הנקביים היודעים להפיץ למרחוק ניחוח של עסיס משגלים, והחרק השוטה מקילומטרים רבים ייסָחף אל תוך הלוע העתיד להתהדק סביבו. סיימנו, איל־נה. שח מט. כמו אחרי תאונת מטוס, ישבנו ופיענחנו בהתכת־בות את תוכן הקופסה השחורה. ומכאן ואילך, ככתוב בפסק־דיננו, אין לנו זה על זו ולא־כלום.

אבל מה יתן לך נצחונך?

לפני אלפי שנים התבונן איש אחד מאֶפֶסוּס שביוָן באש הבוע־רת לפניו, התבונן והפטיר: "נצחונה יהיה כליונה". מה תעשי בחרב אחרי שמחקת אותי? מה תעשי בעצמך? אַת תִכבי חיש־מהר, מרת סומו. תזדקני. תשמיני מאוד. שׂערך הזהוב יתרפט. תצטרכי לצבוע אותו לבלונד מחומצן נתעב. אם רק לא תחבשי שביס. תיאָלצי להטביע בדיאוֹדוֹרנטים את צחנות גופך הנובל. שדיך יתמלאו שומן והחזה המסחרר שלך, כרגיל אצל מטרוֹנוֹת פולניות, יתגדל עד סנטרך. הסנטר מצדו יתמשך ויעשה כמעט חצי דרך לקראת הפגישה עם החזה. הפטמות תתנפחנה ותחוַרנה כמו גוִיות של טבועים. שתי רגליך תצבינה. רשת ורידים ודליות תתפשט מירך עד קרסול. בגניחת־התפקעות ייָרכסו המחוכים שבהם תיאָלצי לרסן את מפלי בשׂרך. אחוריך יתחילו להתבהם. ערוָתך תתרפה ותבאיש. אפילו חייל בתול, אפילו נער מפגר, ינוס מפני פיתוייך כנמלט מחמת־זעמה של נקבת היפופוטם מיוחמת. העסקן הצייתן שלך, מֶסיֶה פַּרדון הקטן, ייגָ־רר אחריך המוּם כמו כלבלב אחרי הפרה, עד שייתָּקל באיזו תלמידונת זריזה שבאפס־יד תמשוך ותחלץ אותו, מתנשף ואסיר־תודה, מתחת להר הרובץ עליו. כך תסתיים סופית פרשת המימוּנה שלך. הולך וקרב אליך מאהב שאין מלמּוּיו לא שׂחוק ולא קלוּת־ראש. אולי יתעטף לכבודך בגלימתו השחורה ויעטה את הברדס שביקשת.

הפסקתי לכתוב אליך והלכתי לעמוד בחלון הגבוה שלי (בקומה העשרים ושבע של בנין משרדים ליד האגם בשיקאגו,

עשוי זכוכית ופלדה ודומה קצת לטיל בַּליסטי). כחצי שעה עמדתי בחלון וחיפשתי לשאלתך תשובה אמיתית ומורעלת: מת בשלושה מהלכים.

נסי נא לצייר לך אותי, רזה מכפי שזכור לך ועם הרבה פחות שׂערות, במכנסי־קורדורוי כחולים ובסוֶדר־אַנגוֹרה אדום. אף כי עקרונית, כדבריך, בכל־זאת בשחור־לבן. עומד בחלון ומצחו דבוק לזגוגית. העינים שאַת מוצאת בהן "רֶשע אַרְקטי" סוקרות את העולם החיצון ההולך ומדמדם. וידיו בכיסיו. קמוצות. מדי רגעים אחדים הוא מושך משום־מה בכתפיו ומשמיע המהום מהסוג הבריטי. מעֵין קור עובר בעצמותיו. הוא מתחלחל ומוציא את ידיו מכיסיו וחובק במצולב את כתפיו. זהו חיבוקם של אלה שאין להם איש. ועם זאת היסוד החייתי, הקפיצי, עדיין משַווה לעמידתו הדוממת ליד החלון איזה קו של מתח פנימי: כמו דרוּך כולו לפנות כברק לאחור ולהקדים את מתקיפיו.

אבל אין שום סיבה לדריכות. העולם אדמדם ומוזר. רוח חזקה מאוד נושבת מכיוון האגם ומטיחה גושי ערפל בצלליות הבנינים הגבוהים. אור השקיעה נוסך על העננים, על המים, על המגדלים הסמוכים, איזו איכות אלכימית. גוון שקוף־סגול. עכור, ובכל־זאת שקוף. אף סימן אחד של חיים לא נשקף אליו מחלונו. מלבד מיליוני מטחי הקצף המרצדים על־פני כל האגם, כאילו התמרדו המים וביקשו להפוך את עצמם לאיזה יסוד אחר: צִפְחה, למשל. או שחם. כפעם בפעם מתגעשת הרוח והזגוגיות מנקשות כמו שינים. המוות נראה לו עכשיו לא כאִיוּם מרחף כי אם כמאורע הנמצא כבר מזמן בעיצומו. והנה גם צפור מוזרה שנסחפה כלפי חלונו בעוִית כנפים והחלה להתווֹת באויר כל מיני עיגולים ולולאות כמנסה לשׂרטט בחלל איזו כתובת: אולי את נוסח התשובה שהוא מחפש בשבילך? עד שלפתע התקרבה במהירות אל הזגוגית וכמעט התנפצה מול פניו עד שהבין סוף־סוף כי כלל לא היתה זו צפור אלא רק פיסת עתון שבויה בצפָּרני הרוח. למה נפרדנו, אילנה? מה זה היה לי שקמתי וכיביתי פתאום את תנורי הגיהנום שלנו? למה בגדתי בָנו? ערב ריק ואַלים הולך ויורד על שיקאגו. ברקים של ברזל מלוּבּן תוזזים מאוֹפק עד אופק לרוחב השמים כמו פצצות תאורה, והנה גם שיירות רעמים מתחילות

להתגלגל מרחוק, כאילו קרבות השריון שלו רודפים אותו מסיני עד כאן. האם הזדמן לך אי־פעם לשאול את עצמך איך מתאבלת מפלצת? הכתפים מנתרות בקצב מהיר, כפייתי, והראש משתר־בב בחָזקה לפָנים וכלפי מַטה. כמו כשכלב משתעל. בבטן חול־פות התכווצויות ושקיעות תכופות והנשימה נהפכת לחרחור צרוד. מין צירי לידה גבריים. המפלצת נשנקת מזעם על עצם היותהּ מפלצת ומתפתלת בעוִית מפלצתית. אין לי תשובה, איל־נה. שׂנאתי הולכת למות וחָכמתי גוֹועת אִתהּ.

חזרתי אל שולחני כדי להמשיך לכתוב אליך, והנה הפסקת חשמל. תארי לעצמך: אמריקה – והפסקות חשמל! כעבור דקה שחורה נדלקה לי תאורת החירום: ניאוֹן חיוֵר, שִׂלדי, דומה לאור ירח על־פני גבעות גיר במדבר. הרגעים החשמליים ביותר בחיי עברו עלי במדבר, דוהר ורומס בשרשרותי את כל העומד בדר־כי, מפצח באש תותחי כל מה שמסגיר אות חיים, מעלה תימרות אש ועשן, מגביהַּ ענני אבק, מרעיש את העולם בשאגת שלושים מנועים, שואף כמו סם משכּר את ריח הגומי החרוך ואת צחנת הבשׂר המפוחם והמתכת הבוערת, מוֹתיר אחרי שובל של חורבן וזבילים ריקים, ובלילה רכון על מפה וחורש תחבולות לאור הירח המת המפזר את כספו על גבעות הגיר המתות. ודאי שיכולתי לענות לך בצרור של אש מקלעים: יכולתי לומר, למשל, שזרקתי אותך מפני שהתחלת להירָקב. מפני שהביצו־עים שלך, ואפילו עם קוֹפים ותיישים, החלו לחזור על עצמם. שנמאסת. שאיבדתי עניָן.

אבל נדברנו לוַתר על שקרים. הלא כל השנים האלה רק אִתך יכולתי לשכב. ובעצם כל חיי, כי באתי אליך בתוּל. כשאני לוקח למיטתי איזו מעריצה קטנה, תלמידה, מזכירה, מראיינת, אַת מופיעה ונדחקת ביני לבינהּ. אם אי־פעם אירע ששכחת להופיע היתה חֲבֶרתי־למשכב נאלצת לעזור לעצמהּ. או להסתפק בערב עיוני. אם אני הוא השֵד, אילנה, אַת הבקבוק שלי. לא הצלחתי להיחָלץ.

וגם אַת לא הצלחת, לֵידי סומו. אם אַת שֵד – אני הבקבוק.

מצאתי כתוב אצל בֶּרנאנוֹס כי אי־אָשרו של האדם הוא בעצם מקור ברכה. על הנוֹפֶת הקתוֹלית הזאת עניתי אני בספרי, כי

האושר כולו, מיסודו, הוא המצאה נוצרית בָּנָלית. האושר, כתב־תי, הוא קיטְש. אין שום קִרבה בינו ובין האודאַימוניה של היוָנים. ואילו ביהדות לא קיים כלל מושג האושר ובעצם אין לו אפילו מלה מקבילה בתנ״ך. להוציא, אולי, את הסיפוק שבקבלת אישור, היזון חוזר חיובי מן השמים או מהזולת: ״אשרי תמימי־דרך״, למשל. היהדות מכירה רק בַשׂמחה. כמו בפסוק ״שׂמח בחור בילדותך״: שׂמחה בת־חלוף, כמו האש של הֶרַקליטוס האפל שנצחונהּ הוא כליונהּ, שִׂמחה אשר היפוכהּ מקופל בהּ ובעצם גם מַתנֶה אותהּ.

מה נותר מכל שׂמחתנו, שלך ושלי, אילנה? אולי רק השׂמחה־לאיד. האודים שככלות האש. ובאודים האלה אנחנו עומדים ונוֹפחים ממרחק חצי כדור־הארץ בתקוָה לשלהב לרגע לשון־אש כחלחלה של זדון. בזבוז ואיוֶלת, אילנה. אני מוַתּר. ומוכן לחתום עכשיו על מסמך הכניעה.

ומה תעשׂי בי? כמובן. אין דרך אחרת. הטבע עצמו קובע כי הזכָר המובָס ישרת. יסורס וישׂא כלים. יתכווץ עד לקוֹטן של סו־מו. וכך יהיו לך שנַיִם: האחד יסגוד וימתיק לך את לילותיך בדרכו הדתית הנלהבת, והשני יממן מכיסו את הילולת־בר־יוחאי הזאת. מה לרשום על הצ׳ק הבא?

אקנה לכם מה שתבקשו. רמאללה? בַאב־אללה? בגדאד? שׂנאתי הולכת למות ובמקומהּ משתלטת עלי נדיבותו הוולקנית של אבי, שבסוף ימיו התכוון להוריש את הונו לבניית מעונות למשוררים חולי־שחפת בראש התבור והגלבוע. אני אשתמש בכספי לחימוש שני הצדדים בקרב החייב לפרוץ יום אחד בין בועז לסומו.

ועכשיו ארשום לך סיפור. סקיצה לרומן־משרתות. פתיחה לטרגדיה דֶל־אַרטֶה. השנה היא חמישים ותשע. רב־סרן צעיר בצבא הקבע מביא את בחירת־לבו לפגישת היכרוּת עם אביו הכּוֹל־יכול. לנערה פנים סלביים, מיניים בדרך חולמנית, אך לאו דווקא יפהפיים במובן המקובל. יש דבר־מה צוֹדֶה לבבות באר־שׁת ההפתעה הילדותית שלהּ. בהיותהּ בת ארבע הביאוה הוריה מלוֹדז׳. שניהם כבר מתו עליה. מלבד אחותהּ שבקיבוץ לא נותר להּ אף קרוב בעולם. מאז שחרורהּ מהצבא היא מתפרנסת

כמסגננת בשבועון נפוץ. מקווה לפרסם שירים.

והבוקר היא מודאגת בעליל: מה ששמעה על האב אינו מבשׂר לה טובות. דמותה והרקע שלה ודאי לא יהיו לטעמו, ואילו היא על סופות־הזעם שלו כבר שמעה סיפורים מבהילים. הפגישה עם האב מצטיירת לה אפוא כמין ראיון גורלי. לאחר היסוסים היא בוחרת ללבוש לראיון כותונת לבנה חלקה וחצאית אביב פרחו־נית, אולי כדי להגביר את אֶפֶקט הילדה המופתעת. אפילו ההו־זָאר שלה, ההדור במדיו המעומלנים, נראה מתוח מעט.

ובפתח חצר האחוזה שבין בנימינה לזכרון, פוסע הלוך ושוב על משעול החצץ שלו וסיגר עבה תפוס כאקדח באצבעותיו, ממתין להם וולודיה גוּדוֹנסקי סוחר הקרקעות ויבואן הברזל הגדול. הצאר ולדימיר האיום. שעליו מספרים בין השאר כי עוד בהיותו חלוץ שומר־מחצבות, בשנת עשרים ותשע, הרג לבדו שלושה שודדים ערבים בפטיש חוצבים עבה. ועליו מספרים שהיה מאהב לשתי נסיכות מצריות. ועליו מספרים כי אחרי שנכנס לעסקי יבוא והתעשר ממסחרו עם הצבא הבריטי, אירע שהנציב העליון כינה אותו פעם בחיבה באיזו קבלת־פנים "קֶלֶ־בֶר ג'וּ", והצאר בו־במקום הרעים בקולו על הנציב והזמין אותו לקרב־אגרופים באמצע הנשף, וכשסירב הנציב להזמנה כינה אותו "בריטיש צִ'יקן".

ההוּזאר ובחירת־לבּו מתכבדים בבואם במיץ רמונים עם קרח ומובָלים לסיור ארוך ברחבי הנחלה, שפועלים צ'רקסים מן הגליל מעבדים את מטעיה. ויש בריכת גן עם מזרקה ודגי־זהב, ויש חלקת ורדים ובהּ אוסף של זנים נדירים שהובאו מיפן ומבּוּרמה. זאב־בנימין גוּדוֹנסקי מדבר לבדו בלי הרף, מרצה בלהט ציורי, מחזר כמו עולה על גדותיו בהפרזה עליצה, מבוד־חת, אחרי ידידת בנו: קוטף ומגיש לה כל פרח שעיניה נחות עליו. מחבק ברחבות את כתפיה. ממשש כמהתל את עצמוֹת שכמהּ הדקות. מעניק להּ דרגת־כבוד של סייחה גזעית משובחת. קולו הרוסי העמוק מתמוגג מיפי קרסוליה. ולפתע הוא תובע בשאגה לראות בו־ברגע את ברכיה.

ואילו מיורש־העצר נשללת לחלוטין ובתוקף רשות הדיבור למשך כל שעות הביקור. לא ניתַן לו להוציא אף ציוץ. מה נותר

לו אפוא, אם לא לחייך כאידיוט ולהדליק כפעם בפעם את הסיגר שכבה בפי אביו. אפילו עכשיו, בשיקאגו, כאשר הוא כותב בשבילך את זכרונות היום ההוא, כעבור שבע־עשרה שנה, נד־מה לו פתאום שחיוך־האידיוט ההוא חוזר ונמרח על פניו. ורוח־רפאים עתיקה עולה ונופחת ברמץ שׂנאתו אליך, מפני שאַת כה הפלאת להשתתף עם הרודן במשׂחקו. אפילו נעתרת, בפרץ של צחוק גימנזיסטי, לחשׂוף בפניו את ברכיך. סומק מקסים זרח בשעת מעשׂה על פניך. ואני בודאי החוַרתי כמו מת.

אחר־כך מזמינים את הזוג הצעיר לסעודה בחדר־האוכל המש־קיף בחלון צרפתי אל הים התיכון ממרומי המצוק של זכרון. משרתים ערבים־נוצרים לבושים בפראקים שחורים מגישים דג מלוח עם וודקה, ונזיד, ובשרים, ודגים, ופירות, וגבינות, וגלי־דות. ושיירה של כוסות תה מהבילות ישר מתוך הסָמוֹבר. כל התנצלות או סירוב מעוררים נהמת זעם טיטָנית.

עם ערב, בחדר־הספריה, עדין מקפיד הצאר להחניק בתחיל־תו כל משפט שהנסיך הנזוף מנסה להוציא מפיו: האב עסוק עד למעלה מאָזניו בַּקְרַאסַאביצה, ואין להפריעו. היא מוזמנת לנגן בפסנתר. מתבקשת לדקלם שירה. נבחנת בספרות, בפוליטיקה ובתולדות האמנות. תקליט וַאלס מונח על הגרמוֹפון ועליה לרקוד עם הענק השתוי קצת, הדורך על רגליה. לכל אלה היא נענית בקלילות, כמהתלת, כמשתדלת לשַׂמח לב ילד. אחר־כך מתחיל הזקן לספר בדיחות זימה מן הסוג החריף ביותר. פניה מאדימים, אך אין היא חושׂכת ממנו את צחוקה המתגלגל. באחת לפנות־בוקר משתתק הדיקטטוֹר סוף־סוף, תופס בין שתי אצב־עות חומות את קצה שׂפמו הסמיך, עוצם את עיניו ונרדם עמוקות בכורסה.

הזוג מחליף מבטים ומסכים ברמיזה להניח לו פתק פרידה ולנסוע: הן מראש לא התכַּוונו ללון כאן. אבל בצאתם, על בהו־נות, מזנק הצאר ממקומו ונושק ליפהפיה על שתי לחייה, ומיד, ארוכות, גם על פיה. מנחית מכת־כף מהממת על עורף בנו יחידו. בשתים וחצי בלילה הוא מרים טלפון לירושלים, מעיר את זקהיים ההמום מחלום מזימות מתוק, וממטיר עליו כמו ברד אבנים משמַיִם הוראות לרכוש כבר למחרת בבוקר דירה לזוג

הצעיר בירושלים ולהזמין לטקס החתונה, שייֵעָרך ״תשעים יום מאתמול״, את ״העולם ואשתו״.

ואנחנו הן נסענו אליו רק לפגישת היכרות. על חתונה לא דיברנו בינינו. או אַת דיברת ואני היססתי.

לחתונתנו, שאמנם נערכה כעבור שלושה חֳדשים, הוא דווקא שכח לבוא: מצא לו בינתים איזו פילגש חדשה ונסע לבלות עמהּ ירח־דבש בפיורדים הנורבֶגיים. כמנהגו עם פילגשיו החדשות, לפחות פעמַיִם בשנה.

בוקר אחד בהיר, זמן קצר אחרי נישׂואינו, כשאני הייתי תקוע בתרגיל חטיבתי בנגב, הוא הופיע אצלך בירושלים ופתח וביאר לך בעדינות, בכמו מורך־לב, כי בנו – למרבה הצער – אינו אלא ״נפש ביורוקרטית״ ואילו אתם שניכם ״בבחינת נשרים בשבי״. שעל־כן על ברכיו הוא מפציר בך כי תיאותי לבלות עמו ״רק ליל־פלאות אחד״. ומיד נשבע בכל היקר והקדוש לו שלא יגע בך אף באצבע קטנה – הלא אין הוא נבל בן־בליעל – אלא רק יקשיב לנגינתך ולקריאת שיריך ויטייל עמך בהרים סביב העיר ויסיים בחזיונות ״הזריחה המֶטפיסית״ מראש המגדל של ימק״א. כיוָן שסירבת לו, החל לכנות אותך ״התגרנית הפולניה הקטנה שהשתלטה בעָרמה על בני״, וסילק שכינתו ממך. (באותם הלילות כבר התחלנו אַת ואני לשלהב את עצמנו במשׂחקי השלישי במיטה. אף כי טרם יצאנו אז משלב ההזיות. האומנם היה הצאר השלישי הראשון בדמיונותיך? השקר הרא־שון ששיקרת לי?)

כאשר נולד בועז, שהה וולודיה גודונסקי משום־מה בצפון פורטוגל. אך טרח לשלוח משם המחאה לאיזו פירמה איטלקית מפוקפקת, ששיגרה אלינו תעודה רשמית להעיד כי אי־שם בהימאלאיה יש פסגת הר נידחת אשר מהיום והלאה שְׁמהּ על כל המפות יירָשם כ״פסגת בועז גדעון״. תבדקי אם הנייר הזה עוד קיים. אולי המשיח שלך יבנה שׁם התנחלות. ובשנת ששים ושלוש, בועז הוא בן שנתים־שלוש, מחליט וולודיה גודונסקי להינָזר מן העולם הזה. את צבא פילגשיו הוא מפזר לכל הרוחות, בזקהיים הוא מתעלל כמו סקיתי, ואותנו ממאן בכל תוקף לקבל אף לראיון קצר – אנחנו רקובים בעיניו. (האומנם הבחין בדבר־

מה ממרומי כס־מלכותו? האומנם התעורר בו חשד?) הוא מסתגר בין גדרות אחוזתו, שוכר שני שומרים חמושים, ומקדיש ימים ולילות ללימוד הלשון הפרסית. ואחר־כך – לספרי אַסטרולוגיה ולשיטתו של הדוקטור פֶלדנקרַייז. רופאים שזקהיים שולח הוא מגרש ככלבים. יום אחד הוא קם ומפטר במחי־יד את כל פועליו. ומאז הבוסתן הולך ונהפך ליער־עד. יום אחד הוא קם ומשלח גם את המשרתים והשומרים ומשאיר לו רק זקן ארמני אחד לשחק עמו בביליארד במרתף הבנין הגווע. אבא והארמני לנים על מיטות מתקפלות במטבח ואוכלים שימורים ובירה. הדלת שבין המטבח ובין יתר חלקי הבית מוצמדת בקורה אלכסונית ובמסמ־רים. עצי הגן מתחילים להצמיח את ענפיהם אל תוך החדרים העליונים, מבעד לחלונות השבורים. בחדרי קומת־הקרקע עו־לים עשבים ושיחים. חולדות, נחשים, עופות־לילה מקננים במסדרונות. השרכים מטפסים ועולים בשני גרמי־המדרגות, מגיעים לקומה השניה, מסתעפים מחדר לחדר, מפלחים את התקרה, מרימים רעפים אחדים וחוזרים ויוצאים אל השמש. שָרשים שוקקים פורצים מבין המַרצפות המעוטרות. עשרות או מאות יונים מפקיעות לעצמן את הבית. אבל וולודיה גודונסקי משוחח בפרסית שוטפת עם הארמני שלו. ואכן גם מצא את נקודת התורפה בשיטת פלדנקרייז ושרף את הספר באש.

יום אחד אנחנו מחרפים את נפשנו, מפרים את הקללה התנ״כית שלו ונוסעים שלָשתֵנו לבקרו. למרבה התמהון הוא מקבל את פנינו בשמחה ואפילו ברוֹך. דמעות גדולות זולגות לו אל מעבה זקנו החדש, זקן־טולסטוי שכיסה בינתים את פרצוף־הברֶז׳נֶיב שלו. הוא פונה אלי ברוסית בכינוי שפירושו ״אסופי״. גם לבועז הוא קורא ״אסופי״. אחת לעשר דקות הוא חוזר וגורר את בועז אל המרתף, ובכל גיחה כזאת הוא תוחב לידו מתנה מטבע־זהב מתקופת השלטון התורכי. אותך הוא מכנה ״ניוּסיָה״, ״ניוּסיה מָיָה״, כשם אמי שמתה בהיותי בן חמש. מקונן על דלקת־הריאות שלך ומאשים את הרופאים ואת עצמו. לבסוף הוא מרעים עליך בשארית זעמו כי אַת התפגרת בזדון, בכוונה להתעלל בו, ועל־כן יוריש את ״אוצרותיו״ לבניית מעונות למען משוררים מזי־רעב.

ואמנם החל לפזר את הונו לכל רוח: המוני נוכלים עטו עליו והתרימוהו לקרן יהוד הגליל או להכחלת הים האדום. כמו שקו־רה גם לי משום־מה בזמן האחרון. זקהיים פעל בסבלנות, בדרך דיסקרֶטית, להעברת הרכוש על שמי. אבל הזקן התנער והחל להיאָבק נגדנו. פעמים פיטר את זקהיים (ואני שׂכרתי אותו). העמיד סוללת עורכי־דין. הביא על חשבונו מאיטליה שלושה פרופסורים מפוקפקים שחתמו לו על תעודת־שפיות. במשך קרוב לשנתים הלך הרכוש וניגר. עד שעלה בידי זקהיים להו־ציא נגדו צו הסתכלות ואחר־כך גם צו אישפוּז. ואז שוב שינה את טעמו וכתב וחתם בשבילנו מסמך ירושה מדוקדק עם מכתב קצר, מֶלנכּולי, שבו הוא סולח לנוּ ומבקש את סליחתנו ומזהיר אותי מפניך ואותך מפנַי ומתחנן לפנינו שנחוס על הילד וחותם במלים "אני משתחוֶה באימה לפני עומק היסורים שלכם".

מאז שנת ששים ושש הוא נח בחדר פרטי בסנטוֹריוּם על הר הכרמל. בוהה בשתיקה אל הים. פעמִים הייתי אצלו, והוא לא הכּירני. האם נכון מה שמספר לי זקהיים, שאַת ממשיכה לבקר אצלו לפעמים? לשם מה?

בכספו בנינו את הוִילה בשכונת יפה־נוף. אף כי הטירה הנטושה שבין בנימינה לזכרון עדיין רשומה על שמי. זקהיים טוען שערכּהּ הגיע לשׂיאו ומפציר בי שאמהר למכור, לפני שתתהפך המוֹדָה. אולי אוריש הכּוֹל ליבּוּש בּצוֹת החולה? או להלבנת הים השחור? לישועת כלבים עזובים? ובעצם, למה לא לבועז? לסומו? לשניהם? אני אפצה את סומו שלך על הכּוֹל: על צבעו, על גָבהו, על עלבונו. אעניק לו נדוניה מאוחרת. אין לי מה לעשות ברכושי. או בַזמן שעדיין נותר לי.

ואולי לא אוריש עדיין. להיפך, אשוב לשם. אתיַשב במטבח המתפורר, אסלק את הקורה מן הדלת המחברת את המטבח ליתר חלקי הבית ואתחיל אט־אט לשפצוֹ. אתקן את המזרקה השבורה. אכניס לבריכה דגי־זהב. גם אני מתכנן התנחלות. ואולי נברח לשם שנינו? נחיה כזוג חלוצים בבנין המתפורר? אתעטף לכבודך בגלימה ואלבש ברדס שחור?

רק כתבי לי מה רצונך.

נשארתי חייב לך תשובה: למה גירשתי אותך? בין ניירותי,

על המכתבה, מונח פתק שעליו רשמתי כי המלה ריטואַל מסתע־
פת בלטינית מ־רִיטוּס, שפירושו בערך ״המצב הנכון״. ואולי:
״ההרגל הקבוע״. אשר למלה פאנאטיוּת, ייתכן שמקוֹרה ב־פּא־
נוּם. שפירושו מקדש או אתר תפילה. ומה היא הצניעות? הצני־
עות במובן ענוָה? הצניעות באה מ־הוּמילוּס, שבאה כנראה מ־
הוּמוּס, לאמור: אדמה. וכי יש ענוָה באדמה? או צניעות? לכאורה
יכול כל אחד לבוא ולעשות בה ככל העולה על לבּו. לנבור
להפוך ולזרוע. אבל לבסוף היא בולעת את כל בועליה. עומדת
בשתיקת־עולם.

לָךְ הרֶחם – לךְ היתרון. זאת התשובה לשאלתך. מראש לא
היה לי סיכוי ולכן ברחתי מפניך. עד שזרועך הארוכה השׂיגה
אותי במאורתי. נצחונך כמשׂחק ילדים. מעשרים אלף קילומטר
הצלחת לפגוע בוּל בטנק נטוש וריק.

עשר דקות לפני חצות. הסופה שככה קצת אבל עדיין אין חש־
מל. אולי אטלפן אל אנאבֶּל, מזכירתי, ואעיר אותהּ משנתהּ.
אצווה עליה להוציא סְקוֹטש ולהכין לי ארוחת־חצוֹת קלה. אודיע
להּ שאני בדרך. היא גרושה בת שלושים בערך, מרירה, מיניא־
טורית, ממושקפת, יעילה עד להשחית, לבושה תמיד בג׳ינס
ובסוֶדרים דוּביים מגושמים. מעשנת סיגריות בשרשרת. אזמין
מונית ובעוד חצי שעה אצלצל בפעמון דלתהּ. ברגע שתפתח לי
אדהים אותהּ בחיבוק ואדרוס בשפתי את שפתיה. לפני שתספיק
להתעשת אבקש את ידהּ ואדרוש תשובה מיָד. שְמִי המפורסם
פלוּס ההילה הגברית הקודרת פלוּס ניחוח שׂדות־הקרב הנודף
ממני פלוּס נכסַי מינוּס אהבה פלוּס הגידול שהורחק מן הכליה,
תמורת הסכמתהּ ההמומה לשׂאת את שם־משפחתי ולטפל בי אם
תוחמר המחלה. אקנה להּ בית מתוק באחד הפרוָרים הנחמדים,
בתנאי שיחד אתנו יתגורר בו גם ענק מופרע בן שש־עשרה,
שיורשה להזמין בחורות בלי התחייבות מצדו להשאיר אור פי־
קוח במקלחת ודלתות בקרה פתוחות. הכרטיס יישלח אליו לחב־
רון כבר מחר בבוקר. לכל השאר ידאג זקהיים.

לשוא, אילנה. שׂנאתי מתקלפת ממני כמו טיח ישן. באוֹר הני־
אוֹן שבחדר, עם אִבחת הברקים הנופלים אל מי האגם בחושך,
אין בכוחי להפשיר את הקור בעצמותי. ובעצם, זה פשוט לגמ־

רי: עם הפסקת החשמל חדל גם החימום לפעול. ובכן קמתי ולבשתי זַ'קט. אבל לא ניכר שום שיפור. שׂנאתי הולכת ונשמטת מבין אצבעותי כמו החרב מידי גוליָת לאחר שהוטבְּעה בו האבן. את החרב הזאת אַת תרימי ובהּ תקטלי אותי. אבל אין לך במה להתפאר: שחטת דרקון גוסס. אולי ייחָשב לך לחסד.

עכשיו היתה כאן צפירה מתוך החושך. כי חושך גמור בחוץ, מלבד קו לא־עבה של גוון סגול רדיוֹאַקטיבי באופק המים. צפירה מן החושך החיצון אשר שָם, כדברי ישו, "היללה וחרוק־השינַיִם". ההיתה זו ספינה? או רכבת שהגיעה מן הערבות? קשה לדעת, מפני שגם הרוח שורקת בתזזית תו יחיד, תו חריף וגבוהַּ. ועדיין הפסקת חשמל. עיני כואבות מן הכתיבה באוֹר חדר־המתים הזה. יש לי כאן במשרד מיטה וארון וחדר־רחצה קטן. אלא שהמיטה הצרה, בין שני ארונות תיקים ממתכת, מפי־לה עלי פחד פתאום. כאילו מוטל בהּ גוף מת. והן אלה הם רק הבגדים ששפכתי בחפּזון ממזוַדתי כשחזרתי הבוקר מלונדון.

שוב נשמעה הצפירה. והפעם – מקרוב. ובכן לא ספינה או רכבת אלא בהחלט סירֶנה של רכב חירום. אמבּולנס? ניידת משטרה? פשע היה באחד הרחובות הסמוכים. מישהו בכי רע. או שריפה פרצה, בית נדלק מתוכוֹ ושואף לקחת עמו את שכניו ואת כל הרוֹבע? אדם החליט כי די לו וקפץ מגג המגדל? תופס חרב נפל בחרב?

תאורת החירום נוסכת עלי חוָרון. זהו אור־רפאים כַּספיתי, כמו אורם של חדרי־ניתוח. פעם אהבתי אותך והיתה תמונה במוחי: אַת ואני בערב קיץ יושבים על מרפסת ביתנו מול הרי ירושלים והילד משׂחק בקוביות. גביעי גלידה על השולחן. ועתון ערב שאיננו קוראים בו. אַת רוקמת מפה ואני מתקין חסידה מאֶצטרוּבּל וקיסמים. כך היתה התמונה. לא יכולנו. ועכ־שיו מאוחר.

הערפד

☆

(פתק שנמסר ביד)

עו״ד זקהיים, שלום. פתק זה אמסור לך בסוף פגישתנו היום בקפה סביון. אני לא אמשיך להתראות אתך. בעלי לשעבר ימצא דרך אחרת להעביר אלי את מכתביו. אינני רואה מדוע לא ישל־חם בדואר, כמו שאעשה מעכשיו גם אני. את הפתק אני כותבת רק מפני שיהיה לי קשה להגיד לך ישר בפניך שאני מתעבת או־תך. כל פעם שנאלצתי ללחוץ את ידך הרגשתי כמחזיקה צפרדע. ״העסקה״ המכוערת שהצעת לי ברמז, בנוגע לירושת אלכס, הגדישה אצלי את הסאה. אולי העובדה שבעבר אתה היית עֵד לאסוני בילבלה אותך לגמרי. אתה לא הבנת את אסוני וגם היום אינך מבין כלום. בעלי הקודם, בעלי הנוכחי, ואולי גם בני, יוד־עים ומבינים מה קרה אז. אבל לא אתה, מר זקהיים. אתה נמצא בחוץ.

אילנה סומו

למרות הכּוֹל הייתי עושׂה את רצונך לו רק מצאת דרך להחזירו אלי. ובגלל מחלתו זה דחוף.

☆

מר מיכאל סומו
בית־הספר הממלכתי־דתי ״אוהל יצחק״,
ירושלים. אישי בהחלט: לעיני המכותב בלבד.

ירושלים 5.7.1976

נכבדי מר סומו,

מונח לפני מכתבך מיום י״ג בסיון שנה זו. השהיתי את תשוב־תי כדי ללמוד את רעיונותיך. ובינתים הצלחנו בכוחות משות־פים להוציא את הפיל שלנו דרך קוף המחט. לא יעלה על דעתי להתחרות בך בתחום שלך, אבל האוּמנם מטעה אותי זכרוני בנו־גע לעיר קריית־ארבע, שכבר בתנ״ך היא מתקשרת איכשהו לענקים? עשית מלאכה מצוּינת באשר לחברה׳מן שלנו. (הבינותי שהתיק החדש שלו נסגר בהמלצת גורם פנימי). אני מסיר את הכובע. האם אפשר יהיה להיעָזר בקסמיך גם בפר־שיות אחרות? עם קשרים וכישורים כמו שלך, לא אתה הוא

הצריך לשׂכור את שירותי הצנועים – כפי שביקשת במכתבך – אלא אולי להיפך?

מה שמביא אותי הַיישר אל גוף מכתבך ואל שׂיחתנו הטלפו־נית הפוריה מאוד מאתמול. אודה ולא אבוֹש שאין לי רגשות מיוחדים בנוגע לַשטחים וכו׳. ייתָכן שהייתי נוטה ממש כמוך לבלוע אותם לתיאבון, לולא הערבים שחיים שם. עליהם אני מוּתָּר. הירהרתי אפוא בכובד־ראש בפרוֹספֶּקט של ארגונכם שהואלת לצרף למכתבך: תכניתך היא לשלם לכל ערבי כסף מלא תמורת נכסיו ואדמתו פלוס כרטיס נסיעה בכיווּן אחד על חשבוננו. הצד הנראה לי פרובּלמָטי הוא, כמובן, המכפלה של, נאמר, עשׂרים אלף דולר כפול שני מיליון ערבים, תן או קח מזה שנַיִם־שלושה מיליארד דולר. בשביל לממן את נדידת העמים הזאת אנחנו נצטרך למכור את כל המדינה ועוד להיכָּנס לחובות. האוּמנם כדאי למכור את מדינת ישראל כדי לקנות את השטחים? הלא במקום זה אפשר פשוט להתחלף: אנחנו נעלה להרים הקדו־שים והקרירים, והם יתפסו את מקומנו בשפלת החוף הלחה. לזה אולי הם יסכימו מרצונם החָפשי?

ברשותך אתעכב רק עוד רגע על רעיון החלפת ההרים במי־שור החוף. מתברר לצערי שחביבנו הד״ר גדעון חזר בו בינתים מכוונתו למכור את הנכס שלו בזכרון. אף כי אפשר שבקרוב שוב ישַנה את דעתו בנידון. בזמן האחרון קשה לחזות את מצבי־רוחו. מר נ. מפריס יצטרך אפוא להתאזר בסבלנות. רואה אתה, ידידי, אפו הארוך של זקהיים מגיע לכל מקום: מפי נפשות נלב־בות נודע לי כי מר נ., שהיה בשעתו חברך בבית״ר בפריס וברבות השנים הקים שם אימפריה של בגדי נשים, הוא־הוא רוח־הקודש שהולידה, בשותפות אתך, את ״התנועה לאחדות ישראל״. ביני לבינך, מר סומו, ידועה לי אפילו העובדה שהיה זה מכובדנו מר נ. שמימן את נסיעתך החשאית־למחצה לצרפת בסתיו האחרון. יתר־על־כן, נודע לי כי מטרת נסיעתך היתה לבוא בדברים מטעם ארגונכם עם גורם מסוים במסדר נוצרי מסוים, שמרכזו בטוּלוּז, בנוגע לאדמות המִסדר הזה המשׂתרעות ממערב לבית־לחם. ושוב, היה זה מר נ. הבלתי־נלאה שטרח והסדיר את חידוש אזרחותך הצרפתית כדי להעניק לך בסיס חו־

קי לטרַנזאקציה אשר מר נ. עצמו, מטעמים מובנים, ביכר שלא להיות מעורב בה מבחינה פורמלית. והנה ידידי, הטרַנזאקציה הזאת מרתקת גם אותי: האדונים לובשי הגלימות מטולוז אינם מוכנים למכור לכם את חלקת אלוהים הקטנה שלהם בארץ־הקו־דש, אבל יֵאותו כנראה להחליף את שדמות בית־לחם תמורת בנין גדול עם נחלה הגונה סביבו במקום מרכזי בתוך הקו הירוק. ודאי לתכלית מיסיוֹנֶרית. כל זה הגיוני בעיני. ואילו את נכונותו של מר נ. לממן עִסקה כזו אני מקבל כעובדה. עד כאן – טוב ויפה. יכולנו לסגור למופת את המשולש בית־לחם – טולוז – זכ־רון, לולא מצבי־רוחו ההפכפכים של ידידנו המלומד. אנסה לרכך אותו כמיטב יכָלתי הצנועה ולטובת כל הצדדים המעורבים.

ובינתים הצעתי היא כדלקמן: מִטעמים אֶתיים ומעשִׂיים כאחד, מוטב שלא אקבל עלי לנהל את רכושך הפרטי או לייַצג את ארגונכם. מה שפוטר אותך מלשלם לי שׂכר טרחה. לעומת זאת אשמח לייָעץ לך חינם בכל ענין אשר בו תבחר להישָׁען על כישורי הצנועים. (וברשותך אתחיל בהמלצה שתתפור לך שתַים־שלוש חליפות הגונות: מעכשיו הנך אדם בעל רכוש נכבד למדי, העומד אולי להיות נכבד עוד יותר בעקבות האַספקטים הטרגיים של פרשת ד"ר גדעון. זאת – בתנאי שתִשעה לעצותי ושתפעל בזהירות מרַבּית) גם מעמדך הציבורי צופן בחוּבּוֹ גדו־לות ונצורות, מר סומו: ייתָכן שמתקרב היום שבו ידובר בך נכבדות.

אבל ענין הלבוש הוא, כמובן, שולי. את עיקר יהבי אני משליך על הפגישה שהוֹעדתי ליום ב׳ בינך ובין חתני, התעשׂיין זוהר אתגר מהרצליה (זוהר נשוי לבתי היחידה דורית, והוא אביהם של שני נכדי). אין לי ספק, מישל – התרשה לי לפנות אליך בשמך הפרטי – שאתה תמצא בו איש צעיר כלבבך. באח־רונה הוא מתכוון, כמוך, להיכָּנס בעסקי מקרקעין. ואגב, זוהר, עוד יותר ממני, נוטה להמר על סיכוי לחילופי שלטון בתוך פחות משנתים. בעקבות שינוי כזה ייפָּתחו, כמובן, אֳפקים מרהיבים בסיני, בגָדה וברצועה לפני אנשים כמונו הרואים את הנולד. אני משוכנע בכך ששניכם, חתני ואתה, תביאו בסיטוּאַציה עתי־

דית ברכה רבה זה לזה, באשר הונך וקשריך הטובים יהיו יקרים מפז לאחר מִפנה כנ"ל, ואילו מרצו של זוהר יופנה לאפיק מרנין.

אשר לי, אני כאמור אמשיך לטפל בנושא מן הזוית של הד"ר גדעון. יש לי יסוד לתקוָה שבקרוב אוכל להשמיע לכם בשורות משַמחות בנידון הנכס בזכרון. ובלבד שנתאזר בסבלנות ונבטח איש ברעהו.

לסיום איאָלץ לגעת בנקודה עדינה במקצת. ואגע בה בקיצור נמרץ. קשר מכתבים אינטנסיבי נרקם בין רעייתך ובין בעלהּ לשעבר. הקשר הזה נראה לי, לכל הפחות, תמוּה: לפי עניות דע־תי שום ברכה לא תצמח ממנו לאף אחד מן הצדדים. מחלתו של הד"ר גדעון עלולה לדחוף אותו לרֶגרֶסיות תמוהות. צוָאתו במתכונתהּ הנוכחית היא חיובית למדי מבחינתך (ואני מָנוּע, מסיבות מובנות, מלהרחיב על כך את הדיבור). דבר זה פותח ערוצים רבים לשיתוף־פעולה עתידי בינך לבין חתני. ואולם הקשרים המחודשים עם הגברת עלולים להפוך את הקערה על פיה, שלא לדבר על כיוונים אחרים המקופלים בהתקשרות זו ואינם עולים בקנה אחד עם הטעם הטוב מבחינתך. הנשים, מישל ידידי, לפי עניוּת דעתי הן דומות לנו מאוד בכמה מובנים, ואילו במובנים אחרים הן שונות מאתנו עד להתמיהַּ. ואני מתכוון לַמובנים שבהם גם הטיפשה בנשים היא פיקחית הרבה יותר מן הפיקח שבנו. במקומך הייתי אפוא משגיח בשבע עינים. ואיפָּרד מנושא מביך זה במלים העתיקות "די לחכימא", שבהן סיימת אתה את מכתבך הנכבד אלי.

בברכה ובתקוָה,

מוקירך מאנפרד זקהיים

נ"ב: בניגוד להשערה שהואלת להביע במכתבך, אין לי הכבוד להימָנות עם ניצולי השואה. משפחתי העלתה אותי ארצה בשנת עשׂרים וחמש, בהיותי ילד בן עשׂר. אין בכך כדי לגרוע מהערצתי לטביעת־העין החריפה שלך. הנ"ל.

☆

משפחת סומו
תרנז 7 ירושלים

שלום מישל ואילנה

הכל אצלי בסדר בקרית ארבע ולא הסטחסחתי עם אף אחד. אבל אתה יודע מישל שאתה לא בסדר? אפילו שאני מאריך אותך וזוכר כמה טובות שעשיתה לי כל פעם שנכנסתי בצרות אבל זאת בדיוק הבעיה. אני מרים יד רק מתי שאני צודק לא תשעים ותשעה אחוז אבל מאה. וגם אז לא תמיד מרים יד, לרוב אני מבתר. ככה היה בפעם של הסטירות בתלמים שצדקתי ובפעם עם אברם אבודרם ובפעם עם השוטרים בשארם שתמיד אני היי־תי הצודק ובכל אופן נכנסתי בצרות ואתה באמת היצלתה אותי אבל בעד זה כל פעם אתה קבעת לי מה לעשות בחיים זה כן וזה לא כאילו שלא הייתי צודק וכאילו שאני צריך לשלם לך תמיד בעד הפשעים שבכלל לא עשיתי. אתה לא בסדר מישל.

באמת היצלתה אותי ממוסד פושעים צעירים אבל רק בתנאי שאני יסכים לקרית ארבע שיש כאן סדנה לאופטיקה שזה בסדר בשבילי אבל היתר בכלל לא טוב. הלימודי קודש אני בכלל לא מעוניין ובחורות לא רועים פה. רק מרחוק. האנשים דוקא משתדלים להיות נחמדים (רק חלק) ולעשות טובות, הכל יפה מאוד, אבל מה פתאום אני? מה, אני דוס? לא מוצה חן בעיני איך שמדברים פה על הערבים מאחורי הגב (רק חלק). יכול ליות שערבי באמת נשאר ערבי אז מהי? גם עליך יכולים להאגיד מישל נשאר מישל אז מהי? זה לא סיבה לזלזל או ללאוג. אני נגד ללאוג. ואני נגד זה שאתה שולט על הכסף ששיך לי ולאילנה הכסף מאמריקה ואתה כל הזמן קובע לי את החיים שלי. גם לאילנה אתה קובע אבל זה בעיה שלה. אתה חושב את עצמך שאתה ה׳ מישל?

עכשיו בטח תכתוב לי מכתב איך אני לא מתבייש לנשוך את היד שאכלתי ממנה אבל מהיד שלך לא אכלתי כלום מישל. כל הזמן אני עובד ומרביח. זה שהכסף שלי אצלך זה אומר שאתה אוכל מהיד שלי! אני מבקש בטובות שתיתן לי כסף והסכמה מהמשטרה לצת מפה ואם תשאל לאיפו? האמת שאני עוד לא יו־

דע. מה יש, אסור להסתובב קצת לפני שמחליטים איפו ליות? מה, אתה לא הסתובבתה באלגיר ובצרפת ובארץ לפני שהחל־טת? יש במעטפה זהבים של בון בונים שאספתי ליפעת תיזהר לא לקמט ותגיד לה שזה ממני בועז. שלום אילנה אל תצטערי בגללי. בבקשה שתגידי לו לשלם לי מהכסף שלי ושיסדר לי לצאת מפה שלא יתחילו עוד פעם צרות איתי עם מכות.

בתודה בועז ב.

☆

לכבוד בועז ברנדשטטר (אצל שולוואס)
רחוב בנים־לגבולם 10
קריית־ארבע.

בע"ה ירושלים י"ג בתמוז תשל"ו (17.7.)

שלום רב לך בועז החכם־בלילה והסורר!

יותר מהכּל אני מרוצה מההתקדמות שלך בעבודה בענף האופטיקה ומזה שאתה מרויח את לחמך בכבוד ומשתתף בבנין הארץ והולך מחיל אל חיל ואפילו נותן שמירות־לילה שתי פע־מים בשבוע. כל זה – על כף־הזכות שלך. כל הכבוד. אבל על כף־החובה, לבי כואב מההתרשלות שלך בלימודים. אנחנו עַם־הספר בועז, ויהודי בלי תורה הוא גרוע מחיית־השׂדה.

המכתב ששלחת לי היה מתחת לכל ביקורת אל"ף מבחינת הכתיב והסגנון ובי"ת מבחינת התוכן. כמו ילד מפגר! אני אומר לך את זה, בועז, דווקא מפני שיש לי איזה רגש אליך. אחרת כבר מזמן הייתי נותן לך ללכת לעזאזל וגמרנו. כנראה שאתה עוד הרבה יותר חמוֹר ממה שהיית לפני זה, ומהצרות שלך למדת רק איך לחפשׂ עוד צרות. כמו שכתוב אצלנו: אם תכתוש את האויל במכתש לא תסור מעליו אִוַלְתּוֹ. החָכמה בועז לא הולכת לפי המשקל והנפח, אחרת עוֹג מלך הבשן היה נחשב אצלנו החכם מכל אדם.

אני עשׂיתי בשבילך הרבה מעל ומעֵבר ואתה יודע את זה, אבל אם כבר החלטת לעזוב את קריית־ארבע וללכת לעשׂות את הרע בעיני ד' – אז נראה אותך, תלך, מי מחזיק אותך? מה, אני קשרתי אותך בשרשרת? בבקשה. תלך. נראה לאן תגיע עם

כתיב כמו של ערבי ובריונות כמו של גוי. את הבר־מצוָה שלך כבר עברת ברוך השם וכבר אמרנו עליך את הפסוק ברוך שפטרנו מעָנשׁו של זה. אז בבקשה, למה לא, תמשיך בדרכי אביך הנחמד ותראה מה יקרה. רק שלא תבוא אחרי זה לבקש רווח והצלה ממישל. הצלה אני עוד מבין, אבל אתה יש לך החוצפה לבקש ממני גם רווח? ואם כבר נגענו בזה, כלומר בכסף שהזכרת לא בחָכמה במכתבך, הכסף הזה באמת ובתמים שייך כדבריך לאמך ולך וליפעת בשלושה חלקים שוים, ואתה בועז את החלק שלך תקבל ממני במלואו כשתהיה בן עשרים ואחת ולא שעתיִם לפני זה. אילו אביך הנחמד היה רוצה שאתה תקבל את הכסף עכשיו תיכף ומיד, מי הפריע לו לתת את הצ׳ק ישר לך, במקום לתת לי? אז כנראה בכל־זאת הוא ידע בערך מה שהוא עושה, ונתן לי את האחריות עליך. אם זה לא מוצא חן בעיניך, בבקשה בכל הכבוד תפנה אליו ותגיש נגדי קובלנה.

בכלל בועז מצדי תעשה מה שאתה רוצה ואפילו תיהָפך לער־בי אם אתה בצד שלהם. רק תעשה לי טובה ואל תתחיל ללמד אותי מה זה הערבי. אני גדלתי ביניהם ומכיר אותם טוב: אתה אולי תתפלא לשמוע ממני שהערבי הוא ביסודו חיובי מאוד, מצטיין בהרבה מידות תרומיות, ובדת שלו יש כמה דברים יפים שלקוחים ישר מהיהדות. אבל השפיכות־דמים היא אצלם עמוק מאוד במסורת שלהם. מה לעשות בועז, זה כמו שהתורה אומרת לנו על ישמעאל: פרא־אדם, ידו בכּול ויד כּול בו. אצלם כתוב בקוראן: דין מוחמד בסיף. ולהבדיל, אצלנו כתוב בתורה: ציון במשפט תיפָּדה. זה כל ההבדל. עכשיו תבחר לבד מה מזה יותר מתאים לך?

בפעם האחרונה אני מפציר בך שתִּקח את עצמך בידים ולא תוסיף חטא על פשע. בשבוע הבא ביום שלישי אחה״צ יש יום־הולדת לאחותך. תבוא הביתה יום קודם, תעזור קצת לאמא שלך ותביא לילדה שִׂמחה. היא אוהבת אותך! בתוך המעטפה הזאת הכנסתי המחאת־דואר שש מאות לירה בשבילך. הרי ביקשת ממני כסף. ואַל תדאג בועז, את זה אני לא מנַכּה מהירושה שלך שאני שומר לך עליה עד שתגדל. כמו־כן תמצא במעטפה ציור של כלב מאת יפעת, רק שיצא לה עם שש רגליִם.

תשמע לי בועז: בוא נראה את מכתבך כאילו בטל ומבוטל? לא היה ולא נברא? נעבור עליו לסדר־היום? אמא שולחת לך דרישת־שלום ואני חותם למרות הכּול בידידות ובחיבה,

שלך,

מישל

☆

לכבוד סגן אלוף פרופסור א. גדעון
המחלקה למדעי המדינה, אוניברסיטת מדינת אילינוי,
אילינוי, שיקאגו, ארה"ב

שלום.

כותב אליך בועז ברנדשטטר. אתה יודע מי זה. את הכתובת שלך לקחתי מאמא שלי כי אדון זקים לא הסקים לתת לי וממישל סומו אני לא רוצה יותר טובות. וגם ממך לא. ככה שאני אכתוב קצר ולעניין. אתה נתתה כסף בשבילי למישל סומו. את זה שמעתי ממנו וגם מאדון זקים שאמר לי לקחת את זה ממישל. אבל מישל לא נותן את הכסף רק להפך. כל פעם שנכנסתי בצרות הוא עזר לי אבל את הכסף הוא לקח, השאיר לי רק כמה גרושים כל פעם ועוד רוצה להאגיד לי מה כן לעשות ומה לא. עכשו אני גר בקרית ארבע עובד ומרביח כסף בסדנת אופטיקה אבל זה לא מקום בישבילי ולא משנה לך למה. מה שאני רוצה זה שאף אחד לא יגיד לי מה לעשות ומה לא. עכשו: אם אתה באמת נתתה את הכסף למישל סומו אז אין לי מה להאגיד והמכתב הזה מבותל. אבל אם התכבנת אלי אז למה הכסף לא היגיע אלי? זה כל מה שיש לי לשאול.

בועז ב.

☆

אל בועז גדעון (ברנדשטטר)
אצל משפחת שולוואס
רח׳ בנים־לגבולם 10, קריית־ארבע, ישראל.

שיקאגו 23.7.76

שלום לך בועז,

קיבלתי את מכתבך הקצר. גם אני לא אאריך. אתה רוצה להיות לבד ושלא יגידו לך מה לעשות ומה לא. אני מקבל את זה. בעצם, גם אני רציתי בדיוק את אותם הדברים אך הייתי חלש מדי. אני מציע שנשכח בינתים את הכסף שנמצא אצל סומו. יש לי שתי אפשרויות בשבילך: אחת באמריקה ואחת בישראל. אתה רוצה לבוא לאמריקה? תחליט ותקבל כרטיס. אני אסדר לך מגורים ואמצא לך כאן עבודה. אולי אפילו באופטיקה. במשך הזמן תוכל גם ללמוד מה שמעניין אותך. אם תרצה בעתיד להח־זיר לי את ההוצאות, תוכל להחזיר לי משׂכר עבודתך כאן. לא בוער ולא הכרחי. רק תביא בחשבון שבאמריקה יש לך בעיה עם השפה. לפחות בזמן הראשון. וכן שבַּמשטרה המקומית אין לאף אחד בני־דודים.

האפשרות השניה היא שאתה מקבל לשימושך בית גדול וריק על־יד זכרון־יעקב. הבית נמצא כעת במצב רע מאוד, אבל לך יש זוג ידים מצוינות. אם תתחיל בהדרגה לשפץ את הבית, אני אשלם לך בעד זה משכורת חָדשית סבירה ואכסה את כל ההוצ־אות על חָמרי בנין וכו׳. אתה תוכל להזמין את מי שתרצה לגור אִתך בבנין, שכרגע הוא עומד נטוש. יש הרבה מה לעשות שם. אפשר גם חקלאות. וזה לא רחוק מן הים. אבל אתה תהיה חָפשי לבצע רק מה שתרצה.

בין אם תבחר בנסיעה לאמריקה ובין אם תבחר בבית שבזכ־רון, כל מה שעליך לעשות בנידון הוא לגשת אל עו״ד רוֹבּרטוֹ די־מוֹדינא. הוא יושב בירושלים, באותו משרד שבו יושב עו״ד זקהיים שאתה מכירו והיית אצלו פעם. שים לב: אל תלך לזק־היים. לך ישר לדי־מוֹדינא ותגיד לו מה רצונך. הוא כבר קיבל הנחיות למלא את מבוקשך מיָד, ככה או ככה. אינך חייב לענות לי. היֵה חָפשי וחזק ואם תוּכַל תשתדל לשפוט גם אותי בצדק.

אבא

☆

[מברק] א. גדעון איליוניב שיקאגו. עשיתי הסידורים הדרו־שים לכניסת בועז לנכס. יש קצת קשיים פורמליים ואני מטפל בהם. נתתי לו הסכום שקבעת לסידורים ראשונים. להבא אשלם לו חָדשית בהתאם להוראתך. מאתמול הוא נמצא כבר בזכרון. שותפי רותח מזעם. רוברטו דימודינא.

☆

[מברק] גדעון איליוניב שיקאגו. מקיאבֶלי שכמוך אל תאלצני להיאָבק בך. הקונה מוכן עכשיו לשלם אחת־עשרה כנ"ל עבור הנכס בזכרון. מתחייב להעסיק שם את בועז במשכורת חָדשית. דרושה החלטתך מיָד. מוסיף לראות עצמי ידידך היחיד בעולם למרות העלבון הצו־רב. מאנפרד.

☆

[מברק] אישי זקהיים ירושלים ישראל. הנכס בזכרון סופית לא למכירה. רוברטו סופית מנהל כל עסקי. נא העבר כל החומר אליו. יַאגו לעניים תמשיך לנסות מזלך אצל סומו. האם תנסה לאשפזני על הכרמל. נכדיך עדיין בצוָאתי. תיזָהר. אלכס.

☆

אילנה סומו
תרנ"ז 7, ירושלים.

1.8.76

אילנה,

אַת אומרת שאינני מבינה כלום. מאז ומתמיד "אף אחד לא מבין ללבּך". לוּ יהי. אני כותבת הפעם רק בגלל בועז ובגלל מישל ויפעת. אמש טילפן מישל וסיפר כי בועז עוזב את קריית־

ארבע והולך לחיות לבדו בבית ההרוס בזכרון. כך עלה מלפני אלכס. הפצרתי במישל שלא ינסה להתערב. הבטחתי שיואש יסע בסוף השבוע לזכרון לראות מה קורה שם ובמה אפשר לעזור. אולי תודי עכשיו, לפחות בפני עצמך, ששגית כשהחלטת לחדש את הקשר עם אלכס.

אני משחיתה מלים. שוב מתחשק לך למלא את תפקיד גיבורת הטרגדיה. לככב מחדש במערכה השניה שיזמת. אף כי גם הפעם אלכס גונב לך את ההצגה. אם אינכם יכולים אחרת, אולי פשוט תקומי ותסעי לחפש אותו באמריקה? מישל יתאושש וייטיב לגדל את יפעת בלעדיך. במשך הזמן ימצא לו אשה מהחוג שלו. גם לבועז יוקל. ואנחנו מכאן נעזור כמיטב יכָלתנו. אַת סוף־סוף תהיי מיותרת לגמרי, אם זה רצונך הסמוי. כי מה הטעם להמשיך בפרודיה הזו, אַת במזרח ולבך בסוף מערב וכו׳?

מובן שאינני עומדת מאחורי ההצעה שתסעי. להיפך. אני כותבת כדי להפציר בך שתנסי להתעשת. שתקחי את עצמך בידים. נסי לומר לעצמך שבועז לא זקוק לך. ובעצם, אין לו צורך באף אחד מאתנו. נסי להבין כי אם לא תיעָצרי עכשיו, גם יפעת תגדל ותהיה בדיוק כמוהו. לא זקוקה לאף אחד. מה דוחף אותך להשליך את כל אשר יש לך למען מה שאין ולא יוכל להיות?

תוכלי כמובן להשיב לי בעוקצנות. לבקש שלא אתחב את אפי. או לא להשיב לי כלל. כתבתי מפני שחובתי לנסות לעצור בך, גם אם אין לי הרבה סיכויים. לבל תמיטי עוד סבל על אלה שעדיין אַת יקרה להם.

אני מציעה שתבואי עם יפעת לנוח שבוע־שבועים אצלנו בבית־אברהם. תוכלי לעבוד מדי יום ארבע שעות במחסן. או לבלות כל הבוקר בבריכה. לעזור ליואש בגינה. אחרי־הצהרים נטייל עם הילדים לבריכות הדגים, או לחורשה. יפעת תשתלב בפעוטון. בערב נשב עם שכנים על הדשא ונשתה קפה. גם מישל מוזמן להצטרף, לפחות לסופי־השבוע. ואני מבטיחה לא לגעת במה שלדבריך איני מסוגלת להבין. אם תרצי, אקשיב ואשתוק. אם תרצי, נלך יחד לחוג לעבודות מַקרָמֶה או לקבוצת המוסיקה הקלסית. מכאן ייָראה לך הכּול באוֹר קצת אחר. ועוד אני מציעה

שבשלב זה יואש ואני נקבל על עצמנו את הקשר עם בועז. מה דעתך?

רחל

☆

פרופסור א. גדעון
המחלקה למדעי המדינה, אוניברסיטת מדינת אילינוי
שיקאגו, אילינוי, ארה״ב.

ירושלים 2.8.76

אֲלק השד והבקבוק. אַל תוסיף לכתוב אלי דרך זקהיים. הטְרול הקירֵח שלך חדל לשעשע אותי. כתוב לי פשוט בדואר. או צא והיגָלה. או קרא לי לבוא אליך – עדיין אני מצפה לקבל הזמנה לחתונתך, עם כרטיס טיסה מצורף. שלח ואבוא, ואפילו אביא לך זר נבול מירושלים. הן אתה התכוונת לכבוש בסערה בו־בלילה איזו מזכירה קטנה, והנה כבר חלף כמעט חודש ועדיין אינני שומעת את צלילי מארש החתונה. האומנם כבר אזלו כל קסמיך? ניחוחות שׂדה־הקרב הגבריים? האוצרות שירשת מאביך? ברק פרסומך העולמי? הילת־המוות המהַפנטת? האומנם כבר החליד כל זה כמו שריון אבירים עשוי פח? היפהפיה השיבה את פניך? ואולי עד היום לא למדת איך מבקשים יד אשה בלי עז־רת אביך?

לקריאת מכתבך הגעתי רק באחת לפנות־בוקר. כל היום הוא חיכה לי, חתום, בארנק שלי, כמו צפע בין הממחטה לשפתון. בערב נרדם מישל כדרכו מול הטלביזיה. בפסוקו־של־יום הער־תיו לראות את חדשות חצות. רבין לפי דעתו לא ראש־ממשלה יהודי אלא גנרל אמריקאי שבמקרה מדבר קצת עברית רצוצה ומוכר את המדינה לדוד סֶם. שוב הגויים שולטים עלינו ואנחנו מתרפסים לפניהם. ואילו אני בעיניו האשה היפה בעולם. אמר ונשק על מצחי, מתמתח על קצות אצבעותיו. אני כרעתי לפניו כדי להתיר את הקשר הילדותי שהיה לו בשׂרוך נעלו. עייף ורדום היה. קולו סדוק מסיגריות. כאשר השכבתי וכיסיתי אותו במיטתנו אמר שהמזמור המסתורי ביותר בספר תהילים הוא זה המתחיל במלים ״לַמנצח על יונת־אֵלם רחוקים״. ביאר לי איזה מדרש בעניין המלה רחוקים. קרא לי יונת־אלם. ובעודו מדבר –

נרדם על גבו כתינוק. רק אז התיַשבתי לקרוא את מגילת העי־
נויים שלך, לקול נשימתו השלוָה המתערבת במקהלות צְרצרים
מן הואדי המפריד בינינו ובין הכפר הערבי. תירגמתי, מלה
במלה את חִצי שנינתך המורעלת לשַוועת כאֶב. אבל כאשר
הגעתי אל חרב גוליָת ואל הדרקון הגווע שלך, נמלאתי בכי
פנימי. לא יכולתי להמשיך לקרוא. הסתרתי את מכתבך תחת
עתון הערב ויצאתי למטבח להכין לי תה עם לימון. אחר־כך
חזרתי אליך ובחלון היה סהר חד, מוסלמי, בין שבעה צעיפי
ערפל.

קראתי פעמַים את הסמינר המרוכז שלך, הצמחים הטורפים,
בּרנאנוֹס וקוהלת וישו, תופסי חרב בחרב יפולו, וכאן תקפה גם
אותי רְעידת קור. ממש כמו אותך בליל הסירֶנות בשיקאגו. אף
כי אצלנו היה ליל קיץ ירושלמי פושר, חלבי קצת, בלי ברקים,
בלי סופות־אגמים, ורק כלבים רחוקים נבחו על שפת המִדבר.

קטונתי מלחלוק עליך. שׂכלך המושחז פועל עלי תמיד כמו
נביחת מקלע: צרור מדויק, קטלני, של עובדות מסקנות ופירו־
שים שאין אחריהם תקומה. ובכל־זאת, הפעם אתנגד. ישו
ובּרנאנוֹס צדקו ואילו אתה וקוהלת ראויים אולי רק לחמלה: יש
אושר בעולם, אלק, והיִסורים אינם היפוכו אלא הם המבוי הצר
שבעדו עוברים בכפיפה, בזחילה בין סִרפדים, אל קָרחת־היער
הדמומה השטופה בכסף ירחי.

אתה ודאי לא שכחת את הכלל המפורסם המופיע בפתיחת
"אנה קארֶנינה", כשטולסטוי מתעטף שם בגלימת אלוהוּת
כפרית נינוחה, מרחף על־פני התוהו ארך־אפיִם ורב־חסד, וחורץ
ממרומיו כי כל המשפחות המאושרות כולן דומות זו לזו ואילו
המשפחות האומללות אומללוֹת כל אחת בדרכה. עם כל הכבוד
לטולסטוי אני אומרת לך שההיפך הוא הנכון: האומללים על־פי־
רוב הם שקועים ביסורים־על־פי־נוסח, מגשימים בשגרה שומ־
מת אחת מבין ארבע־חמש קלישאות עינויים שחוקות מרוב
שימוש. ואילו האושר הוא כלי דק ונדיר, מעין אגרטל סיני,
המעטים שהגיעו אליו חצבו או גילפו אותו תו לתו במשך שנים,
איש־איש בצלמו ובדמותו, איש־איש על־פי מידותיו, אין אושר
דומה לאושר. וביציקת אָשרם הטמיעו גם את יסוריהם ועלבונם.

כמזקקים זהב מעפרות. יש אושר בעולם, אלק, ולו כחלום יעוף. אכן ממך הוא נִבצר. כרחוק הכוכב מן החפרפרת. לא "סיפוק שבקבלת אישור", לא תהילה וקידום וכיבוש ושׂררה, לא כניעה והכנעה כי אם חדוַת התמזגות. היִנָתכוּת האני בזולת. כצדפה חובקת גוף זר ונפצעת והופכת אותו לפנינתה בעוד המים החמי־מים מקיפים ועוטפים הכוֹל. אתה לא טעמת אף פעם אחת בחייך את טעם ההיִנָתכות הזאת. כאשר הגוף הוא כנור באצבעות הנפש. כאשר זולת ואני מתעָרים ונעשים אלמוג אחד. ומתת הנָטיף אט־אט מרוממת את הזקיף עד ששנַיִם נהפכים לאחד.

חשוב נא למשל על־אודות השעה שבע ועשר דקות בערב קיַ־צי בירושלים: רוכסי ההרים נגועים בקילוחי השקיעה. אור אח־רון מתחיל למוסס את סִמטאות־האבן כמפשיט אותן מאבניותן. חליל ערבי מן הואדי עולה בהמיה מתמשכת, מעֵבר לשמחה ולצער, כאילו נפש ההרים יצאה להרדים את גופם ולהפליג למַסעה הלילי. או כעבור שעתַיִם, כאשר יוצאים כוכבים בשמי מדבר יהודה וצלליתו של צריח המסגד מיתמרת בין צללי הבק־תות. כשאצבעותיך מגששות את ארג הריפוד המחוספס ולפני החלון מכסיף עץ זית המקבל נדבת אור ממנורת השולחן בחד־רך, ולרגע פג הגבול בין קצה האצבע ובין החומר והנוגע הוא הנִיגע והוא הנגיעה. הלחם בידך, הכפית, כוס התה, הדברים הפשוטים, האילמים, נאפדים פתאום קרינה היולית דקה. מואָ־רים מתוך נפשך וחוזרים ומאירים אותה. שׂמחת ההוָיה ופש־טותה יורדת וחופה על הכוֹל בסוד הדברים שהיו כאן עוד לפני שנבראה הדעת. הדברים הראשונים שאתה הוגלית מהם לתמיד אל ערבות החושך הצחיחות שעל־פניהן אתה משוטט ומיַלל מול ירח מת, תועה בין לובן ללובן, מחפש עד קצוֵי הטונדרָה אבידה עתיקה, אף כי אתה כבר שכחת מה היתה האבידה ומתי ועל מה זה אבדה לך: "חייו הם כִלאו ואילו מותו מצטייר לו כסיכוי של תחיה פרדוֹכסלית, כהבטחת גאולה פלאית מעמק־הבכא שלו." המובאה לקוחה מספרך. הזאב המיַלל בחושך מול הירח בערבה הוא תרומתי שלי.

וגם האהבה היתה תרומתי. שדחיתָ. האומנם אהבת פעם? אוֹ־תי? אולי את בנך?

שקר אלק. אתה לא אהבת. אתה כבשת אותי. ואחר־כך פינית אותי כמו יעד שאיבד את ערכו. עכשיו החלטת לצאת למתקפה על מישל כדי לכבוש מידיו את בועז. כל השנים ראית את בנך כאיזו תלולית חול סתמית, עד שקיבלת ממני מידע על כך שהאויב מצא בהּ פתאום ערך והוא מנסה להיאָחז בהּ. ואז הזנקת את כוחותיך להסתערות־בזק. ושוב ניצחת כלאחר־יד. האהבה זרה לך. גם את פירוש המלה לא תדע. להרוס, לאבד, להשמיד, להשכיב, להדביר, לטהר, לדפוק, לשרוף, להשחיל, לחסל, לבער, לבעור – אלה גבולות עולמך ואלה נופי הירח שביניהם אתה נע ונד עם זקהיים הסַאנשו־פאנסָה שלך. ואליהם אתה מנסה להגלות עכשיו גם את בננו.

כעת אגלה לך משהו שודאי יגרום לך נחת: כספך כבר החל להשחית גם את חיי עם מישל. שש שנים התאמצנו מישל ואני, כמו שני ניצוֹלי ספינה, לכונן בפאת האי השומם בקתה אביוֹנה למקלט. לתת בהּ חום ואור. מדי בוקר הייתי משכימה להכין לו כריכים, קפה בתֶרמוס פלַסטי כחול, עתון בוקר, אורזת הכול בתיקו המרופט ושולחת אותו לעבודתו. אחר־כך מלבישה ומאכילה את יפעת. עושה את מלאכות הבית לקול נגינת הרדיו. מטפלת מעט בגינה ובעציצי המרפסת (מיני תבלינים שמישל מגדל בארגזים). בין עשר לשתים־עשרה, בעוד הקטנה בגנוֹן, הייתי יוצאת לקניות. מתפנה לפעמים לקרוא בספר. שכנה היתה נכנסת לפטפט קצת במטבח. באחת הייתי מאכילה את יפעת ומחממת למישל את ארוחתו. בשובו הייתי מוזגת לו סודה קרה בקיץ או ספל קקאו ביום קר. לעת שיעוריו הפרטיים הייתי נסוגה למטבח לקלף ירקות למחר, לאפות, לשטוף כלים, ושוב לקרוא בספר. מגישה לו קפה תורכי. שומעת קונצרט ברדיו בעת הגיהוץ, עד שתתעורר הילדה. לאחר שיעוריו הפרטיים, כשהיה מתיַשב לתקן את מחברות תלמידיו, הייתי שולחת אותהּ לשׂחק עם ילדי השכנים בחצר ועומדת בחלון להביט בהרים ובעצי הזית. בשבתות חורף בהירות, אחרי שגמר מישל לעבור על דפי ידיעות ומעריב, היינו הולכים שלָשתֵּנו לטיול בחורשת תלפיות, בגבעת ארמון הנציב, או לרגלי מנזר מַר־אֶליאס. מישל ידע להמציא משחקים מבדחים. לא חס על כבודו. היה

מגלם בהפרזה תיש סורר, צפרדע, נואם באסיפת מפלגה, ושתי־
נו היינו צוחקות עד שעינינו מלאו. בשובנו היה נרדם מוקף
מוספי סוף השבוע בכורסתו המרופטת, הילדה היתה ישֵׁנה על
המרבד לרגליו, ואני הייתי קוראת באחד הרומנים שמישל זכר
תמיד לשאול בשבילי בספריה העירונית. אף כי אהב ללגלג על
"הספרים הבטֵלים" שקראתי, לא שכח להביא לי שנַיִם־שלושה
מהם כל שבוע בדרכו מן העבודה. וגם לא חדל ממנהגו לקנות לי
זר פרחים קטן מדי ערב שבת. שאותו היה מגיש לי בקידה צרפ־
תית מבודחת. לעתים היה מפתיעני במטפחת, בבקבוק בושֶׂם,
באיזה ז'ורנל צבעוני שחשב כי אמצא בו ענין ולבסוף היה הוא
עצמו בולע אותו מכריכה לכריכה וקורא לי קטעים נבחרים.

במוצאי־שבת נהגנו לצאת אל המרפסת, לשבת בכסאות־נוח
ולאכול בָּטנים מול השקיעה. יש שמישל היה פותח ומספר לי
בקולו החם, החרוך, על ימי פריס שלו; מתאר את שיטוטיו בין
המוזיאונים "לטעום מיפיפותו של יפת", מצייר לי את מראה
הגשרים והבולוַארים בלשון מצטנעת, כאילו הוא שתיכנן או־
תם, מתבדח על עָניו והשפלתו. לעתים היה משעשע את יפעת
במשלי שועלים וצִפֳּרים או בגוזמאות בר־בר־חנה. לפעמים,
כרדת השמש, בחרנו שלא להדליק את האור במרפסת, ובתי
ואני היינו לומדות מפיו בחושך את שירי משפחתו המוזרים,
ניגונים שבהם החדוָה הגרונית גובלת כמעט ביבבה. לפני השי־
נה פרצו בינינו מלחמות־כריות עד שהגיעה השעה להרדים את
יפעת בסיפור ערש. אחר־כך, יושבים על הספה, אוחזים יד ביד
כילדים, היה מרצה לפני את דעותיו. מנתח את המצב הפוליטי.
משתף אותי בחזיונותיו, אך ממהר לפָטרם בניד יד, כאילו רק
חמד לצון.

כך, כאוגרי דינרים, צברנו מערב לערב את אָשרנו הזעיר.
גילפנו אגרטל סיני. ריפדנו קן יוני אלם. במיטה הרעפתי עליו
תועפות שהוא גם בחלומותיו לא שיער, ומישל היה גומל לי
מאוצרות סגידתו החרישית והנלהבת. עד שפתחת עליו את
ארובות השמים שלך ושטפת אותו בכספך, כמטוס המרסס שׂדה
בחָמרי הדברה רעילים, ומיד החל הכּוֹל להצהיב ולקמול.

בסוף שנת הלימודים החליט מישל להתפטר ממשרתו כמורה

לצרפתית בבית־הספר ״אוהל יצחק״. הסביר לי כי הגיעה שעתו ״לצאת מעבדות לחירות״ וכי במהרה ימחיש לי ״איך האזוב אשר בקיר כארֶז בלבנון ישׂגה.״

את הונו החדש בחר משום־מה להפקיד בידי זקהיים וחתנו.

לפני עשרה ימים אף זכינו לביקורם של בני הזוג אתגר: דו־רית, בתו של זקהיים, יפהפיה תל־אביבית רועשת, למישל קר־אה מיקי ואותי כינתה ״דַרלינג״, הובילה ברצועה את בעלה השמנמן, המעונב למרות חום הקיץ, מנומס ומתוח, במשקפים נטולי־מסגרת ובתספורת נוסח קֶנֶדי. הם הביאו לנו במתנה שטיח קיר עם קופים ונמרים, שקנו במסעם האחרון לבנגקוק. ליפעת הביאו בובת קפיץ אוטומטית עם שלושה מהלכים. ביתנו לא נעם להם: כמעט באו וכבר הפצירו בנו שנתיַשב במכוניתם האמריקנית הדומה לספינת שעשועים ונערוך להם ״סיבוב בריא בירושלים הגזעית והלא־טוריסטית.״ הזמינו אותנו לארוחת־צהרים במסעדת מלון אינטֶרקונטינֶנטל. ודאי שכחו לגמרי את בעיית הכשרות, ומישל התבייש להזכיר ובדה קלקול קיבה. לבסוף אכלנו שם רק ביצים קשות ולֶבֶן. דיברו ביניהם על פולי־טיקה, על הסיכויים לפתיחת סיני והגדה לפני יזמים פרטיים, בעוד בתו של זקהיים משתדלת להעסיק אותי במחירו הלא־יאומן של גור כלבים מגזע סַן־בֶּרנַאר ובמחירי אחזקתו בארץ, שגם הם ״ממש לא־יאומנו.״ הבחור הממושקף התעקש לפתוח כל משפט במלים ״בוא נגיד ש״, ואילו אשתו מיינה את כל מה שתחת השמש ל״זוועתי״ או ״ממש פנטסטי״, עד שנקעה נפשי. כשנפרדנו העניקו לנו הזמנה לבלות סוף־שבוע בוִילה שלהם בכפר־שמריהו, עם בחירה חָפשית בין הים ובין הבריכה הפר־טית. אחר־כך, כשאמרתי למישל שמצדי הוא יכול לנסוע אליהם כרצונו אבל בלעדי, השיב לי בעלי במלים ״בואי נגיד שעוד תחשבי על זה קצת.״

ולפני שבוע נודע לי, כבדרך־אגב, כי מישל מוכר את ביתנו (עם ההרחבה הבלתי־גמורה) לאחד מבני־הדודים שלו, שעמו גם חתם על חוזה לרכישת מעון חדש ברובע היהודי המשוקם שבעיר העתיקה. אולי מפני שאני לא הצלחתי להביע התפעלות, לעג לי מישל בכינוי ״ושתי״. הוא גם נרשם מחדש כחבר

במפד״ל, ועם־זאת החליט לחתום מעכשיו על עתון ״הארץ״.

מדי בוקר הוא יוצא לעסקיו החדשים, אשר טיבם לא ברור לי, ומאחר לשוב בערב. במקום הגַבּרדין הנצחי והז׳קט המשובץ הוא רכש לו חליפת דַקרון קיצית בצבע תכלת, חליפה אשר בה הוא מזכיר לי סוחר מכוניות ממולח באיזו קומדיה אמריקאית. שוב איננו יושבים על המרפסת להביט בדמדומי השקיעה עם צאת השבת. שוב איננו יוצאים שלָשתנו במלחמת־כריות לפני השינה. סוחרי קרקעות דתיים באים לבקר אחרי מלַוה־מלכה. ריח טשולנט ודגים ממולאים נושב אלי כשאני רוכנת למזוג להם קפה. טיפוסים מדושני־נחת הרואים חובת נימוס לעצמם להלל באָזניו את יָפיִי ובאָזנַי – את העוגיות שקניתי בסופרמַרקט. מחניפים בהעוָיות מגושמות ליפעת, הנבוכה מן הציוצים שהם מיַצרים לכבודה. מישל מצווה עליה לשיר או לדקלם לכבודם והיא מצייתת. אחר־כך הוא רומז לי כי שתינו סיימנו את תפ־קידנו. ומסתודד עמם שעה ארוכה במרפסת.

אני משכיבה את יפעת. גוערת בה על לא עוול. מסתגרת במטבח ומנסה להתרכז בספר, אבל לרגעים חודרת אלי געיית צחוק שמנונית. גם מישל מצטחקק, בהתאמצות, כמלצר שעלה לגדולה. כשאנחנו נשארים לבדנו הוא מתמסר לחינוכי מחדש: משתדל להשכילני בעניני מגרשים, מענקים, חוקי הקרקעות הירדניים, הלוָאות, הון חוזר, הטבות, בטחונות, תקבולים, עלותן של עבודות עפר. וַדאות סהרורית ירדה עליו: שוב אין לו ספק בכך שאתה עומד להוריש – או לרשום עוד בחייך – את כל ההון והנכסים על שמו. או על שמי. או על שם בועז. בכל מקרה הוא רואה את הונך כמונח בקופסתו. ״וכמו שכתוב אצלנו, שלו־חי מצוָה אינם ניזוקים.״ אתה, לפי דעתו, ״כבר נגזר עליך מלמעלה״ שתנסה לכפר על חטאיך דווקא באמצעותו, על־ידי תרומה ״משמעותית״ לבנין המדינה. לא אכפת לו על שם מי מאתנו אתה תרשום את הכסף, ״אנחנו, בעזרת השם, נשתמש בו לתורה ולמצוות ולמעשים טובים וכאשר נוסיף להשקיעו בפדיון הארץ כן ירבה וכן יפרוץ.״ בשבוע שעבר התפאר באזני בכוס תה ששתה במזנון הכנסת בחברת סגן־שר ומנכ״ל.

זאת ועוד: עלה בדעתו להתחיל ללמוד נהיגה. לרכוש בקרוב

מכונית כדי שיוכל, כדבריו, "להיות העגלון שלךָ". ובינתים התמהונים שלו, הנערים הרוסים והאמריקאים עם ההבהק המו־זר בעיניהם, אלה שנהגו להתגנב אלינו בנעלי־בד ולהתלחש עמו בחצר, ממעטים עכשיו לבוא. אולי הוא נפגש עמהם במקו־מות אחרים. זחיחות נינוחה, בעל־ביתית, אופפת את הליכותיו החדשות. שוב אין הוא משתטה לגלם צפרדעים ותיישים. במקום זה סיגל לעצמו מנִיֵרה היתולית שלמד מאחיו העסקן: לשלב בדיבורו אי־אלו מלים ביידיש שאותן הוא משבש בכוונה. אפילו את מי הגילוח שלו החליף במין אחר, שריחו מהדהד בבית גם בשעה שמישל איננו. בשבוע שעבר הזמינוהו אחר כבוד להשתתף באיזה סיור מסתורי בסביבות רמאללה, סיור שהיה בו גם משה דיין שלך. מישל חזר אפוף חשיבות וחשאיות, ועם־זאת – נלהב כגימנזיסט: לא חדל להעריץ באזני את "עָרמתו האידיאליסטית" של דיין, ש"כאילו יצא אלינו ישר מספר שופ־טים." קונן על הבזבוז המשווע, המתבטא בכך שכרגע אין לגי־בורו החדש שום תפקיד ממלכתי. התרברב בשאלה חריפה שדיין ירה בו פתאום והוא, לדבריו, לא נבוך אלא השיב "על המקום, מן המותן" כי "בתחבולות תקנה לך ארץ." וזכה בחיוכו של דיין ובכינוי "בחורצ'יק פיקח."

"מישל", אמרתי, "מה קורה לך? אתה מסתחרר?" הוא חיבק את כתפי במחוָה חברה'מנית לא־לו וחייך והשיב לי בנועם: "מסתחרר? להיפך. משתחרר. משתחרר מחרפַּת העוני. בואי נגיד, גברת סומו, שאַת עוד תחיי אצלי כמו מלכת אסתר. שאֵרך כסותך ועונתך אני לא אגרע, אפילו שאַת אולי לא מכירה את זה. עוד מעט אחי בעצמו יבוא אצלנו לבקש טובות ואנחנו לא נמנע טוב מבעליו. כמו שכתוב אצלנו, ענוים יירשו ארץ."

לא יכולתי להתאפק מלנעוץ בו חץ קטן: שאלתי מה קרה פת־אום לסיגריות "אירוֹפה" שלו, למה התחיל עכשיו לעשן במקומן "דַאנהיל"? מישל לא נעלב. רגע התבונן בי, משועשע, ומיד משך בכתפיו, גיחך "נשים, נשים" ופנה למטבח להכין לנו סטֵיי־קים עם צ'יפס. ולפתע שׂנאתי אותו.

ובכן, שוב ניצחת. במחי מהלך אחד רמסת את בקתתנו, ניפ־צת את האגרטל הסיני, שלפת ממעמקיו של מישל איזה אלכס

גרוֹטֶסקי קטן במהדורה עממית מנוקדת. ובתוך כך, כמו ז׳ונגלֶר של קרקס, שילחת את זקהיים לעזאזל בבעיטת עקב נעלך בעוד נשיפת פיך עוקרת את בועז מאחיזתנו הרופפת ומפריחה אותו עד זכרון, שם שתלת אותו בדיוק נמרץ במשבצת שסימנת בשבילו על מפת המלחמה שלך. כל אלה עוללת בלי שתטרח אפילו להגיח מעב הענן. כמו לוויין הרס מעופף. הכּוֹל בשלט־רחוק. הכּוֹל בלחיצת כפתור.

את השורות האחרונות כתבתי עכשיו בחיוך. אַל תצפה הפעם לעוד נסיון התאבדות, כמו אלה שהביאוך בסוף לידי גיחוך יבש עם ״תרגולת שטיפת הקיבה״. הפעם אני אגוון קצת. אגמול בהפתעה על הפתעה.

כאן אפסיק. אניח אותך בחושך. לֵך, עמוֹד בחלון שלך. חבק את כתפיך בזרועותיך. או שכב ער על מיטת משׂרדך בין שני ארונות־הברזל וחכה לאחר יאוש לחסד שאינך מאמין בו. ואני מאמינה.

אילנה

☆

טיוטות שרשם פרופ׳ א.א. גדעון על־גבי כרטיסיות קטנות

176. ואילו חוָיית הזמן שלו היא דו־ממדית לחלוטין: עתיד ועבר. ברוחו המעוּנָה משתקפות זו בזו בלי הרף התפארת הקדומה, המקורית, שנהרסה בידי כוחות הטומאה והתפא־רת המובטחת אשר תשוב ותכּוֹן עם ״חידוש ימינו כקדם״, לאחר הטיהור הגדול. תכלית מאבקו היא: להשתחרר מצפָּרני ההווה. להרוס את ההווה עד היסוד.

177. שלילת ההווה היא מַסוֶה לשלילת עצמו: ההווה נתפס כסיוט, כגלות, כ״ליקוי־מאורות״, מפני שהאני – מוקד חוָיית ההווה – מוחש כמועקה לא־נסבלת.

178. ובעצם, חוָיית הזמן שלו אינהּ דו אלא חד ממַדית: גן־העדן שהיה הוא גן־העדן שיהיה.

178/א. ההווה הוא אפוא אפיזודה עכורה, כתם על יריעת הנצח: יש למחוק אותו (בדם ואש) מן המציאות ואף מן הזכרון, כדי לבטל כל חיץ בין הילת העבר להילת העתיד ולאפשר

את התמזגותן המשיחית של שתי ההילות האלה. להבדיל בין קודש לחול ולסלק כליל את החול (ההווה, האני). רק כך ייסָגר המעגל. תתוקן הטבעת השבורה.

178/ב. העידן שלפני הלידה והעידן שלאחר המוות, שנַיִם שהם אחד. תָכנו: ביטול האני. ביטול המציאות כולהּ. ביטול החיים. "הִתעלות".

179. התגשמות האידיאל: העבר הנשׂגב והעתיד המזהיר מתלכ־דים ומוחצים ביניהם את ההווה הטמא. יורד ונפרשׂ על היקום מין אַל־זמן נורא־הוד, נצחי, שמהותו היא מעל לחיים, מחוץ לחיים ובניגוד גיאוֹמֶטרי אליהם: "העולם הזה הוא פרוזדור". או: "מלכותי אינהּ מן העולם הזה".

180. הלשון העברית הקדומה מבטאת זאת במבנה העמוק שלהּ: אין להּ כלל זמן הווה. במקומו יש רק צורת בינוני. – "ואב־רהם יושב פתח האוהל". לאמור, לא "אי־פעם ישב אב־רהם", ולא "אברהם נהג לשבת", ולא "בעת כתיבת הדב־רים האלה אברהם יושב", וגם לא בעת קריאתם, אלא כבהוראות בימוי של מחזה: בכל פעם שהמסך מתרומם – נשקף אלינו אברהם היושב פתח אָהלוֹ. מעולם עד עולם. והוא ישב והוא יושב והוא יֵשב לעולמי־עד בפתח האוהל ההוא.

181. אבל, פרדוכּסלית, השאיפה להרוס את ההווה בשם העבר והעתיד מקפלת בתוכה את היפוכהּ: ביטול כל הזמנים. קפ־און. הווה נצחי. כאשר יתחדשו הימים כקדם ותִכּוֹן מלכות־שמים יעמוד הכּוֹל מלכת. היקום ייעָצר. התנועה תסולק ועִמהּ יורחק גם האופק. ישתרר זמן הווה אינסופי. ההיס־טוריה, יחד עם המשוררים, מגורשת ממדינתו האידיאלית של אפלטון. ושל ישו ושל לותֶר ושל מַרכּס ושל מאוֹ ושל כל האחרים. וגר זאב עם כבש – לא בשביתת־נשק זמנית אלא אחת ולתמיד: אותו זאב. אותו כבש. בלי אִוושה ובלי משב רוח. ביטול המוות דומה בכּוֹל למוות. הביטוי העברי המיסטי "אחרית הימים" פירושו: אחרית הימים. פשוטו כמשמעו.

182. ועוד פרדוֹכּס: ביטול ההווה השפל לטובת הווה נשׂגב

שנושקים בו עבר ועתיד, פירושו גם: קץ המאבק. עידן השלום והאושר הנצחיים. אשר בו אין שום צורך בלוח־מים, במַרטירים מורי־דרך, במשיחים מושיעים. במלכות הגאולה אין אפוא מקום לגואל. נצחון המהפכה הוא כליונה, כמו האש של הֶרקליטוס האפל. עיר האלוהים המשוחררת אינהּ זקוקה למשחררים.

183. הפתרון: למוּת על מפתנהּ.

184. וכך, בקצף על שׂפתיו, הוא נלחם נגד כל עולם ההווה בשם עבר ועתיד, שאותם הוא שואף להפוך להווה נטול־עבר־ועתיד. דבר והיפוכו. בהכרח נגזר עליו להתקיים בתוך אקלים קבוע של אימה, רדיפה וחשד. פן הערים עליו ההווה. פן נלכד בפיתויים. פן עלה בידי סוכני ההווה להסתנן, או לחלחל בתחפושׂת, אל לב מחנה הישועה. עֳנ־שו: הזוָעה המתמשכת של צללי בגידה מכל עבר. צללי בגידה חמקמקים גם במרתפי נפשו שלו. "השׂטן מפעפע בכּוֹל".

לרחל מורג,
קיבוץ בית־אברהם, דואר נע גליל תחתון.

4.8.76

שלום רחל,

אני צריכה לשמוע בקולך ולהשתנות. לנתק מגע עם העבר. להיות מעכשיו רעיה ועקרת־בית. לגהץ לבשל לנקות ולסרוג. לשׂמוח בהישׂגי בעלי ולראות בהם את אָשרי. להתחיל לתכנן וילונות לדירה החדשה, שאליה נעבור בחורף. להסתפק מהיום והלאה בריחו החם, ריח לחם שחור וגבינה וזיתים חריפים. בריח הטַלק והשתן בחדר הילדה בלילות. ובריחות הטיגון במט־בח. לשוא אני מהמרת "על כל מה שיש לי". אסור לשׂחק באש. שום אביר לא יבוא על סוסו לקחת אותי מכאן. ואם יבוא לא אלך. אם אלך שוב אחטא לכולם ואביא על עצמי רק סבל. תודה לך שאַת מזכירה לי כפעם בפעם את חובתי. סלחי על כל העלבו־נות שהטחתי בך חינם. אַת צדקת כי נולדת צודקת. מעכשיו

אהיה בסדר. אתעטף בחלוק־הבית ואנקה רשתות וחלונות. אדע את מקומי. אערוך צלחות פיצוחים למישל ואורחיו. אדאג שהקפה לא יחסר. בעצמי אלך עמו לבחור לו חליפה יפה במקום חליפת התכלת. אנהל פנקס קניות. אלבש את שִׂמלתי החוּמה ואתלווה אליו לאירועים ציבוריים שיוזמן אליהם. לא אבייש אותו. כשירצה לדבר, אשתוק. כשירמוז לי שאדבר אוֹמַר רק דברי טעם ואקסים את כל מיודעיו. אולי אלך ואירָשם כחברה במפלגתו. אתחיל לחשוב ברצינות על קניית שטיח. בקרוב נק־בל טלפון: כבר הקדימו לו את תורו בעזרת אחיה של חברתו ז׳אנין. תהיה גם מכונת־כביסה. ואחריה טלביזיה צבעונית. אסע עמו לכפר־שמריהו להתארח אצל שותפיו לעסקים. ארשום בשבילו על פתק הודעות שתתקבלנה בטלפון. אדאג שלא יטרי־דוהו. אגונן עליו בטַקט מפני מבקשי חסדים. אעבור למענו על העתונים ואסמן בעפרון קטעים העשׂויים לעַניינו או להביא לו תועלת. מדי ערב אצפה לשובו, אגיש לו ארוחה מגוּונת, אמלא אמבטיה חמה, ואחר־כך אשב לשמוע מפיו את סיפור הצלחות יומו. אדווח לו בקוים כלליים על חדשות הילדה והבית. אטפל בעצמי בחשבונות המים והחשמל. ערב־ערב אכין למראשות משכבו כותונת לבנה מגוֹהצת ומעומלנת ליום הבא. מדי לילה אשמש אותו. מלבד בלילות שבהם ייאָלץ ללון מחוץ לבית לרגל עבודתו. אז אשב לבדי ואלמד תולדות האמנות בהתכתבוּת. או אצייר בצבעי־מים. או אמשח את הכורסות בלַכּה. אתמחה בבי־שול מזרחי עד שאתחיל אולי להתקרב למדרגת אמו. אסיר ממנו את עול הדאגה ליפעת, שיוכל להתמסר למפעליו. אשתו כגפן פוריה בירכתי ביתו. רחוק מפנינים מִכרהּ. כבודהּ בת־מלך פנימה. השנים תחלופנה ומישל ילך מחיל אל חיל. יצליח בכל מעשיו. אשמע את שמו ברדיו. אדביק את תצלומיו באלבום. יום־יום אסיר את האבק מעל הסוּבֶנירים שלו. אקבל על עצמי לזכור את השׂמחות וימי־ההולדת של כל בני השבט. לקנות מתנות חתונה. לשגר מכתבי תנחומים. ליַצג אותו בבריתות־מילה. לבדוק את מצאי הלבָנים ולפקח על נקיון גרביו. כך יזרמו החיים באפיק מתון והגון. יפעת תגדל בבית מסור וחם ובאוירה יציבה למופת. לא כמו בועז. בבוא היום נשׂיא אותהּ לבנו של

סגן־שר או מנכ״ל. ואני אישָאר לבדי. בקומי מדי בוקר אמצא שהבית ריק כי מישל כבר יצא מזמן. אכין לי קפה עם גלולות הרגעה, אתן הוראות לעוזרת ואצא העירה להסתובב עד הצה־רים בחנויות. בשובי אבלע וַאליום או שנַים ואנסה להירָדם עד הערב. אעלעל באלבומי אמנות. אאבק את חפצי הנוֹי. ומדי ערב אעמוד מחכה בחלון, אולי יבוא. או לפחות ישלח את עוזרו להביא לו זַ׳קט טרי מהארון ולהודיע לי כי יתעכב. אכין כריכים לנהגו. אתחמק בחן ובטַקט משאלות טרדנים בטלפון. ארחק מסקרנים וממצלמות. בשעות הריקות אשב ואסרוג סוֶדר לנכד. אטפל בעציצים ובכלי־הכסף. אולי אירָשם למחשבת ישראל, כך שבמוצאי־השבתות אוכל להפתיע את אורחיו ואותו בפסוקים מתאימים. עד שיעברו הנאספים משיחת נימוסין אל העיקר. ואז אתחמק על בהונות למטבח ושם אשב עד לֶכתֶם ואברור מַתכּוֹנים מספרי הבישול הכשר. אולי אצטרף לבסוף לאיזו ועדה של נשות עסקנים למען הילד הנחשל. אדע להעסיק את עצמי. לא אהיה למעמסה. ובחשאי אדאג לצמצם את כמות המלח במאכליו על־פי הוראות הרופא. בעצמי איכָּנס לדיאֶטה חריפה, כדי שלא להביך אותו במשמני בשׂרי המזקין. אתעמל. אזלול ויטָמינים וגלולות שלוָה. אצבע את שׂערי המאפיר. או אתחיל לחבוש שביס. אעבור לכבודו ניתוח למתיחת עור פני. ומה אעשה בחזִי שיֵלך ויבּוֹל. מה אעשה ברגלי שתצבינה ותתכסינה בתשבץ של דליות וּורידים נפוחים. מה אעשה רחל. הן אַת חכמה ויודעת וּוד־אי יש לך עצה לאחותך הקטנה, המבטיחה להתנהג יפה ולא לשׂחק באש. שמרי על עצמך.

אילנה

ד״ש לילדים וליואש ותודה על ההזמנה.

☆

[מברק] גדעון איליוניב שיקאגו. סולח לך ומוכן לפתוח דף חדש. הקונה מציע עכשיו שנים־עשר עבור הנכס בזכרון. יתיר לבועז להישָאר. אם תסכים התפטרותי מבוטלת. חרד לבריאותך. מאנפרד.

☆

[מברק] אישי זקהיים ירושלים ישראל. שלילי. אלכס.

☆

[מברק] גדעון איליוניב שיקאגו. לא אעזוב אותך. מאנפרד.

☆

[מברק] אישי זקהיים ירושלים ישראל. דווח על בועז. דווח על סומו. ייתכן שאבוא בסתיו. אל תלחץ. אלכס.

☆

פרופ׳ א. גדעון
אוניברסיטת מדינת אילינוי
שיקאגו, אילינוי, ארה״ב.

9.8.76

שלום אַלק.

אתמול בבוקר נסעתי לחיפה לבקר אצל אביך בסנטוריום על הכרמל. אבל בדרך, בדחף רגעי, ירדתי בתחנת חדרה ועליתי על אוטובוס לזכרון. מה היה לי לחפשׂ אצל בננו? לא ניסיתי לצייר לי איך יקבל את פנַי. מה אעשה אם יגרשני. או ילעג. או יסתתר מפני באיזה מזָוֶה נטוש. מה אגיד לו אם ישאל למה באתי?

נסה לראות את התמונה: יום קיץ כחול־לבן, אף כי לא לוהט, ואני במכנסי־ג׳ינס ובחולצה לבנה דקיקה, תיק־קש תלוי על כתפי, נראית אולי כמו סטודנטית בחופשה שנתית, עומדת ומהססת לפני שער־הברזל החלוד, שעליו מנעולים חלוּדים קשורים בשרשרת חלודה. תחת סנדלי חורק החצץ הנושן האפור שקוֹצים ועשׂבים שוטים עלו בו. באויר תוזזות דבורים. מבין הסורגים המעוקמים נשקפת אלי הטירה באבן זכרוֹנית כהה. החלונות האפלים פעורים כמו לועות בלי שינים. גג הרע־פים נהרס ומתוך הבנין, כלהבה, פורצת בּוּגֶנוויליאה פראית ופוגשת ביערה שצִפָּרניה נעוצות בכתלי הבנין מבחוץ.

כרבע שעה עמדתי שם, עיני מחפשות בבלי דעת את ידית

המצילה שהיתה כאן לפני אלף שנה. שום קול לא נשמע מן הבית או מן החצר, מלבד אִוושת הרוח בצמרות הדקלים הזקנים ולחי־שה אחרת, דקה ממנה, במחטי האֳרנים. הגן הקדמי התכסה חרו־לים ויַבּלית. הַרדופים מגודלים, אדומים בפריחתם כשודדי־ים, קברו תחתיהם כליל את בריכת דגי הנוי והמזרקה ואת רחבת הפסיפס. פעם עמדו כאן פסלי־אבן תמוהים, גָלמיים, של מלני־קוב. ודאי נגנבו מזמן. ריח רקבון רפה נגע בנחירַי וחדל. עכבר־שׂדה מבוהל חלף לרגלי כמו חץ. ולמי ציפיתי? אולי לעבד הארמני שיבוא במדי־השׂרד שלו ויפתח בקידה את השער?

ברבות השנים התקרבה המושבה אל ביתך אך טרם הגיעה אליו. במורד הגבעה ראיתי וילות חדשות מצועצעות בצריחים סרי־טעם. כיעורן כמו היטיב מעט עם האדריכלות היומרנית של אביך. הזמן וההרס העניקו מעֵין חנינה למצודת העריצים המֶלנכּולית.

צפור לא־נראית נתנה עלי קול שכמעט דמה לנביחה ואני התחלחלתי לרגע. אחר־כך שבה הדממה. ממזרח נשקפו אלי שלוחות הרי מנשה, מיוערות, מבליחות בהבהקים חולפים של זוהר ירקרק מרצד. וממערב, אפור כמו עיניך ומצועף הבל, השׂתרע הים בקצה מטעי הבננות. בין המטעים האלה ניצנצו בריכות הדגים של הקיבוץ השכן, אשר נגדו ניהל אביך מסע צלב שוצף עד שהצלחתם להביס ולכלוא אותו. יד זרה צבעה על חלודת השער אזהרה בסגנון מיושן: "רכוש פרטי – הכניסה אסורה בהחלט – מסיגי גבול ייעָנשו בכל חומר הדין". גם האזה־רה הזאת דהתה ברבות השנים.

מה עמוקה היתה דומיַת המקום. הריקנות. כאילו האויר עצמו נטען בכל חומר הדין. ולפתע ירדה עלי תוגת מעשים שהיו ואין להשיב. געגוע חריף, פולח כדקירת כאב גופני, אליך ואל בנך ואל אביך. חשבתי על שנות ילדותך באחוזה העגומה הזאת, בלי אֵם בלי אח ואחות בלי חבר מלבד קוף־הרֶזוּס הקטן של אביך. מות אמך בליל חורף בשעה שלוש לפנות־בוקר, עזובה בטעות לנפשהּ בחדרהּ שהראית לי פעם, חדר דמוי תא מתחת לקורות הגג, חלונו פונה אל הים. האחות הלכה לביתהּ לפנות־ערב, אחות־הלילה לא הגיעה, ואילו אביך נסע להביא ספינת ברזלי־

בנין מאיטליה. זכרתי את פניה בתצלום החום, נוסח רוסי, שני־
צב תמיד בין שני נרות לבנים על כוננית בחדר־הספריה של
אביך ומאחוריו אגרטל קבוע ובו פרחי אלמוות. ודאי כבר אבדו
ואינם התצלום, האגרטל, הנרות ופרחי־האלמוות.

זכר התצלום ההוא הביא לי את ריחות הטבק היגון והוודקה שהקיפו כל הימים את אביך ואת המון חדריו. דומה לריח הים והמִדבר אשר בננו מדיף עכשיו. האוּמנם אני אסונכם? או להי־פך, האסון כבר קינן בכם ואני לחינם ניסיתי להשיב את שאין להשיב ולתקן את אשר מראש לא היתה לו תקנה?

התחלתי לפסוע לאורך הגדר עד שמצאתי פִּרצה ועברתי ברכינה בין התיל הדוקרני ועקפתי מרחוק את הבית בסבך צמ־חי־הבר. שוב הבעיתה אותי הצפור הנובחת. דרדרים שגבהו עד כתפי ננעצו בבגדי ובעורי כאשר פילסתי ביניהם את דרכי אל החצר האחורית. ליד מחסן הגינה, בצל האֶקליפטוס העקוֹם שעליו בנית מבצר מעופף בילדותך, מצאתי ספסל סדוק. שׂרוטה ומאובקת צנחתי לשבת עליו. מן הבית יצאה דומיה. יונה נכנסה בחלון ויצאה בחלון אחר. לטאה דמוּיַת נחש חמקה אל מתחת לגל אבנים. לרגלַי התיַגעה חיפושית־זבל להדוף את כדורהּ הפעוט. הצפור הנובחת נשמעה לי קרובה כמטחוֵי אבן אבל לראותהּ לא הצלחתי. שתי צרעות לפותות במאבק לחיים ולמוות או בהזדווגות נזעמת התווּ קו מפותל באויר עד שצנחו שתיהן בנקישת חבטה על הספסל: התרסקו? התפייסו? היו לבשׂר אחד? לא העזתי לרכון אליהן. המקום נראה לי נטוש. בועז שוב ברח לנדודיו? פחד נפל עלי. נשבה צחנה דקה, טמועה בריחות אקליפטוס. החלטתי לנוח עוד כמה דקות ולהסתלק.

לפני המחסן הבחנתי במחרשה חלודה בתוך גל של זמורות רקובות. היה גם מגוֹב מפורק. ושני גלגלי־עץ גדולים קבורים למחצה באדמה. בתוך העזובה גיליתי את שולחן הגינה שסביבו ישבנו פעם, התבדחנו, שתינו מיץ רמונים עם קרח מתוך כוסות יְוָניות חטובות ואכלנו זיתים חריפים. מה נותר מן השולחן הזה? טבלת־שיש שבורה נשענת בנס על שלושה גדמי גזעים, מזוהמת כולהּ בפֶרש יונים ירקרק. מעלי ענני נוצה נוסעים כחולמים מזרחה. אלף שנים חלפו מאותו יום קיץ שבו הבאת אותי לכאן

בפעם הראשונה כדי להתפאר בי לפני אביך או להפגין את תוע־
פות אביך לפנַי. עוד בדרכנו, בג׳יפ הצבאי השחצני שלך עם
האנטנה וכנַת המקלע, הזהרת אותי כמתלוצץ שלא אעז להת־
אהב באביך. והוא אמנם העיר בי מעין חמלת אם מעורפלת:
ככלב מגודל היה, כלב ענק, לא חכם, החושׂף את שיניו לשעשע
ונובח בקולי־קולות ומכשכש לא רק בזנבו כי במחצית גופו,
מתחנן על לטיפת חיבה, יוצא במחולות התידַדות, מזנק בעסק
גדול ושב להניח לרגלי איזה זרד או כדור של גומי.

אכן חיבבתי אותו. האם הזדמן לך אי־פעם לשמוע על חיבה?
אף כי אין לה שום קשר עם תחום ההתמחות שלך? חפש במלון
או באנציקלופדיה. נסה באות חית.

נגעה אל לבי גסותו. חיזוריו המגושמים. עצבותו המחופשׂת
לעליצות. קולו העבה. תאבונו. גינוני הקַואלֶר המיושנים.
תשומת־לבו הסוערת. הורדים שטרח להגיש לי בעסק גדול.
תפקיד בעל־האחוזה הרוסי שגילם לכבודי בהפרזה. נעם לי כוחי
לשמח את ערירותו הרעשנית, כמשתתפת בכובד־ראש במשׂחקו
הנלהב של ילד. ואתה הורקת מקנאה. לא חדלת לנעוץ בשנינו
את מבטי האינקוִיזיטור הקפואים. בקַטַקומבות של דמיונך,
כבציור של דירֶר, ודאי תחבת אותי אל בין זרועותיו. ושחטת
בפגיונך את שנינו. אַלק האומלל.

רפויה, לטופת רוח ים, ישבתי על הספסל וזכרתי קיץ אחר,
הקיץ שלנו באשקלון אחרי ששת־הימים: הרפסודה המאולתרת
שבנית מכלונסאות מהודקים בחבל, בלי להשתמש במסמרים.
״קון־טיקי״ קראת לה. סיפרת לבועז על־אודות יורדי־ים צידו־
נים שהפליגו עד קצה העולם. על ויקינגים. על מובי דיק ועל
קפטן אחאב. על מסעות מאגֶלאן ודֶה־גַאמה. לימדת אותו לקשור
ולהדק קשרי ספנים וידך הבוטחת מנחה את כפו הקטנה. ואחר־
כך אֵימַת המערבולת. הזעקה לעזרה היחידה ששמעתי אי־פעם
מפיך. ואחר־כך הדייגים ההם. זרועותיך החזקות נושאות אותי
ואת הילד תחת שני בתי־שֶׁחיך כמו כבשׂה וטָלה מסירת הדייגים
אל החוף. דמעות התבוסה שדימיתי לראות בעיניך כשנחלצנו
מן המים, ואתה בשארית כוחותיך הנחת אותנו על החול. אם רק
לא היו הן מי מלח, שזלגו משׂערך אל פניך.

מכיווּן האגף בא קול אשה במשפט־שאלה מתנגן. אחרי רגע השיב להּ בנך בבַּאס השקט שלו ארבע או חמש מלים שאותן לא הצלחתי לפענח. מה יקר לי קולו האִטי. דומה־לא־דומה לקולך. מה אגיד לו אם יבחין בי? למה באתי לכאן? די היה לי בשמיעת צליל קולו. בו־ברגע החלטתי להתחמק בלי שיגַלוני.

אלא שבחצר הופיעו שתי נערות. האחת כהה ומעוגלת, בסנדלים ובמכנסַים קצרים, ופרחי פטמותיה מאפילים תחת חולצת־טריקוֹ רטובה, וחברתהּ דקת־גו, מיניאטוּרית, צומחת כגבעול מתוך שׂמלתהּ הארוכה. שתיהן החלו לנכש במעדרים את היַבּלית, החבלבל וירוקת־החמור שפשטו לרגלי המדרגות. דיברו ביניהן אנגלית רכה, מתנגנת, ובי לא הבחינו כלל. עדיין קיויתי להיעָלם. מחלון האגף עלה ריח טיגון עם ניחוח בעירתם של ענפי אקליפטוס לחים. עז קטנה יצאה מן הבית, ואחריה, מחזיק בחבל, בועז עצמו – שחום, גבוהּ אולי עוד יותר משהיה כשראיתיו לאחרונה בירושלים, מפלי רַעמתוֹ כגוון הזהב השׂרוף יורדים לו למטה מכתפיו ומלחכים את תלתלי חזהו, יחף ועירוֹם כולו מלבד פיסת בגד־ים כחול: מוֹגלי ילד הזאבים. טַרזָן מלך הג׳וּנגל. השמש חרכה לו עד לובן את ריסיו, את גבות עיניו, את זיפי לחייו הבלונדיניים. הוא קשר את העז לענף. עמד בזרועות שלובות, וצל של חיוך על שׂפתיו. עד שאחת הנערות הרימה אליו את מבטהּ ונתנה צווחת ״וָאוּ״ אינדיאנית. חברתהּ ידתה אבן קטנה בחזהו. אז הסב הדוֹפֶן את ראשו וראה אותי ומיצמץ. גירד באִטיוּת את ראשו. אט־אט הופיע על פניו חיוּכך המבודח, הציני, והוא קבע במנוחה כמזהה איזה עוף נפוץ: ״הנה אילנה הגיעה.״

כעבור רגע הוסיף:

״זאתי אילנה סומו. האמא היפה שלי. מַי בִּיוּטִי מַאדֶר. ואלה סַנדרה וסינדי. גם כן שתי יפות. קרה משהו, אילנה?״

קמתי והלכתי לקראתו. כעבור שתי פסיעות נעצרתי. כגימנזיסטית מבולבלת עמדתי ומוללתי את רצועת תיק־הקש שלי. עיני בגובהּ חזהו, הצלחתי למלמל כי פשוט נעצרתי כאן, כי בעצם אני בדרכי לביקור אצל רחל בבית־אברהם, וכי אינני

רוצה להפריע.

למה שיקרתי לו כבר במלים הראשונות?

בועז תחב את אצבעו אל מאחורי אָזנו, שוב התגרד באי־חשק, הירהר קצת, ואמר: "בטח אַת צמאה מהדרך. סינדי תביא לך מים. סינדי, בְּרינג ווטֶרס. רק שהם לא קרים בגלל שאין לנו חשמל. מים גם לא היה, אבל אתמול תפסתי בין הקוצים את הצנור של גן הנדיב והלבשתי עליו ברז. איך הקטנה? מתגנדרת? אוכלת בון־בונים? למה לא הבאת אותהּ?"

אמרתי שיפעת בגנון. מישל יקח אותהּ היום. וששניהם ביקשו למסור ד"ש. וגם זה, כמובן, היה שקר. כדי לחפות עליו, או מרוב בלבול, הושטתי לו את ידי. הוא התכופף קצת ולחץ אותהּ בלי חפזון. כמו שוקל בכפו אפרוח. "הנה. תשתי. אַת נראית מיובשת. את שתי הנחמדות האלה תפסתי בסיבוב פרדס־חנה. הם גמרו התנדבות בקיבוץ ויצאו להסתובב קצת, אז הבאתי אותם להנה שיעזרו לבנות את המדינה. תגידי לסומו שזה בסדר, אין לו בעיה, כי הם בערך יהודיות."

שתיתי מים פושרים מספל־פח שהביאה סינדי. בועז אמר:

"עוד מעט נאכל יונים. אני תופס אותם בתוך החדרים שלמעלה. היום אַת אוכלת אצלי. יש לחם ודג מלוח ויש לי בירה, אבל גם כן לא קרה. דוּ בּיג אוֹמלֶט סַנדרה, אולסוֹ פוֹר דֶה גֶסט. מה יש לך? מה כבר מצחיק?"

מסתבר שחייכתי בבלי דעת. וגימגמתי מלות התנצלות על שלא הבאתי אִתי קצת מצרכים. ממני, אמרתי, כנראה לא תצא אף פעם אמא טובה. בועז אמר: "זה נכון, אבל לא משַנה," והניח זרועו על מָתני והוליך אותי אל הבית. זהירה וחזקה היתה אחיזתו סביב גופי. כשהגענו למדרגה מעוקמת אמר: "תשגיחי, אילנה."

הוא עצמו כופף את ראשו כשעברנו בדלת. בפנים שׂררה אפלולית קרירה ובהּ ריח קפה וסרדינים. נשׂאתי אליו את עיני, נדהמת למחשבה שהגבר הזה, המפואר, יצא מגופי והיה נרדם על שדי. זכרתי את מחלת הדיפטֶריה שסיכנה את חייו בגיל ארבע ואת הסיבוך בכליות ערב גירושינו, אַלק. את הכליה שהתכוונת לתרום לו. לא ידעתי להסביר לעצמי איזה שד נשׂא

אותי הנה. לא מצאתי מלה להגיד לו. ובנך עמד ושתק, מבחין במבוכתי, סוקר אותי בלי מבוכה, בסבלנות, בתמיהה קלה, ני־נוח כטורף שָׂבֵעַ. לבסוף מילמלתי בטפשות:

"אתה נראה טוב מאוד."

"ואַת דווקא לא, אילנה. אַת נראית מועלבת. אבל זה רגיל אצלך. תשבי רגע פה. תנוחי. אני שם קפה על הגאזיה."

ישבתי אפוא על הארגז שבנך פינה בשבילי בבעיטת רגלו היחפה (היו עליו מלפפונים, בצלים ומברג). בתוך העזובה, על־פני המַרצפות המזוהמות והשקועות, יכולתי להבחין בסימני המַאחז המוזר שבועז הולך ומקים לו: מחבת מפויחת, שעוָנית, שׂק מלט, שני סירים ופינג׳אן מקומט, מברשות ופחיות צבע, מזרנים ישנים שעליהם נפזרו תרמילי הבנות והקיטבֶּג שלו בתוך מהומת כלי בנין, חבלים וקופסאות שימורים וג׳ינסים שלהן ושלו וחזיה ורדיו־טרנזיסטור. בפינת החדר נח אוהל או מפרש־ברזנט מקופל. היה גם שולחן מאולתר: דלת־עץ נושנה, מתקלפת, שהושכבה על שתי חביות. על השולחן הזה ראיתי גלילי מתכת כהים וביניהם צנצנת ריבה, נרות עם גפרורים, פחיות בירה מלאות וריקות, ספר גדול ששמו "העדשה והאור", מנורת־נפט וחצי כיכר לחם שחור.

שאלתיו אם הכּוֹל בסדר, אם חסר לו כאן משהו. ומיד, בלי להמתין לתשובתו, כמתפרצת, שמעתי את עצמי מוסיפה ושוא־לת אם הוא עוד כועס או מתמרמר.

חיוך כמוס, מלכותי, העלה על פניו הצרובים הבעה של חָכמת יסורים סלחנית, ארשת שלהרף־עין הזכירה לי את סָבו.

"לא ממורמר. בכלל, אני נגד להיות ממורמר על אנשים דפוקים."

שאלתי אם הוא שׂונא אותך. ומיד התחרטתי.

שותק. מתגרד כמו מתוך שינה. ממשיך להתעסק בפינג׳אן המפויח שעל הגאזיה.

"תענה לי."

שותק. מַחוֶה תנועת יד רחבה, הכף הפוכה כלפי מעלה. מצק־צק בלשונו פעמַים:

"שׂונא? מה פתאום. לא שׂונא. אני נגד לשׂנוא. אצלי זה בערך

ככה: אין לי ענינים אִתו. חבל שירד מהארץ. אני נגד לרדת, כל זמן שהמדינה בצרות. אפילו שגם לי בא לנסוע, ובאמת אני יסע איך שהמדינה תצא מהצרות."

"ולמה הסכמת לקבל ממנו את הבית הזה?"

"מה 'כפת לי לקחת ממנו כסף? או ממישל? או משניהם? בין כה אף אחד לא הרויח את הכסף הזה מעבודה. זה כסף שצמח להם על העץ. מי שרוצה, שיתן לי. אין בעיה. דווקא יש לי מה לעשות עם הכסף. הנה, רתחו המים. נרביץ כוס קפה. תשתי, תרגישי יותר טוב. שׂמתי לך סוכר ובחשתי. מה אַת מסתכלת עלי ככה?"

מה דחף אותי לענות לו שאני מיותרת. שלא אכפת לי למות. שכך יוטב לכולם.

"יאללה. תהפכי כבר דף. מספיק עם הזיבּולים האלה. יפעת עוד בקושי בת שלוש וחודש. מה פתאום שתמותי? נפלת על הראש? במקום זה יותר טוב תיכנסי בויצו או משהו. תקלטי עולים חדשים. תסרגי כובעים לחיילים. חסר מה לעשות? מה הסיפור שלך?"

"אני... כל דבר שנגעתי בו נהפך לי בידים למפלצת. אתה מבין את זה בועז?"

"האמת? אני לא מבין. אבל זה שאני לא מבין זה עוד לא אומר, כי אני קצת דפוק בראש. מה שאני כן מבין זה שאין לך מה לעשות. אַת לא עושה כלום אילנה."

"ואתה?"

"אז ככה. נכון להיום אני פה עם שתי הפרגיות האלה, נותן להם עבודה וגוּד טַיים, אוכל, עובד קצת, מזיין, שומר לו על הבית שלו בשביל משׂכורת חָדשית, ועוד עושה לו שיפוצים כל מיני. עוד חודש־חָדשַים הולכת להיות פחות חירבּה במדינה. או־לי תבואי לפה גם? יותר טוב מלמוּת. גם ככה מתים בארץ יותר מדי. הורגים ומתים כל הזמן במקום לעשות חיים. איפה שאתה מסתכל – הכּול מלא חכמי־חלם, רק שבחלם לא היה להם טַנקים ופה יש עם מה להרוג. היום אנחנו מתחילים גן ירק. אַת יכולה להישָאר פה. לי זה בכלל לא יפריע ואני לא יפריע לך. תעשׂי פה מה שבא לך, תביאי את יפעת, תביאי את מי שבא לך. אני יתן

לכם עבודה ואוכל. עוד פעם התחלת לבכות? החיים לא מתיַחסים אליך מספיק יפה? תישָארי כמה שבא לך. לא חסר כאן עבודה וכל ערב סינדי מנגנת לנו בגיטרה. אַת יכולה לבשל. או שתתפ־לי בעִזים? עוד מעט יהיה דיר עִזים. אני ילמד אותך."

"מותר לשאול אותך משהו?"

"לשאול, זה לא עולה כסף."

"תגיד: אתה כבר אהבת פעם? אני לא מתכוונת... במיטה. אתה לא חייב לענות לי."

שותק. מניע ראשו מימין לשמאל, לשלילה, כאילו נואש מטפשותי. ואחר־כך, בעצב ובעדינות: "אבל בטח שאהבתי. אַת רוצה להגיד לי שבכלל לא שׂמת לב?"

"את מי?"

"אבל אותך, אילנה. ואותו. מתי שעוד הייתי כזה קטן וחשב־תי אותכם הורים. הייתי משתגע מהצעקות והמכות שלכם. חשבתי שהכּול בגללי. מאיפה היה לי לדעת. כל פעם שהיית מתאבדת ולקחו אותך לבית־חולים רציתי להרוג אותו. שהזדיינת עם החברים שלו רציתי לשים להם רעל. במקום זה הייתי מכניס מכות למי שרק נכנס בטעות לטווח שלי. הייתי סתום בלחץ. עכשיו אני נגד להכניס מכות חוץ ממתי שמישהו מכניס לי. אז אני מחזיר קצת. עכשיו אני רק בעד לעבוד ולתפוס שלוָה. עכשיו אִכפת לי רק על עצמי ועל המדינה."

"על המדינה?"

"בטח. מה, אין לך עיניִם? אַת לא רואה מה הולך פה? המלח־מות האלה וכל הזיבּוּלים? שמתוַכּחים והורגים כל היום, במקום לעשות חיים? אוכלים את הלב ועוד יורים ושׂמים פצצות. אני נגד המצב. אני דווקא די ציוני, אם משַנה לך לדעת."

"אתה מה?!"

"ציוני. רוצה שיהיו בסדר. ושכּל אחד יעשה גם איזה משהו לטובת המדינה, אפילו שיהיה משהו קטן לגמרי, חצי שעה ביום בשביל שיהיה לו קצת טוב על הנשמה ושידע שעוד צריכים או־תו. אחד שלא עושה כלום – תיכף מתחיל להיכָּנס בצרות. תקחי אותך והבעלים שלך. שלָשתכם בכלל לא יודעים מה זה נקרא לחיות. עושים כל הזמן רוּח במקום לעשות משהו. כולל הצדיק

הזה עם החברֶה שלו מהשטחים. חיים מהתורה, חיים מהפולי־
טיקה, חיים מהדיבורים והויכוחים במקום לחיות מהחיים. הער־
בים גם כן כבר נהיו אותו הדבר. למדו מהיהודים איך לאכול את
עצמם ולאכול אחד את השני ולאכול אנשים במקום אוכל נוֹרמ־
לי. אני לא אומר שהערבים הם לא זונות. זונות בריבוע. אבל
מה? זונות זה בן־אדם. לא זבל. חבל עליהם שימותו. בסוף היהו־
דים יגמרו אותם או שהם יגמרו את היהודים או שיגמרו אחד את
השני ועוד פעם לא יהיה כלום בארץ חוץ מהתורה והקוראן
ושועלים וחירבֶּס שרופות.״

״מה יהיה כשתצטרך ללכת לצבא?״

״בטח הם מוּתרים על אחד כמוני. תת־רמה וכל זה. אבל מה?
זה לא מזיז לי. גם בלי הצבא אני הולך לשים על השולחן משהו
מהחיים שלי: בים אולי, או שבאופטיקה. או שאני יתחיל כאן
בזכרון קומוּנה בשביל מופרעים, שיתחילו לעשות איזה חקל־
אות במקום לעשות בעיות. שיהיה אוכל במדינה. קומונה של
דפוקים בראש. דבר ראשון שׂרפתי לבָנות האלה את הכֵּיף: אני
נגד להתמַסטל. יותר טוב לעבוד כל היום ולעשות חיים בלילה.
עוד פעם התחלת לבכות? אמרתי איזה משהו גרוע? סליחה. לא
היה לי בראש לעצבן אותך. מצטער. תזכרי שאַת לא הראשונה
שנולד לה משהו דפוק בראש. לפחות יש לך את יפעת. רק שסו־
מו לא ישגע אותהּ עם התורה והזיבּוּלים שלו.״

״בועז.״

״מה.״

״יש לך זמן עכשיו? שעתים?״

״בשביל מה?״

״תסע אתי לחיפה. נבקר אצל הסבא שלך. אתה זוכר שיש לך
סבא חולה בחיפה? שבנה בשבילך את הבית הזה?״

שותק. ולפתע מניף כברק את כפו האדירה, מנחית מהלומת
גוֹרילה על חזהו העירוֹם ומנער ארצה את זבוב־הבקר המעוך.

״בועז?״

״כן. זוכר. בקושי. אבל מה פתאום שאני יסע אליו? מה יש לי
לחפשׂ אצלו? בכלל, איך שאני יוצא, אפילו פה בזכרון לחנות
כלי בנין, או שאני מעצבן אנשים או שמעצבנים אותי או

שמתחילות מכות. אבל מה? אַת יכולה להגיד לו ממני שאם יש לו משהו מהצד – שגם כן ישלח לי כסף. תגידי שהמפגר מקבל ממי שנותן. בא לי להתחיל לבנות טלסקופ רציני באמת. משהו ישר מהסרטים. שיוכלו לראות מאצלנו בלילה את החלליות שעפות מעל המדינה. את הים בלי המים שיש למעלה על הירח, אולי אַת שמעת על זה. אם שָׂמִים לב קצת לכוכבים וזה, אז פחות שׂמים לב להרגזוֹת שכולם מכניסים לך כל הזמן. ואחרי זה, נראה, אולי יאכטה. קרשים לא חסר פה. שנוכל לשוט בים, שזה מנקה את הראש מכל הזיבולים. הנה האוכל מוכן. תראי, שָׁמה אחרי החלון יש הברז שסידרתי אתמול. תרחצי את הפנים שלך וגמרנו עם השיחת־נפש. נמרח לך כל האיפור. גם סינדי בכתה לי בלי־לה. זה בסדר, שוטף קצת את הנשמה. אִיטינג, סַנדרה. פוּט פוּד פוֹר מַי ליטל מַאדֶר אוֹלסוֹ. לא? אַת הולכת? נשבר לך ממני? שאמרתי לזיין וכל זה? זה מה שיש אילנה. מאתים מטר מהשער האחורי יש לךָ תחנת האוטובוס. אז תצאי מהשער האחורי. אולי היה לך יותר טוב אם בכלל לא היית באה לפה: – באת בסדר ויצ־את בוכה. חכי, לְמַטה במרתף מצאתי את המטבעות האלה. תחת הבּוֹילר של הזקן. שתתני את זה ליפעת ותגידי להּ שזה ממני בּוֹ־זָז ושאני יאכל להּ את האף. תזכרי אַת יכולה לחזור לכאן מתי שבא לך ולהישָׁאר כמה שתרצי. חפשי־חפשי."

למה עשׂית זאת, אַלק? למה שתלת אותו בארמון־הרפאים הזה? האוּמנם רק תאוָתך להכות את מישל במשׂחקו שלו? לרטש את רִקמת החיבה הדקה שהתחילה להתקשר אט־אט בין האיש הקטן שלי וּבין הפרא המגודל? לדחוף את בנך בחזרה אל הג'ונגל? כסוהר הנחפז להפריד בין שני נידונים שהתיַדדו מעט בתאָם ומשליך לצינוק מבודד? "כמו אחרי תאונת מטוס," כך כתבת לי במכתב אור הניאון שלך, "פיענחנו יחד בהתכתבוּת את הקופסה השחורה של חיינו."

כלום לא פיענחנו, אַלק. רק החלפנו חצים מורעלים. הולכת ודועכת תאוָתי להתנקם בך. תם ונשלם. אוַתֵּר. רק תן לי להיות בזרועותיך. להניח אצבעותי על עָרפּךָ. להחליק את בלוריתך המאפירה. לסחוט לפעמים מעוֹרך בּוּעת־שוּמן זעירה, על כתפך

או בפינת הסנטר. לשבת לידך בג׳יפ המוצלף בשוט רוח, לגמא כביש הרים נידח, להתענג על נהיגתך התוקפנית כאַבחת־חרב ועם־זאת מדויקה ומחושבת כמו מכת־טניס יפה. להתגנב יחפה מאחוריך ולהשקיע אצבעות בשׂערך כשאתה יושב רכון אל מכתבתך לפנות־בוקר, קורן בהילת החשמל של מנורת שולחנך, מפצח בדייקנות כירורגית איזה טֶכּסט מיסטי פראי. אהיה אשתך שפחתך. תם המשׂחק. מעתה ייעָשׂה רצונך. אני מחכה.

אילנה

טיוטות שרשם פרופ׳ א.א. גדעון על־גבי כרטיסיות קטנות

185. אמונה מתוך אי־אמונה: ככל שהולכת ונהרסת אמונתו בעצמו, כן מתחזקת אמונתו הלוהטת בַּישועה, כן מתעצם הצורך הדחוף שלו להיוָשע. הגואל הוא כביר, ככל שאתה עצמך זעיר, אפסי, לא־נחשב. אַנרי בֶּרגסון אומר: לא נכון הדבר, שהאמונה עוקרת הרים. להיפך, מהות האמונה היא הכשרון שלא להבחין עוד במאומה, אף לא בהרים הנעק־רים לנגד עיניך ממקומם. מעין מסך הֶרמֶטי, חסין־עובדות לחלוטין.

186. במידה שאבדו לו כבודו העצמי, צידוק קיומו, עצם טעמם של חייו, בה־במידה מתרומם, מתגדל, מתהדר ומתקדש צידוקם של דתו, של אומתו, של גזעו, של האידיאל שדבק בו או של התנועה שנשבע לה אמונים.

186/א. להטמיע אפוא כליל את האני בתוך האנחנו. להצטמצם לכלל תא עיוֵר בתוך אורגניזם ענקי, אַל־זמני, כּוֹל־יכול ונשגב. להתמזג עד שכחה עצמית, עד כלות, בָּאומה, בתנועה, בגזע, כטיפה בתוך ים המאמינים. מכאן: המדים למיניהם.

187. אדם מתעסק בעניני עצמו ככל שיש לו ענינים וככל שיש לו עצמיות. בהיעדרם, מאֵימת הריקנות של חייו, הוא פונה בלהט להתעסק בעניניהם של אחרים: ליַשר אותם. ליַסר אותם. להחכים כל שוטה ולרמוס כל סוטה. להרעיף על אחרים טובות או לרדת בפראוּת לחייהם. בין הקנאי

התרומי ובין הקנאי הרוצח יש כמובן הבדל של דרגה מוס־
רית, אבל אין הבדל של מהות. הרצחנות וההקרבה העצ־
מית הן שני צדדים של אותו מטבע. שתַלטנות כמו אַלט־
רואיזם, דורסָנות כמו מסירות־נפש, דיכוי זולתך כמו דיכוי
עצמך, גאולת נפשם של השונים ממך כמו השמדת השונים
ממך: אין אלה צמדי הֲפָכים אלא רק ביטויים שונים לנבי־
בותו ולאַפסותו של האדם. "אי־דָיותו לעצמו", כביטויו של
פַּסקַאל (שהיה נגוע גם הוא).

188. "באין לו מה לעשות בחייו הנבובים והשוממים, הוא נופל
על צוארי אחרים או שולח ידו אל גרונם" (אריק הופר,
"המאמין האמיתי").

189. וזה סוד הקִרבה המפתיעה שבין הבתולה הצדקנית העושה
ימים כלילות למען עלובי־החיים ובין הסכינאי האיד־
אולוגי, ראש השירותים החשאיים, שחייו מוקדשים בלי
סייג לחיסול יריבים, או זרים, או אויבי המהפכה: צני־
עותם. הסתפקותם במועט. התחסדותם הנודפת למרחוק.
מנהגם לרחם על עצמם בסתר, ובתוך כך – להקרין מֶגַאוַא־
טים של רגשי אשמה. איבתם המשותפת של הבתולה
והאינקויזיטור לכל מה שנחשב "מותרות" או "מנעמי
החיים". המיסיונר המסור ומנהל הטיהורים הצמא לדם:
אותן הליכות רכות. אותם נימוסים עגלגלים. אותו ריח של
חמצמצות לא־מוגדרת נודף מגופי שניהם. אותו סגנון
לבוש מסוגף. אותו טעם (רגשני, בנלי) במוסיקה וביצי־
רות אמנות. וביחוד: אותו אוצר מלים פעיל, שסימניו –
מליצות שחוקות, ענוה מתחנחנת, הימָנעות מכל ניבול פה,
"בית־כבוד" במקום בית־כסא, "הלך לעולמו" במקום מת,
"פתרון" במקום השמדה, "טיהור" במקום שחיטה, וכמובן
– ישועה. גאולה. הסיסמה המשותפת לשניהם: "אנוכי רק
מכשיר צנוע". (אני "מכשיר" – משמע, אני קיים).

190. המענה והמעוּנה. החוקר והמַרטיר. הצולב והצלוב: סוד
ההבנה ההדדית, סוד האחוָה החשאית הנמתחת ביניהם
לעתים קרובות. התלות ההדדית. ההערצה ההדדית
הסמויה. הקלות אשר בהּ הם מסוגלים להתחלף בתפקי־

דיהם עם שינוי הנסיבות.

191. "הקרבת החיים הפרטיים על מזבח האידיאל הקדוש" אינה אלא היצָמדות נואשת אל האידיאל במוֹת החיים הפרטיים.

200. במלים אחרות: עם מות הנשמה הופכת הגוִיה המהלכת ליצור ציבורי עד כלוֹת.

201. "קדושת החובה": היאָחזות עִיתית בקרש הצלה כלשהו הצף בהישג־יד. טיב הקרש – כמעט מקרי.

202. "היטָהרות מכל אנוכיות": טכסיס הישָרדות אנוֹכיי, על גבול האינסטינקט העיוֵר.

☆

פרופ' א. גדעון, אוניברסיטת מדינת אילינוי,
שיקאגו, אילינוי, ארה"ב.

ירושלים 13.8.76

דוקטור סטרֵינג'לַאב שלי,

נכון לרגע זה – לא ברור לי אם אני מפוטר או לא. הקונה שלנו מוכן לשלם לך שלושה־עשׂר עבור הנכס בזכרון, נשבע כי זהו המחיר האחרון שלו, ומאיים להסתלק מהצעתו אם לא יקבל תשובה חיובית תוך שבועַים. את רוברטו המסכן כבר הצלחתי כמעט לשכנע שיחזיר לי מרצונו הטוב את התיקים שלך. הוא מתחיל כנראה לתפוס עם מי יש לו עסק. ואילו אני, מצדי, החלטתי למחות את הרוֹק ולהמשיך: לא אפקיר אותך לטירופיך ולא אניח לך להמיט על עצמך חורבן. כנראה שאתה חושד בי כי מכרתי אותך לסומו, אבל האמת היא הפוכה: כל מאמצי מכוּונים לקנות אותו בשבילנו ולהניח עליו אפסר (בדמותו של זוהר חתָני). ובינתים, בהתאם להוראה שנתת לי במברקך האחרון, הנה כאן לפניך עיקר החדשות: מתברר שהבָּארוֹן דה־סומו רוכש לו דירה יוקרתית ברובע היהודי המשופץ שבעיר העתיקה בירושלים. זוהי ככל הנראה עִסקה מוזלת בינו ובין אחד הקוזָנים שלו. נוסף על כך הוא התחיל ללמוד נהיגה וזומם לקנות מכונית. חליפה יקרה כבר יש לו (אף כי כשהוא מלובש בדבר המדהים שבחר לו – אני מתחרט מרה על שבכלל יעצתי לו לקנות חליפה). את ארגון "אחדות ישראל" שלו הוא הפך באחרונה

למין סיירת מודיעין או חולִיַת אבטחה בשירות חברת ההשקעות "יתד", אשר הוא וזוהר אתגר יִסדו בשותפות עם קבוצת משקי־עים אדוקים ובגיבוי דיסקרֶטי מפריס, שעליו אדווח לך אחרי שאיוָכח כי חזרת לשפיות־דעתך. הידית הכספית השוטפת של היתד הזאת מוחזקת, כמובן, בכפו של זוהר (עם רוח־הקודש שלי, הנוגהת עליו ממרומים). השותפים החרדים למיניהם מטפ־לים בצד המוסרי של העסק, כלומר: עלה בידם להשיג מאת שלטונות המס הסכמה להכיר בהם, פחות או יותר, כבמין בית־יתומים, וברווחיהם – כבכספי צדקה.

ואילו סומו שלנו מככב בתפקיד שר החוץ. שקוע בשתדלנות מיומנת. שׂוחה כמו דג – או אצָה – במסדרונות הכוח. עושה ימים כלילות בחברת עסקנים ופעילים, ח"כים ומזכ"לים ומנכ"לים. מסתובב בחליפת־תכלת־השמים שלו בחצר של אחיו וסביביה, מטיף אהבת ישראל לפקידי הממשל הצבאי, מחדיר כיסופי גאולה במשרד המסחר והתעשיה, מעורר חבלי משיח במנגנון מנהל המקרקעין, דורש דרשות, מפציר, מחליק לשון, פוסק פסוקים, מפיץ ענן סמיך של רגשי אשמה, ידו האחת על לבּו והשניה סביב כתף בן־שׂיחו, ממתיק הכּול בדבש תנ"כי, מקנח במדרשים, מתַבֵּל באבקת רכיל, מגלגל הֶיתרים ואישורים, ובקיצור – סולל בלי ליאות את נתיבי אחרית הימים וגם מבסס במהירות את השקעותינו מדרום לירושלים. בראש הפרק השלישי של ספרך המצוין אתה מביא מוֹטוֹ מדברי ישו הנוצרי, אשר ציוָה על שליחיו להיות "ערומים כנחשים ותמימים כיונים" גם יחד. על־פי המִפרט הזה כבר אפשר להקפיץ את סומו לדרגת אַפוֹסטוֹל בכיר. בקרוב, כך מוסר לי שלמה זאנד ידידנו, יש בדעתו לצאת דחוף ומבוהל בדרכּונו הצרפתי לפריס, ואני מתע־רב שיחזור בידים מלאות כל טוב. הסוף יהיה שבזכותו עוד נק־בל אתה ואני, אלכּס, הזמנה זוגית לגן־עדן על חלקנו בגאולת הארץ.

אני כותב זאת בתקוָה שאתה תתן לי בהקדם סיגנַל קטן, ואני אזדרז לרתום את המזומנים הרדומים שלך אל מרכבות האֵלים האלה. ואקבל עלי אחריות לנווט בעדינות את סומו כך שהוא יעשׂה בשבילך בהווה את מה שאני עצמי עשיתי למען אביך

בימים הטובים ההם. תחשוב על זה טוב־טוב, יקירי: אם זקהיים קשישא שלך לא החליד עדיין לגמרי, כי אז עליך לסמוך על האינטואיציה שלו ולטפס בלי דיחוי על הגל החדש הזה. בכך אנחנו צדים שלוש צִפֳּרים יפות במיליון קטן אחד: רותמים אלינו את סומו, מעשירים את הגוּליבֶר שלך (אם אמנם כבר גמרת בדעתך לְמַנותו לנסיך־הכתר), וגם מניחים את כפנו על הלֵיידי דה־סומו. כי זאנד מדווח לי שבעוד נפוליון מתקדם לכיוון הפיר־מידות, הולכים ומתחזקים סימני אי־הנחת אצל דֶזירֶה, שהחלה להתעניין באפשרות לשוב לעבודה באותה חנות ספרים שממנה התפרנסה כזכור לך בַּשנתים הלוהטות שלה, אחרי שיצא הנסיך ולפני שנכנס הצפרדע. אם אמנם כיוַנתי אל משאלות־לבך, כי אז ההתפתחות הזאת משׂחקת לתוך ידינו. התרצה שאפתח לה כרטיס ואשגרנה אליך באֶכּספרס? או אמתין עד שאהיה בטוח שהיא כבר בשֵלה לזה? התרצה שאשלח את זאנד לרחרח מה נש־מע בזכרון? והעיקר, אלכס: התתיר לי למכור את החורבה ההיא, שאינה מכניסה לך כלום אך זוללת מסים וארנונות, ולהשתמש במזומנים כדי לתקוע בשבילך יתד בחברת "יתד"? נא, השֵב במברק בן מלה אחת: חיובי. לא תתחרט.

שמור על גופך ועל עצביך. ואַל תתעב את ידידך היחיד בעו־לם, הממתין לתשובתך השפויה וחותם בחיבה ובחרדה.

מאנפרד הנעלב שלך

☆

[מברק] אישי רוברטו דימודינא ירושלים ישראל. אוסר עליך לערב שותפך בעניני. ברר ודווח מיד מי הקונה שלו. המשך לשלם לבועז. אלכסנדר גדעון.

☆

פרופסור אלכסנדר גדעון
מחלקת מדע המדינה, אוניברסיטת מדינת אילינוי
שיקאגו, אילינוי, ארה״ב.

15.8.76

שלום אַלק,

מזכרון נסעתי לחיפה. ריח חריף, מוזר, תערובת מסממת של שׂרף אֳרנים וליזול, אפף את הסנטוריום שעל הכרמל. כפעם בפעם עלתה געיית ספינה מן הנמל. רכבות צפרו וחדלו. על הגן שרתה שלוַת כפר מצועפת אור רך. שתי ישישות נימנמו על אחד הספסלים, נשענות כתף־אל־כתף, כשתי צִפֳּרים מפוחלצות. סַניטר ערבי שדחף חולה בכסא־גלגלים האט כשעברתי על־פניו ונעץ בי מבט שוקק. מפאת הגן עלה קרקור צפרדעים. ובסוכת גפנים עבותה מצאתי לבסוף את אביך, יושב לבדו אל שולחן־מתכת לבן, רעמת השׂיבה הנבואית מתנחשלת קלות ברוח, זקן־טולסטוֹי הפרוע יורד על חלוק־בית מוכתם, פניו חומים ומרוכּ־זים כדבלה, כפית קטנה בידו, צלחת עוגה וכוס יוֹגוּרט אכול למחצה על השולחן לפניו. עיני התכלת הפליגו אל תכלת הים. נשימתו הרחבה, הרוגעת, נשבה בענף ההרדוף שהניע באצב־עותיו כמניפה.

כאשר קראתי בשמו הואיל לפנות ולהבחין בי. קם אט־אט, בהדרה, ממקומו והשתחוָה לי שתי פעמים. הושטתי לו זר כריזנטֶמות שקניתי בתחנה המרכזית. הוא מסר לי את ההרדוף שלו, קירב את הכריזנטמות אל חזהו, במחשבה רבה נעץ אחת מהן בלולאת גלימתו, ואת כל השאר שתל בלי היסוס בתוך כוס היוגורט שלו. קרא לי ״מאדאם רוֹבינא״ והודה לי על שהתפניתי לבוא להלוָייתו ואפילו פרחים הבאתי.

הנחתי את כפי על גב ידו הרחבה, המרושתת תשבץ מקסים של כלי דם כחלחלים־עדינים ומנומרת בכתמי זִיקנה חוּמים, כנוף נחלים וגבעות, ושאלתי אותו לשלומו. אביך נעץ בי עינים קשות, פולחות, ופניו המרתקים קדרו. לפתע גיחך כמפענח את מזימתי הקטנה אך בוחר לסלוח עליה. אחר־כך הרצין, הזדעף, תבע שאשיב לו אם יש מחילה לדוסטוֹיֶבסקי: איך אפשר הדבר

שאיש־אלוהים כזה "מסוגל להרביץ את אשתו כל החורף ועוד להתבהם בקלפים ולשתות לשָׁכרה בזמן מתי תינוקו גוסס?"

כאן נדהם כנראה מרוֹע נימוסיו שלו, תלש בתנופה את הכריזנטמות מתוך גביע היוגורט, השליכן בשאט־נפש על האד־מה מאחורי כתפו, הדף לעברי את הגביע ודרש שאתכבד בשַׁמפַּ־ניה. קירבתי את הכוס אל שׂפתי, עלעלים ואבק צפו על־פני הנוּ־זל שהעכיר, והעמדתי פנים כלוגמת. בינתים טרף אביך בתיא־בון סוער את שיירי העוגה שלו. כשסיים הוצאתי מטפחת וקינחתי את הפירורים מזקנו. על כך ליטף את שׂערותי וקבע ברחבוּת, בקול טרגי: "הרוח, קרַאסַביצה, רוח סתיו, כל היום בגנים מתגנבת. הוֹי, לא נקי מַצפּוּנהּ! מנוחה לא תדע! מגורשת! ובלילה מתחילים לצלצל את הפעמונים הגדולים. עוד מעט ויפלו השלגים, ואנחנו – דַאיוֹשׁ! – נרכב הלאה." כאן איבד את דרכו. השתתק. בהה קצת, וענן של עצבות על פניו.

"והבריאות בסדר, וולודיה? עברו הכאבים בכתף?"

"כאבים? לא אצלי. רק אצלו. שמעתי אומרים שהוא חי, שדי־בר את הרדיו אפילו. לוּ אני במקומו הייתי נושא לי אשה ותיכף ומיד מוליד אותהּ תריסר תינוקות."

"במקומו של מי, וולודיה?"

"נו, זה, הקטן, מה שמו. זה. האח הקטן. בניומין. זה שהיה מסתובב לפני כפר בודרוס עם העדר הראשון של בן־שמן? בניו־מין קראו אותו. מתוֹאר כמו חי אצל דוסטוֹיֶבסקי! עוד יותר חי ממה שהיה בָּריאַליה! גם אני בריאליה הייתי, אבל בתוֹר חזיר. שָׁם היה לנו גם אחד, סיוֹמה. קראנו אותו סיומה־אכסיוֹמה. זה היה אחד ממיליון. בלתי־חזיר לגמרי. בן־עיר שלי. שִׁירקי. פלך מינסק. הריאליה לא יכלה לסלוח לו, ובאהבת אשה הרגתו. טרף את נפשו היפה על־ידי הרֶבוֹלבֶר שלי. היכולתי לעצור בעדו? ההיתה לי רשות לעצור? התתני לו אַת, גברתי, גביע של אהבת נשים? הוא יגמול לך בכַּרמיל ובתכלת. ביד רחבה יגמול לך. את נפשו – בעד גביע אחד! חצי? רבע? לא? נוּ. אין דבר. לא צריך. אל תתני. כל בן־אדם – פּלָנֶטה. אין מעבָר. רק מנצנץ מרחוק מתַי אין עננים באמצע. הריאליה עצמהּ היא חזיר. מותר להעניק לך פרח? פרח לזֵכר האומלל? פרח לעילוי נשמתו? דוסטוֹיֶבסקי

הרג אותו על־ידי הָרבולבר שלי. אַנטיסֶמיט היה! בזוי! אֶפילֶפ־
טיק! על כל דף ודף צלב לפחות פעמים את כריסטוס, ואחר־כך
עוד התגולל עלינו! את היהודים הרביץ מכות רצח. ואולי בצדק,
גבירתי? אני לא מדבר על פלסטינה. פלסטינה – מזמור אחר. מה
פלסטינה? ריאליה? פלסטינה חלום. חלום־קושמַאר, אבל חלום.
ואולי אַת הואלת לשמוע על־אודות הגבירה דולצינֵיאָה? כמוה
היא גם פלסטינה. מור ולבונה בחלום, ואילו בָריאליה – חזירוּת.
יסורי חזירים. ולַבוקר – והנה היא לאה! מה לאה. קדחת. אסיה
עותומנית. ילד קטן הייתי, ילד רודף אנקורים, שנַיִם בקוֹפֵיקה
מכרתי אותם, מאוד אהבתי להסתופף לבדי בערבה. כך: הולך לי
באָחוּ הלוך וחלום. ומסביב – מגוֹר! יערות! ומוּז׳יקים, נו, איך
זה, במגפים? לא מגפים. מוּקִים. כזאת היתה פלסטינה שלנו
בשִירקי. גם הנחל היה פלסטינה. ואני גם לשׂחות בו ידעתי.
והנה פעם אחת ואני הנער משוטט לי בין יער לאחו, ופתאום מן
האדמה ממש יוצאת מולי ילדת גויים קטנה. עם צמה. נו, רועת
חזירים, במחילה. אולי היתה בת חמש־עשרה. הרי לא שאלתי
לשנותיה. יוצאת ובלי אומר ודברים היא מפשילה, במחילתך,
את שִׂמלתהּ. ורומזת באצבע. לא אהבת נשים בגביע אלא נהר
שלם. קח ויותן לך. נו, ואני עוד בן־בוֹסר, והדם הטיפש רותח,
והשֵׂכל במחילתו נרדם לו. האם אשקר לך, מאדאם, באמצע
ההלוָיה שלי? לא. השקר מיסודו מגוּנה. מה עוד – לפני בור
פתוח. בקיצור, לא אכחיש, יונתי, היתה בה ידי בשׂדה. ומפני
כן, בעווֹן זה, שוּלחתי לאסיה עותומנית. הַל־אָה יר־דן הל־אה
זרוֹם... אבא בכבודו הואיל להבריחני באמצע הלילה, פן יהר־
גוני בקרדומים. ושָם, בפלסטינה, שממה! בית־קברות! פחד!
שועלים! נביאים! בֶּדוּאינים! והאויר רותח באש! שתי עוד לגי־
מה ויוטַב לך. שתי לזכר אהבת נשים. עוד בדרך, מתי הייתי
בספינה, אני את התפילין זרקתי ישר לים. שיאכלו הדגים ויש־
מינו. ואני גם אסביר את זה: קצת לפני עיר אלכסנדריה, היה לי
ריב גדול עם אלוהים. שנינו צעקנו על הסיפון חצי לילה. ואולי
גם הגזמנו את ההִתרתחוּת. מה הוא רצה ממני? שאהיה לו ז׳יד
קטן. זה הכּוֹל. אבל אני מצדי רציתי להיות חזיר גדול. ובכן,
התקוטטנו עד שבא השומר וגירש אותנו מהסיפון באמצע הלי־

לה. ככה הוא הפסיד אותי ואני הפסדתי אותו. אלוהים משומש כזה, רגזן, חמוץ? נו. הוא נשאר לו לשבת למעלה בודד כמו כלב ורוטן תחת השפם, ואני – לְמַטה, חזיר בין חזירים. ככה אנחנו נפרדנו. ומה עשיתי? נא, הגידי לי מה עשיתי במתנת החיים? על מה הוצאתי אותהּ? למה זיהמתי? אני הרבצתי את השינַים. רי־מיתי. גנבתי. וביחוד – העפתי שׂמלות. חזיר־מוּרדָה לכל דבר. והנה, במחילת הגברת, לא לגמרי נהיר לי באיזה ענין הואילה לבוא לראותני היום? שמא בשליחות בניומין? שפטים נוראים עשו בו. ומי? בנות המין היפה! רק מפני שהיה כל־כך בלתי־חזיר. את לבּו שברו להנאתן ולא נתנו לו יכולת לפלס מעבָר אל גופן. עוד לפני צל נגיעה הוא היה מתעלף מבושֶת. מרוב יסורים יצאה נשמתו הזכה. ועל־ידי הרֶבולבר שלי! אולי מכירה הגברת את מקום עיר סימפרוֹפּוֹל? קרב נורא ואיום היה שם. נהרגו בחו־רים כזבובים. ומי לא נהרג – איבּד אלוהים. לא ידע מה למעלה מה למַטה. וִיתר על אלוהים בשביל אהבת נשים, אבל אשה לא מצאו. נשים בארץ־ישראל היו יקרות־המציאות. אולי חמש שש בין ראש־פינה לקַסטינָה. אולי עשר, אם למנות גם בַבּא־יאגוּת. בַּארישנְיָה – בבַל תימָצא. הבחורים, אחרי הויכוח, כל אחד שכב את מזרונו וחלם בּוֹרדֶל מאוֹדֶסה. וזה מפני שאלוהים חמד לצון. לא בא לאסיה עותומנית. נשאר בעליית־גג בית־כנסת של שיר־קי, שמה שכב וחיכה את המשיח שיבוא. בארץ־ישראל לא היה אלוהים ולא היה אהבת נשים. ככה התחרבּנו כולם. ומי שהתחת־תן? נו, מה, לבוקר – והנה היא לאה. שוב מצלצלים מרחוק את פעמוני הכפר. עוד מעט יפלו השלגים, ואנחנו נרכב לדרכנו. התוכל גברתי להבין לי? לחוס? למחול? היא לבדהּ ואני לבדי בשדה, ואת שׂמלתהּ הפשילה ובאצבע קטנה רמזה לי והיתה בהּ ידי. על־כן הבריחוּני ציוּנה. אני היהודי הראשון שהוציא דבש מדבורים. הראשון מימי התנ״ך. הקדחת פסחה עלי ושׂמלות הפשלתי – כמו שד! אני היהודי הראשון שהפשיל שמלות בפלס־טינה מאז ימי התנ״ך, בתנאי שהתנ״ך לא לֶגֶנדָה. על זאת נענש־תי בסימפרופול. סוס נפל עלי ושבר לי רגלים. בטול־כּרם פוצצו לי את הראש, ואני להם – בשינים. הרבה דם נשפך. התדע הגב־רת? חיי לא היו חיים. בִיכּוי גדול היה לי עד יום מותי. והנה פעם

אחת גם אני אהבתי אשה. אפילו הכרחתי אותה להיכָּנס אתי בחופה. הגם שנפשה לא חשקה בי. אולי חשקה במשורר? ואילו אני, איך אגיד, מן הטַבּור ומעלה – מאוהב, מזמר סֶרֶנדות, מגיש מטפחות ופרחים, ומן הטבור ומַטה – חזיר מארץ החזירים. מפשיל שׂמלות על ימין ועל שׂמאל בשׂדה. והיא, אהובתי, אשתי, יושבת כל היום בחלון. מין שיר קטן היה לה: שם, בְּמקום אר־זים... הואלת להכיר את השיר? הנני ואשיר לכבודך: שָׁם, במקום אר־זים... הישָׁמרי נא מאוד לנפשך מפני השירים האלה. מלאך־המוות חיבר אותם. והיא, בכוונה להענישני, מתה עלי. להכעיס. עזבתני והלכה לאלוהים. לא ידעה שגם הוא חזיר ונפ־לה מן הפח אל הפחת. הבי ידך, נלך. נגמרה המשמרת. יהודים בנו להם ארץ. את הארץ הלא־נכונה – אבל בנו! עקום לגמרי – אבל בנו! בלי אלוהים – אבל בנו! עכשיו נחכה ונראה מה יגיד על זה אלוהים. נוּ, די: שתי קוֹפֵּיקות אתן לך במחיר האנקורים שלך? שתיִם. יותר לא אתן. כל חיי היו קרב וסיאוּב. גיאלתי את המַתָּנה. שׂמלות והרבצות בשינים. וכי למה אתן לך כסף? מה עשית במתנת חייך? פרח אתן לך. פרח ונשיקת־פה. התדעי מה סודי? אין ולא היה לי כלום. ואַת? מה מביא אותך אלי? במה זכיתי לכבוד?

כאשר השתתק לבסוף ועיניו תעו ממני אל מראות המפרץ המדמדמים בשׂריפת השקיעה, שאלתיו אם נחוץ לו דבר־מה. אם רצונו שאלווה אותו לחדרו. או אביא לו לכאן כוס תה. אבל הוא רק נד בראשו הנהדר, ומילמל:

"שתיִם. יותר לא אתן."

"וולודיה," אמרתי, "אתה זוכר מי אני?"

הוא משך את כפו מתוך כפי. עיניו מלאו דמעות עצב. לא, לחרפתו הוא מודה שאיננו זוכר. ששכח לשאול מי הגברת ובאי־זה ענין ביקשה להתקבל אצלו. ובכן השענתיו על מסעד כסאו ונשקתיו על מצחו ואמרתי את שמי.

"כמובן," הצטחק בעָרמה ילדותית, "כמובן שאַת היא אילנה. אלמנת בני. בסימפרופול נהרגו כולם, אף אחד לא נשאר בחיים לשמור את יפי השלכת. עוד מעט יפול השלג ואנחנו – דַאיוּש! –

נרכב הלאה. הלאה מעמק־הבכא! הלאה מן הגֶנֶרלים הרקובים ששותים ומשחקים את הקלפים בזמן שהנשים גוועות. ומי אַת, גברת יפהפיה? מה שמך? ומה מעשיך? מתעללת אֶת מין הזכרים? ולרגל איזה ענין ביקשת שאעשׂה לך ראיון? חכי! אַל תגידי! יו־דע! באת לרגל מתנת החיים. למה סיאבנו אותהּ? החמצנו את חלב אמנו? אולי אַת, גברתי. לא אני. אני את הרֶבולבר – לבור הביוּב! השלכתי אותו וחסל. נוּ, יהי אלוהים עמנו, ננוח על משכבנו בשלום. לְיוּ־לְיוּ־לְיוּ? זה שיר־ערשׂ? שיר־מוות? נו, לכי לך. לכי. רק זאת עשי למעני: לחיות ולצַפות. זה הכּוֹל. להביט את יפי השלכת ביער לפני השלג. נוּ? שתי קוּפּיקות ודי? ואני גם שלוש אתן לך.״

במלים אלה קם, השתחוָה לפני ארוכות, לא השתחוָה, רכן ואסף מן העפר אחת הכריזנטמות שלי, מזוהמת באבק וביוֹגוּרט, והגיש לי אותהּ בעדנה: ״רק אַל תאבדי בשלג.״

ובלי להמתין לתשובה ובלי להיפָּרד הפך את גבו ופסע לכיוון הבנין, זקוף כאינדיאני ישיש. תם הראיון שלי. מה עוד נותר לי לעשות מלבד ללקט את הכריזנטמות הדביקות ולהכניסן לפח האשפהּ ולחזור באוטובוס לירושלים?

שארית אור יום עדיין היבהבה במערב בין עננים משוננים באופק הים כאשר ישבתִי באוטובוס הריק למחצה בדרכי בחזרה מחיפה. זכר כפו החומה, המחורצת כמדרון וולקני, לא חדל ללוות אותי: דומה־לא־דומה לכפך הנוקשה המרובעת. כמו במו־חש נחה ידו על ברכי כל הדרך מחיפה. ומגעהּ היה לי לנחמה. בשובי הביתה, ברבע לעשׂר בערב, מצאתי את מישל ישן על מזרן לרגלי מיטתה של יפעת, בבגדיו ובנעליו, ומשקפיו שמוטים על כתפו. הערתיו, מבוהלת, ושאלתי מה קרה. מתברר שהבוקר, לאחר צאתי, בשעה שהלביש את יפעת והתכוון ללוותהּ לפעוטון, ניעור בו איזה חשד והוא מדד את חומהּ ונוכח כי אמנם צדק. על־כן החליט לטלפן ולבטל ברגע האחרון את הפגישה שנועדה לו להבוקר עם עוזר שר הבטחון, פגישה שמישל ציפה להּ כמעט חֳדשִים. נסע עם יפעת לקופת־חולים והמתין כשעה וחצי עד שהרופא בדק את הילדה וקבע כי מדובר ב״דלקת־אָזנַיִם קלה״. בשובם הביתה קנה בבית־המרקחת

אנטיביוטיקה וטיפות אָזנים. בישל לה מרק עוף צח ותפוחי־אד־מה רכים. בפיתויים, בשלמונים ובשוחד הצליח להשקותה מדי שעה חלב חם עם דבש. בצהרים עלה חומה ומישל החליט להזמין רופא פרטי. שהסכים עם דעת קודמו, אך גבה ממישל תשעים לירות. עד הערב ישב וסיפר לה סיפור אחרי סיפור, ובערב הצליח להכניס בה מעט בשׂר עוף ואורז, ואחר־כך שר לה שירים, וכשנרדמה הוסיף לשבת לידה בחושך, בעינים עצומות, למנות את נשימותיה על־פי שעון־העצר שלו ולזמר "לכה דודי" ו"צוּר מִשֶּׁלוֹ אכלנו". אחר־כך גרר לו מזרן ושכב לרגליה פן תשתעל או תתגלה בשנתה. עד שנרדם גם הוא. במקום להודות לו, במקום להתפעל ממסירותו, במקום לנשק לו ולהפשיטו ולהיטיב עמו במיטתנו, שאלתי אני בעוקצנות למה לא טילפן והזעיק את אחת מאינספור הגיסות ובנות־הדוד? למה ביטל את פגישתו עם סגן־השר שלו? האומנם רק כדי לגרום לי שאתבייש בעצמי על שקמתי ונסעתי? כל הדרכים כשרות לגרימת רגשי אשמה? מה, לעזאזל, גורם לו לחשוב שמגיעה לו מֶדלית־השי־רות־ההֶרוֹאי על כך שנשאר יום אחד ויחיד בבית שאני תקועה בו כל חיי? ומדוע אני חייבת לדווח לו להיכן נסעתי? אינני שפח־תו. ואם כבר מדברים על חקירות, הגיע הזמן שיֵדע עד כמה אני בזה לצורה שבה מתיַחסים בני עדתו ומשפחתו לנשותיהם המסכנות. אני מסרבת לדווח לו למה ולהיכן נסעתי (בזעמי הגו־אה התעלמתי מכך שמישל כלל לא שאל. ודאי התכוון לשאול ולנזוף, ואני רק הקדמתי אותו). מישל שמע ושתק ובינתים הכין לי סלט ירקות וכוס קולה. הפעיל את דוד המים החמים כדי שאו־כל להתקלח. והציע את מיטתנו. לבסוף, כשהשתתקתי, אמר: "זהו? גמרנו? נוציא עכשיו איזה יונה לראות אם קַלוּ המים? באחת בלילה צריכים להעיר אותה שתבלע כף פֶּנבּריטין." אמר ורכן עליה ונגע קלות במצחה. והתחלתי לבכות.

בלילה, אחרי שנרדם, שכבתי ערה וחשבתי על קוף־הרֶזוּס, חבר־ילדותך היחיד בין גדרות האחוזה הריקה, שאתה ואביך הלבשתם אותו בבגדי מלצר, עם פַּפּיוֹן, ואילפתם אותו להגיש בקידה טס עם עסיס רמונים. עד שפעם נשך בצוָארך והצלקת נותרה עד היום. המשרת הארמני הצטווה לירות בו, ואתה חצ־

בת לו קבר וחיברת כתובת מציבה. ומאז אתה לבדך.

וחשבתי על כך שאף פעם לא ביקשת לשמוע על־אודות ימי ילדותי בפולניה ובארץ, ואני התביישתי לספר לך. אבי, כמו בעלי, היה מורה בבית־ספר. גרנו בדירה דחוקה, שאפלוליותה גם בימות הקיץ נחרתה בזכרוני כמערה. היה אורלוגין חום על הקיר. והיה לי מעיל חום. מקומת־הקרקע עלו אלינו ריחות המאפיה. הסִמטה היתה מרוצפת אבן, ומדי פעם עברה בה החשמלית. בלילות היו שיעולי הקצרת של אבי. כשהייתי בת חמש קיבלנו סֶרטיפיקט לפלסטינה. שבע שנים התגוררנו בצריף ליד נס־ציונה. אבא מצא עבודה כטייח בסולל־בונה, אבל גינוני המורה הרתחן לא סרו ממנו עד שמת בנפילה מפיגום גבוה. פחות משנה אחריו מתה אמי. במחלת ילדים, בחצבת, מתה, ביום ט״ו בשבט. רחל נשלחה להתחנך בקיבוץ שבו היא חיה עד היום, ואני נמסרתי למוסד של מועצת הפועלות. אחר־כך הייתי פקידה פלוגתית בצבא. חמישה חֳדשים לפני שחרורי קיב־לת אתה לידיך את הפיקוד על הפלוגה. מה היה בך שלקח את לבי? כדי לנסות להשיב על השאלה ארשום כאן למענך את עש־רת הדיברות של בננו, על־פי סדר מקרי אבל במלים שלו: א. חבל על כולם. ב. לשים קצת לב לכוכבים. ג. נגד להתמרמר. ד. נגד ללעוג. ה. נגד לשנוא. ו. זונות הן בני־אדם, לא זבל. ז. נגד להכניס מכות. ח. נגד להרוג. ט. לא לאכול אחד את השני. לעשות משהו עם הזוג־ידים. י. חָפשי־חָפשי.

המלים העילגות האלה הן ההיפך הגמור ממך. כרחוק הכוכ־בים מן החפרפרת. הרוֹע הצונן אשר קרן ממך כמו זוהר אַרקטי כחלחל והשׂגיאך עד כדי היסטֶריה על הבנות האחרות בגדוד, הוא שלקח את לבי. גינוני אדנוּתך האדישה. האכזריות שנדפה ממך כמו ריח. אפרוריות עיניך, כצבע עשן מקטרתך. אִיבחת הסכין של לשונך מול כל זיק של התנגדות. חדוַת הזאב למראה הטֶרור שהטלת. הבוז שידעת להפיק מעצמך, כלהביוֹר, ולירות בסילון צורב בחבריך, בפקודיך, בעדת המזכירות והכתבניות שנוכחותך איבּנה אותן תמיד. כמכושפת נמשכתי אליך ממעמ־קים דלוחים של התרפסות נקבית קַמָאִית, עבדוּת מקדמת דנה, מלפני היוֹת המלים, כניעת נקבה נֵיאַנדֶרטַלית אשר חוש היַשָר־

דות עיוֵר עם אימת הרעב והקור הפילו אותהּ לרגלי האכזר בציידים, הפרא השעיר שיכבול את ידיה מאחורי גבהּ וישָׂאנה מַלקוֹח למאורתו.

אני זוכרת את מלות ההכשה הצבאיות שיָרית מזוית שׂפתיך: שלילי. חיובי. מקובל. קשקושים. יבוצע. טמטום. נקודה. עופי.

כל אלה וכיוצא באלה היית פולט כמעט בלי לפשׂק את שׂפ־תיך. ותמיד על סף הלחישה – כמקמץ לא רק במלים אלא גם בקולך ובהפעלת שרירי פניך. לסתות הטורף שלך, שלעתים נדירות חשפו את שיניך התחתונות בהעוָיה המתנשׂאת, המרירה, ששימשה אותך בתפקיד חיוך: "מה הולך פה, זיסֶרית? יושבים על התנור ומחממים על חשבון הצבא את המקומות הקדושים שלך?" או: "אם רק היה לך בראש עשׂרה אחוז ממה שיש לך בחזיה, איינשטיין בעצמו היה נרשם אצלך לשיעורי־ערב." או: "דו"ח המְצַאי שהכנת לי נראה כמו מתכּוֹן של שטרודל. מה דעתך להכין לי במקום זה דו' ח על איך אַת במיטה? אולי שמה אַת כן שוָה משהו?" יש שהקרבן היתה פורצת בבכי. אתה היית משתהה, מתבונן בהּ לרגע כמו בחרק גוֹוע, ומסנן: "טוב, תתנו להּ סוכריה ותסבירו להּ שניצלה ממשפט צבאי." וסובב על עָמדך כקפיץ ומחליק בַּרדלסית מן החדר. ואני, בדחף סתום, הייתי מתגרה בך לפעמים חרף הסכנה או בגללהּ. הייתי אומרת, למשל, "בוקר טוב, המפקד. הנה הקפה שלך. אולי ביחד עם הקפה מתחשק לך ריקוד־בטן קטן?" או: "המפקד, אם באמת בוער לך לראות לי מתחת לחצאית, חבל שתתאמץ להציץ, תן לי פקודה ואני מכינה לך דו"ח מצאי על כל מה שיש לראות שם." כל חָכמה כזאת עלתה לי אצלך בריתוק־מחנה או בשלילת חופ־שה. חמש־שש פעמים קנסת אותי על התחצפות. פעם העפת או־תי לבלות יממה בחדר־המעצר. ולמחרת, התזכור, שאלת: "נו, יצא לך החשק, מותק?" אני פרשׂתי חיוך מתגרה על שׂפתי ועניתי: "בדיוק להיפך, המפקד. כולי בוערת מרוב חשק." לסתות הזאב שלך נפערו כמו לנשיכה, ומבין שיניך היתִזת: "אז אולי ללמד אותך, זיסֶרית, מה עושים במצבים כאלה?" הבנות החלו לגחך. כבשו צחקוקים מאחורי כפות־ידיהן. ואני לא נשארתי חייבת: "שאמתין לזימון, המפקד?"

עד אשר פעם אחת, בליל חורף גשום, הצעת לי טרֶמפּ העירה. סופת־ברקים ליוותה את הג׳יפּ לאורך כביש החוף, מטר סוחף ניתך עלינו, ואתה ניסית אותי בחומרת שתיקתך הצוננת. כחצי שעה נסענו בלי להחליף אף מלה, עינינו קבועות כמהופנטות בּמִקצב המַגבים הנאבקים בשטפון. פעם החליק הג׳יפּ, התוָה לולאה על הכביש, ואתה בלי לוֹמר מלה הצלחת ליַצב את ההגה. כעבור עוד עשרים או שלושים קילומטר אמרת פתאום: ״נו? מה יש? נהיית לי אילמת פתאום?״ ובפעם הראשונה דימיתי לשמוע איזה היסוס בקולך ונמלאתי חדוָה ילדותית: ״שלילי, המפקד. פשוט חשבתי שאתה עובד בראש על תכנית לכיבוש בגדאד ולא רציתי להפריע.״

״כיבוש, בטח, ועוד איך, אבל מה פתאום בגדאד? ככה קור־אים לך בבית?״

״תגיד, אלכּס, אם מדבּרים על כיבושים, זה נכון מה שהבנות אומרות? שיש לך קצת בעיה?״

אתה התעלמת מכך שנועזתי לקרוא לך בשמך. כעומד להכניס בי אגרוף סָבבת אלי וסיננת: ״איזה בעיה?״

״יותר טוב שתסתכל על הכביש. לא בא לי ליהָרג אתך. אומ־רים בפלוגה שיש לך בעיה עם בנות? שאף פעם לא היתה לך חבֵ־רה? או שזה רק מפני שאתה נשוי לטַנקים?״

״זאת לא בעיה,״ גיחכת אלי בחושך, ״להיפך, זה הפתרון.״

״אז אולי יעניין אותך לדעת שהבנות טוענות כי הפתרון שלך – זאת הבעיה שלנו. שמוכרחים להצמיד אליך אחת שתתנדב להקריב את עצמהּ למען היתר.״

באפלולית הג׳יפּ הפורם את מסַכּי הגשם, על־פי מהלומת רג־לך על דַוושת הבנזין, יכולתי לנחש את החוָרון הפושט על פניך. ״מה הולך פה?״ שאלת, מתאמץ לשוא להעלים ממני את רעידת קולך, ״מה זה? יום־עיון על חיי המין של סגל הפיקוד?״

ואחר־כך, ברמזור הראשון בכניסה הצפונית לתל־אביב, שאלת פתאום בדכדוך:

״תגידי, ברנדשטטר, אַת... שׂונאת אותי חזק?״

במקום להשיב, ביקשתי שתעצור לי אחרי הרמזור. שתרד לשולי הכביש. ובלי להוסיף אף מלה משכתי את ראשך אל שׂפ־

תי. כאשר כבר עשיתי אלף פעמים בדמיוני. אחר־כך, בזדון, פרצתי בצחוק מצלצל ואמרתי שאני רואה שבאמת צריך ללמד אותך הכּול מהתחלה. שכנראה אפילו להתנשק עוד לא יצא לך אף פעם. שהגיע הזמן להראות לך איפה הקַת ואיפה ההדק. שאם רק תתן פקודה, אעביר לך טירוֹנוּת מזורזת.

ואכן מצאתיך בתוּל. ומבוהל. ונוקשה. אף את שמי לא הצל־חת לבטא בלי התקף גמגום. כשפשטתי את בגדי, הסבת את מבטך. לפחות ששה שבועות חלפו עד שהרשית לי להשאיר אור ולראות את גופך העירום: דק, נערי, כאילו היו המדים חלק מנפּח בשׂרך. חזק מאוד ומפוחד היית, ולטיפותי חילחלו אותך כמו דגדוג. העבירו בך צמרמורות. שׂער עָרפך היה סומר כשהעברתי את ידי על גבך. כל נגיעה בגברוּתך היתה לך כמכת־חשמל. יש שבעצם ההתעלסות הייתי פורצת בצחוק ואתה התכווצת מיד.

ועם־זאת, פראוּת רעבונך הנואש בלילותינו הראשונים, תאוָ־תך הזועמת שלא ידעה שָׂבעָה והיתה משתלהבת מחדש כמעט אחרי סיפוקהּ. טַלטלת ביאוּתיך שהיו נעקרות ממך בשאגה חדה, כנפצע ממטח כדורים, כל אלה סיחררו את חושי. גם אני לא ידעתי שָׂבעה.

מדי בוקר, בשעות המשרד, היו ירכי מתמוגגות למראה גופך הקפיצי בתוך חליפת המדים שאתה נהגת לגהץ ולעמלן עד חָר־מה. אם פגעו עיני בַנקודה שהתאמצתי לא להביט בהּ, המקום שבו נפגשת נִצרת מכנסיך עם אבזם החגורה הצבאית, היו פט־מותי מתקשחות. סודנו נשמר כשבועיִם. אחר־כך החלו רינוני תדהמה בין הפקידות והכתבניות.

אט־אט התעשרו לילותינו. מה שׂמחתי בלבּי על נסיונות שהיו לי לפניך. היית תלמיד שאפתן, ואני – מורה נלהבת. עד לפנות־בוקר היינו סובאים זה את זו כשני ערפדים. גבותינו נמלאו שׂריטות וכתפינו סימני נשיכה. בבקרים האדימו עינינו מאִי־שינה כמו מבכי. בחדרי הקטן, בלילה, בין גל תאוָה למשנהו, דיברת אלי בבַּאס הרווּי שלך על־אודות האימפריה הרומית. על הקרב בקרני־חיטין. על מלחמת שלושים השנה. על קלאוּזֶביץ, פון־שליפן, דה־גוֹל. על מה שכינית האבּסורדים המוֹרפוֹלוֹגיים

של צה״ל. לא הכּוֹל הצלחתי להבין, אך מצאתי קסם מוזר בתנו־עות הגייסות, בחצוצרות, בנִסי המחנות, בזעקות הדקוּרים העתיקים שהִצעדת לי בין סדיני. יש שבחצי משפטך הייתי עולה עליך ומטמיעה את הרצאתך בחרחור.

אחר־כך נכנעת והסכמת לצאת אתי לתיאטרון. לשבת בבית־קפה ביום ששי אחרי־הצהרים. ואפילו לרדת לים. אני הפלגתי אִתך למסעות סוף־שבוע ארוכים בג׳יפ אל בקעות נידחות בגליל. היינו לנים בתוך שׂק־השינה הגרמני שלך. העוזי, דרוך ונצור, היה למראשותיך תמיד. גופינו הפליאו אותנו. מלים כמעט לא היו. אם שאלתי את לבי מה אירע, מה אתה לי, מה יהיה עלינו, לא מצאתי גם צל של תשובה, מלבד תאוָתי הקודחת.

עד אשר פעם אחת, זה היה כבר אחרי שחרורי מהצבא, כחצי שנה אחרי ליל הג׳יפ והברקים, ודווקא במסעדה המרופטת של תחנת הדלק בגדרה, אתה אמרת פתאום:

״נדבר ברצינות.״

״על קוּטוּזוֹב? על קרב מוֹנטֶה־קַאסינוֹ?״

״לא. נדבר על שנינו.״

״במסגרת מורשת הגבורה?״

״במסגרת שינוי המסגרת. תהיי רצינית ברנדשטטר.״

״המפקד,״ אמרתי כמהתלת, ולפתע, מַבחינה באיחור באיזה דוֹק עינויים על עיניך, אמרתי: ״קרה משהו, אַלק?״

אתה השתתקת. רגע ארוך עיינת בממלחת־הפלַסטיק הזולה. אחר־כך, בלי להביט בי, אמרת שאתה, בעיני עצמך, ״לא בן־אדם קל.״ אולי ניסיתי להשיב, אך אתה הינחת את כפך על גב ידי ואמרת: ״תני לי רגע, אילנה, אַל תפריעי, זה הולך לי קשה.״ החרשתי. ושוב השתתקת. בקצה שתיקתך אמרת שאתה ״חי כל החיים לחוּד, במובן הפנימי של המלה.״ שאלת אם הבנ־תי. שאלת מה בעצם מצאתי ״בבן־אדם כזה... נוקשה.״ בלי לחכות לתשובה המשכת ואמרת במהירות, בגמגום קל, ״אַת החבֵרה היחידה שלי. כולל חברים. והראשונה. אַת גם... למזוג לך בירה? אִכפת לך אם אני... מדבר קצת?״ ומזגת לי את שארית הבירה, ופִזור־דעת שתית אותה בעצמך, ואמרת כי יש בדעתך

להישָאר ריק לתמיד: ״משפחה – אַת יודעת, אין לי מושג איך אוכלים את זה. חם לך? אַת רוצה שנלך כבר?״ חלומך הוא להיות בעתיד אֶסטרַטג. או משהו כמו תיאורטיקן צבאי. ולא במדים. להשתחרר, לחזור לאוניברסיטה בירושלים, להוציא תואר שני ושלישי, ״ובעצם חוץ ממך, ברנדשטטר, זאת אומרת... עד לפני שאנסת אותי... בחורות לא היו בדיוק השטח שלי. שום כלום. אפילו שאני כבר ילד גדול בן עשרים ושמונה. כלום. זאת אומרת... חוץ מה... חשק המיני. שדווקא עשה לי צרות. אבל חוץ מהחשק – שום דבר. אף פעם לא בא לי ל... להתיַדד. או ללמוד את נושא הרומַנטיקה. בעצם, גם עם גברים לא התיַדדתי במיוחד. רק שלא תביני את זה עקום: מבחינה אינטלקטואלית, או מקצועית, בשטח הזה דווקא יש לי איזה... חוג. בערך. קבוצת התיַחסות. אבל מה? רגשות וכל זה... תמיד היה מכניס אותי ללחץ. הייתי שואל את עצמי מה פתאום להתחיל להרגיש רגשות לאנשים זרים. או נשים. עד ש... הכּרתי אותך. עד שהתלבשת עלי. האמת? גם אִתך נכנסתי ללחץ. אבל מה? יש בינינו משהו, לא? לא יודע איך להגדיר. אולי אַת... מהסוג שלי.״

ושוב דיברת על תכניותיך: להשלים עד שנת ששים וארבע את כתיבת הדוקטורט. להתעסק אחר־כך בתיאוריה. תורת המלחמה. אולי משהו יותר כללי, תיזה על האלימות בהיס־טוריה. בכל הזמנים. לבדוק מכנה משותף. להגיע, אולי, למשהו כמו פתרון אישי. כלומר, פתרון אישי לבעיה פילוסופית עקרו־נית. כך אמרת, והמשכת עוד מעט, ולפתע גערת במלצר על שהמקום שורץ זבובים, התחלת לקטול בהם, והשתתקת. ביק־שת לשמוע את ״תגובתי״.

ואני, לראשונה אתך, השתמשתי במלה אהבה. אמרתי לך, בערך, שעצבותך היא אהבָתי. שעוררת בי אמביציה רגשית. שאתה ואני, שנינו, אולי באמת אנחנו שייכים לאותו סוג. שהיי־תי רוצה ממך ילד. שאתה איש מרתק. שאם תתחתן אתי – גם אני אתחתן אתך.

והנה דווקא אותו לילה, אחרי השיחה הזאת בתחנת הדלק בגדרה, גברותך הכזיבה אותך במיטתי. ואז נפלה עליך בהלה

עם בושה נואשת כאשר לא ראיתיך נבהל אף פעם אחת בחיינו, לא לפני־כן ולא אחרי־כן. וככל שגָאו חרפתך וחרדתך הוסיפה גברותך להתכווץ למגע אצבעותי עד שכמעט נבלעה במאורתה, כאברו של ילד קטן. ואני, קרובה לדמעות אושר, כיסיתי את כל גופך בנשיקותי ועירסלתי בזרועותי כל הלילה את ראשך היפה, הגזוז, ונשקתיך גם בזויות עיניך כי יקרת לי בלילה ההוא כאילו ילדתי אותך. אז ידעתי שאנחנו לכודים זה בזו. שהיינו לבשׂר אחד.

כעבור כמה שבועות הסעת אותי אל אביך.

ובסתיו כבר היינו נשׂואים.

עכשיו אמוֹר לי אתה: למה כתבתי לך על הנשכחות האלה? לגרד צלקות עתיקות? לחטט לחינם בפצעינו? לפענח קופסה שחורה? להכאיב לך מחדש? לעורר את געגועיך? אולי גם זו תח־בולה ללכוד אותך שוב ברִשתי?

אני מודה בכל ששת סעיפי האישום. אין לי נסיבות מקילות. לבד, אולי מאחת: אני אהבתיך לא למרות אכזריותך אלא דווקא את הדרקון אהבתי. ואת ערבי השבת שבהם היו נאספים אצלנו חמישה או ששה זוגות ירושלמיים, קצינים בכירים, מרצי אוניברסיטה צעירים וחריפים, פוליטיקאים מבטיחים. אתה נה־גת למזוג את המשקאות בתחילת הערב, להחליף שנינויות עם בנות־הזוג, ולהצטנף בכורסה פינתית בצל אצטבּוֹת ספריך. לעקוב אחר הויכוח הפוליטי בארשת של אירוֹניה כבושה, ובלי להשתתף בו. ככל שהתלהט הויכוח הלך ונפרשׂ על שפתיך גי־חוך־הזאב הדק. חרישי וזריז מילאת על־פי הצורך את כוסות המשקה. וחזרת לפטם בריכוז־נפש את מקטרתך. כאשר גאה הויכוח והכּוֹל שיסעו זה את זה בצעקות, בפנים סמוקים, היית בוחר את הרגע בדייקנות של רקדן בַּלֶט, ומשחיל בקול נמוך: ״רק רגע. סליחה. לא הבנתי.״ המהומה היתה שוככת מיד וכל העינַים נתלו בך. מושך בעצלות את ההברות, היית אומר: ״רצים כאן קצת מַהר מדי בשבילי. יש לי שאלת כיתה אלף.״ ומשתתק. מתמסר לרגע למקטרתך כאילו אין איש בחדר ואחר־כך, מתוך עב העשן, היית משגר באורחיך מטח קטיוּשוֹת קצר: תובע הגדרת המושׂגים שבהם השתמשו כלאחר־יד. חושף באִז־

מל צונן אי־אלו סתירות סמויות. מותח במשפטים מועטים קוי הגיון חריפים, כמַתוֶה צורות גיאומֶטריות. משלב עקיצה הרס־נית כלפי אחד האריות שבחדר, ומפתיע את כולנו בהצטרפותך דווקא לדעתו של החיוֵר שבין הנמושות. מעמיד טיעון קומפַּקטי ומבצֵר אותו במכת־אש מונעת כלפי כל מענה אפשרי. ומסיים, לתדהמת הנוכחים, בהצבעה על נקודת תורפה אפשרית בטיעונך שלך, שלָבטח חמקה מעיני כולנו. בדממה שירדה על החדר נהגת לפנות אלי ולצוות: "לֵיידי, האנשים הטובים מתביישים להגיד לך שהם רוצים קפה." וחוזר לטפל במקטרתך, כאילו תמה ההפסקה וכעת יש לשוב אל המלאכה הרצינית באמת. לבי יצא אל כפוֹר אכזריותך המנומסת. ברגע שנסגרה הדלת אחרי זוג האורחים האחרון הייתי מושכת בכוח את כתונת־השבת המגוה־צת שלך מתוך מכנסי־הקורדורוי ומחדירה את אצבעותי אל גבך, אל שֵער חזך. רק למחרת בבוקר הייתי אוספת ושוטפת את הכלים.

יש שחזרת באחת בלילה מתמרון, מתרגיל חטיבתי, מליל שימורים של אילוף איזה טַנק חדש (מה קלטתם אז? סֶנטוּריוֹנים? פַּטוֹנים?) עיניך מואדמות מאבק המדבר, זיפים קמוחים על פניך, חול חורק בשֵערך ובסוליות נעליך, מלח זיעתך מלחים את הכו־תונת אל גבך, ועם־זאת ער ונמרץ כמו שודד בחדר־הכסָפות. היית מעיר אותי משנתי, מזמין ארוחת־לילה, מתקלח בלי לסגור את הדלת ומגיח זולג פלגי מים, מפני ששנאת להתנגב. מתיַשב בגופיה ובמכנסי־טֶניס קצרים אל שולחן המטבח וטורף את הלחם והסלט והביציה הכפולה שהכינותי לך בינתים. רחוק משינה היית מניח על הפטיפון ויוַאלדי או אַלבּינוֹני. מוזג לך קו־ניאק צרפתי או ויסקי עם קוביות־קרח. מושיב אותי בכותונת־הלילה שלי בכורסה בחדר־האורחים ומשתקע בכורסה שממול, רגליך היחפות על השולחן, ומתחיל להרצות לפני במין זעם כבוש, לגלגני: מוקיע את איוַלתם של מפקדיך. קורע לגזרים את "המֶנטליוּת של אספסוף הפלמ"ח." משרטט את דמותה של זירת הקרב לקראת סוף המאה. מהרהר בקול על "המכנה המשותף האוּניברסלי" של קונפליקטים מזוינים באשר הם. ולפתע היית משנה את הנושא ומספר לי על איזו חיילת קטנה שניסתה

לפתותך אותו ערב. מתעניין אם אני מקנאה. שואל כמתבדח מה הייתי אומרת אילו התפתית "לפתוח מנת־קרב מהירה." חוקר אותי כלאחר־יד על גברים שהיו לי לפניך. תובע שאדרג אותם "בסולם מאחד עד עשׂר." תוהה אם קורה לי שאיזה זר מעורר אותי לפעמים. מבקש שאסווג לך "מבחינת רמת הגירוי" את מפקדיך וחבריך, את אורחי ליל השבת, את השרברב והירקן והדוָר. לבסוף, בשלוש לפנות־בוקר, היינו נכנסים למיטה או נופלים על המרבד תחתינו ומתיזים ניצוצות, כַּפי מונחת על שׂפ־תיך להחניק מאָזני השכנים את שאגתך, כפך על פי לעמעם את צְווחתי שלי.

רפויה, מעונגת, כואבת, המומה מאפיסת־כוחות, הייתי ישנה למחרת עד אחת או שתיִם בצהרים. מתוך תרדמתי שמעתי את שעונך המעורר בשש וחצי. היית קם, מתגלח, מתקלח שנית, והפעם – במים קרים. גם בחורף. לובש חליפת מדים נקיה שעימלנתי וגיהצתי לך. בולע לחם בסרדינים. גומע בעמידה קפה־בּוֹץ. ואחר־כך: טריקת הדלת. דילוגך במדרגות שתים־שתים. וקול התנעת הג'יפ. כך החל המשחק. צל השלישי במי־טה. היינו מעלים באוֹב איזה גבר שמשך במקרה את עיני. ואתה גילמת אותו. לעתים גילמת את שניכם, את עצמך ואת הזר. תפ־קידי היה להתמסר לסירוגין או בבת־אחת. נוכחות הצללים הזרים היתה מפלחת אותנו בעינוג צורב, יַעְרִי, עוקרת מבִטני ומחזך זעקות, השבעות, תחנונים, עויתות שכמוהן ראיתי ברבות הימים רק בלידה. או בגסיסה.

כשמלאו לבועז שנתים כבר היו תנורי הגיהנום שלנו מוסָקים באש שחורה. אהבתנו נמלאה שׂנאה. שבלעה הכּוֹל אך הוסיפה להתחפשׂ לאהבה. כשגילית אותו ערב ינואר מושלג, בשובך מספריַת האוניברסיטה קודח בארבעים מעלות חום, את המצית ההוא על דלפק האמבטיה גאתה בך עליצוּת סהרורית. צחקת בקול גדול, כמשהק, הכית אותי באגרופיך עד שעקרת ממני בחקירת שתי־וערב מוחצת כל פרט וכל תג וכל זיע ובלי לפשוט את בגדי ובגדיך בעלתָ אותי בעמידה כנועץ סכין ובשעת ואחרֵי לא חדלת לחקור עוד ועוד ושוב הצמַתָּ אותי אל שולחן המטבח ושיניך ננעצו בכתפי והכית בגב ידך כמכניע סוס סורר. כך

החלו חיינו להבליח באור בְּצוֹת מתעתע. טירוף זעמך אם צייתי ואם לא צייתי, אם נראיתי לך חולת־עונג ואם נראיתי אדישה, אם תיארתי מה עשׂו בי ואם התעקשתי לשתוק. ימים ולילות היית נעלם מהבית, מסתגר כנזיר בכוך ששׂכרת לך ליד מגרש הרוסים, מדביר את הדוקטורט שלך כמבקיע ביצורי אויב, ובלי התראה היית נוחת עלי בשמונה בבוקר או בשלוש אחר־הצה־רים, נועל את בועז בחדרו, כופה עלי וידוי מפורט, ומכלה בי את מבוע תאוָתך. אחר־כך החלו ההתאבדויות בגלולות ובגאז. והברית שכרַתָּ עם זקהיים ומלחמתך הפרועה באביך והוִילה המקוללת ביפה־נוף. הגיהנום הטרוֹפי שלנו. מצעד מגבות מזוה־מות. צחנת גרבי גברים מגחכים ומגהקים. סרחון שוּם וצנון ושוַארמה. שיהוקי קוקה־קולה או בירה. מחנק סיגריות זולות. חמיצות זיעת זכרים דביקה, מיוחמת. מכנסיהם משולשלים עד קרסול, את כותנתם לא טרחו לפשוט, יש שהתעצלו לחלוץ את נעליהם. ריירם על כתפי. בשׂערותי. כתמי זִרמתם על סדיני. מלמולי זימה וניבול בלחש צרוד. תפלוּת מחמאותיהם השדופות. החיפוש המגוחך אחר לבניהם שנפזרו בין המצעים. הזחיחות המבודחת היורדת עליהם לאחר שנמלאה תאוָתם. הפיהוק בהי־סח־הדעת. ההצצה הקבועה בשעונם. כותשים אותי כמדבירים בי את המין הנשי כולו. כנוקמים. או כרושמים לעצמם נקודות באיזו טבלת ליגה גברית. כצוברים שעות מנוע. ויש שבא זר שניסה להקשיב לגופי ולהפיק מנגינה. או נער שהצליח להעביר בי חמלה שמעבר לבחילה. ואתה בגיאות שׂנאתך הנואשת. עד שהייתי לזרא לי ולך ואתה גירשת אותי. בתחתית מגירת התמרוקים אני שומרת פתק בכתב־ידך. זקהיים העבירוֹ אלי ביום בו יצא גזר־דיננו ובית־המשפט חרץ כי מכאן ואילך אין לנו זה על זו ולא־כלום. רשמת לי ארבע שורות מתוך שׂמחת עניים: אַת עֶצֶבת ראשי המקריח / אַת יגון צִפָּרני הגדולות / אַת שִׁמעיני בנפץ הטיח / בחירוק הרצפה בלילות.

כך רשמת באולם בית־המשפט ושלחת אלי בידי זקהיים. אף מלה לא הוספת. במשך שבע שנים. למה חזרת עכשיו כרוח־רפ־אים אל חלון חיי החדשים? צא אל שׂדות הצַיִד שלך. צא אל כפוֹר הכוכבים בחלליתך השחורה־לבנה. צא ואַל תחזור. גם לא

בהזיות. גם לא בכמיהות גופי. גם לא בנפץ הטיח ובחירוק הרצ־
פה. צא מחיתוך העץ ומן הברדס השחור. למה לא תחצה את
ישימון השלג, תתדפק על דלת הבקתה הראשונה, תבקש לך
חום ואור? שא לאשה את מזכירתך הממושקפת. שא את אחת
המעריצות. קח אשה ובנה לה בית. עשה שתהיה בו אח מבוערת
בחורף. בוסתן קטן בחצר. ורדים. שובך יונים. אולי ייוָלד לך
עוד בן, ובשובך מעבודתך לעת ערב תוכל לשבת עמו אל המכת־
בה השחורה, לגזור למענו תמונות מתוך הג׳יאוגרפיקל מגאזין,
לגעת באצבעותיך בשערו וללכלך אותו בדבק. אשתך תעביר
את כפה על מצחך העייף. תעסה בלילות את שרירי עָרפך הנוק־
שים מכתיבה ובדידות. תוכלו להניח תקליט: לא ויוַאלדי. לא
אלבּינוני. אולי איזה ג׳אז מהורהר. סופת גשם תהיה בחוץ.
במרזב ירעשו המים. מן החדר הסמוך יבוא אליכם ריח טַלק
ושַמפו, ניחוח תרדמת הילד. אתם תשכבו במיטתכם, מקשיבים
להמיית הרוח מעבר לחלונכם המוגף. תקראו כל אחד בספרו. או
שאתה תדבר לה, חרש, על מלחמות נפוליון. אחר־כך יכבה
האור ואצבעותיה תצאנה לשוט בין תלתלי חזך. אתה תעצום את
עיניך. אז אבוא גם אני ואחליק כמו אִושה ביניכם. ובחושך
אתה ואני שנינו נצחק בלי קול. שֵד ובקבוק שלי.

ועכשיו כבר כמעט שש בבוקר. כל הלילה כתבתי אליך.
אתקלח, אתלבש ואלך להכין ארוחת־בוקר לילדתי ולבעלי. יש
אושר בעולם, אלק, והיסורים אינם היפוכו, הם נתיב הקוצים
שבו נעבור זוחלים על גחון אל קָרחת־היער ההיא, שטופת כסף
ירח דק, הקוראת לנו ומחכה. אַל תשכח. אילנה.

☆

[מברק] גדעון אִיליוֹנִיב שיקאגו. לתשומת־לבך אלכס.
משפטית בועז קטין ונתון להשגחת אמו. הצעד
שעשית יכול להתפרש כחטיפה. סומו שוקל תלונה
פלילית נגדך. אולי ישקול מחדש אם תסכים למכור את
הנכס. מציע שתרד מהעץ. זקהיים.

☆

[מברק] גדעון איליוניב שיקאגו. שותפי לוחץ בכמה כיוונים. המצב עדין. לשיקולך. רוברטו דימודינא.

☆

[מברק] אישי דימודינא ירושלים ישראל. תציע בשמי לזוג סו־מו ולזקהיים עוד חמישים אלף תמורת התחייבות לעזוב את בועז במנוחה. אם תרצה אשחרר אותך. אלכס.

☆

[מברק] גדעון איליוניב שיקאגו. תן לי למכור את הנכס ואני מתחייב שבועז יוכל להישָאר. אם תסרב הוא עלול לחטוף מאסר בפועל. תזכור שכבר יש לו על תנאי. רוברטו עוזב אותך. תפסיק להשתטות ותן לעזור לך. אל תתכחש לידידך היחיד. אחרים מחכים רק למותך ולירושה. מספיק להשתגע תשתמש קצת בשכל המפורסם שלך. באשמתך אמות מאולקוס. מאנפרד.

☆

[מברק] אישי זקהיים ירושלים ישראל. סולח לך בתנאי שתפ־סיק לנדנד. במקום הנכס בזכרון מאשר למכור לקליֶנט שלך את הבית והמגרש במגדיאל. אדפוק לך את הנש־מה אם שוב תתחכם. אזהרה אחרונה. אלכס.

☆

[מברק] גדעון איליוניב שיקאגו. החזרתי התיקים שלך לשות־פי. נוֹ הַארד פִילינגס. רוברטו דימודינא.

☆

[מברק] גדעון איליוניב שיקאגו. הכּוֹל מסודר. בועז בטיפולי המסור. ממשיך להאכיל את סומו אך מחזיק אותו קצר. שמור על הבריאות. מאנפרד.

☆

[מברק] סומו תרנז 7 ירושלים. החלטתי לשנות צוָאתי. אתם מקבלים רבע והיתר הולך לבועז בתנאי שתסכימו משפטית להעברת האפוטרופסות עליו לידי עד הגיעו לבגרות. נא החלטתכם בהקדם. אלכסנדר גדעון.

☆

[מברק] מר גדעון אוניברסיטת אילינוי בשיקאגו. בכל הכבוד אדוני בועז לא למכירה. אמו אחראית עליו ואני אח־ראי עליה. אם רצונך בטובתו וגם בכפרה חלקית על חטאיך הנוראים תואיל בבקשה לתרום לי למען גאולת הארץ ותחזיר את הילד להשגחתנו. מיכאל סומו.

☆

[מברק] גדעון איליוניב שיקאגו. מכרתי מגדיאל לסומו עבור פטרונו מיליונר פאנאט מפריס. להחלפה עם מנזר צרפתי תמורת אדמות בגדה. גם חתני בעסק. מציעים לך להשקיע המזומנים אצלם לרכישות בשטחים. שם מונח העתיד. תלמד משהו מאביך בימיו הגדולים. ממתין להנחיות. מאנפרד.

☆

לאילנה סומו
תרנ"ז 7 ירושלים.

בית־אברהם, 17.8.76

שלום אילנה,

מכתבך העציב ופגע בי. מי לא חולם לפעמים לקום ולעוף להיחָרך באיזה נר רחוק? לחינם אַת לועגת לי, לא אני בראתי את הבחירה הקבועה בין אש לאפר, גם לי מעגל סגור. אולי אס־פר לך משהו. לפני כחצי שנה מילאתי תורנות בשטיפת המוע־דון־לחבר, בוקר היה, וגשם, ובחור צעיר לא מוּכּר לי, מתנדב מאיסלנד או פינלנד, נער ממושקף, כהה־עור, שׂערו רטוב,

אפוף הרהורים ומרחף בעשן סיגריות, ישב לבדו בפינה וכתב איגרת אויר. מלבד "בוקר טוב" ו"סלחי לי" לא החלפנו מלה. שקט גמור היה וגשם אפור בחלונות. שטפתי את הרצפה פעמיִם וניגבתי גם מתחת לרגליו ורוקנתי ורחצתי והחזרתי לו את מאפרתו וכרגע חייך אלי בתוגת רחמים מרירה, כיודע את כל האמת. אילו אמר לי שְׁבִי, אילו הניע ידו, שום דבר לא היה עוצר בי. יכולתי לשכוח הכּוֹל. אבל לא יכולתי. מכל עבר ארבו הגי־חוך, ההשפלות הקטנות, החרטה, חשש ריח זיעת בית־השחי, יראת האבזמים, המבוכה, הרוכסן, הרצפה הרטובה, הכפתורים, חזיית השׂרוכים המגושמת, אור הבוקר, הדלת הפתוחה, הקור, הוילונות שהלכו לכביסה, ריח הכלוֹר, הבושה. כחומה בצורה. לא סיפרתי לשום נפש מלבדך ובעצם גם לך לא סיפרתי ובעצם אין סיפור. ויואש היה במילואים ברמת־הגולן וברבע לעשר היה לי תור עם יפתח לרופא־השיניִם. כלום לא היה מלבד כאב ההב־נה: כחומה בצורה. כאבידה שאין להשיבהּ. בו־בערב צבעתי בלבן את רהיטי המרפסת, להפתיע את יואש כשישוב. לילדים הכינותי גלידת שוקולד ביתית. ובלילה גיהצתי וגיהצתי עד שתַמו השידורים ברדיו והמקלט המשיך לצפצף והשומר עבר צוחק לפני חלוני הפתוח ואמר מאוחר רחל. אין סיפור אילנה. לכי לעבוד חצאי ימים בחנות הספרים שלך, בשעות שיפעת בגנון. הירָשמי ללימודים בהתכתבות. קני לך בגד חדש במקום השמלה החומה שממכתבך הבינותי עד כמה נמאסה עליך. אם תרצי, קראי לי קפּוֹד. אם תרצי, אַל תעני. יואש עובד משמרת־לילה ברפת ואני עייפה ועדיין הכיור מלא כלים לרחיצה. אפסיק כאן. אחותך רחל.

בעצם התכוונתי לכתוב מסיבה אחרת: לספר לך שיואש היה אתמול שעתיִם בזכרון, עזר למתוח רשתות־ברזל ללול, נתן עצות חקלאיות, והתרשם שבועז בכי טוב בקומונה שהוא מקים לו. בפעם הבאה נקח רכב ונסע אליו עם הילדים. אין סיבה שאַת ומישל ויפעת לא תבקרו שם לפעמים.

רחל

☆

טיוטות שרשם פרופ׳ א.א. גדעון על כרטיסיות קטנות

258. וכולם, כל אחד בדרכו, פותחים בהריסת מוסד המשפחה: אַפלטון. ישו. הקומוניסטים המוקדמים. הנאצים. המיליטַריסטים וגם הפציפיסטים המיליטַנטיים. המתנזרים וגם הכיתות האורגיאַסטיות (עתיקות וחדשות). צעד ראשון לגאולה: ביטול המשפחה. השמדת כל הקשרים האינטימיים בין אדם לאדם לטובת ההתעָרוּת המושלמת ב״משפחת המהפכה.״

261. האני – מוקד היסורים. הגאולה – ביטול האני. ההינָתכות הגמורה בהמונים.

266. פשע – רגש אשמה – צורך לקבל כפרה – התגייסות לשירות אידיאל – שוב אשמה – ביצוע פשע חדש בשירות האידיאל – שוב צורך בכפרה – היצָמדות מכופלת לאידיאל – וחוזר חלילה. מעגל מכושף.

270. וכך, בפתאומיות או בהדרגה, החיים הולכים ונשחקים הולכים ומתרדדים הולכים ומתרוקנים: ההערצה תופסת את מקום הידידות. התבטלות – במקום הוקרה. ציות – במקום שותפות. כפיפות – במקום אחוָה. התלהבות תופסת את מקום הרגש. זעקות ולחישות מחליפות את הדיבור. חשד במקום ספק. עינוי במקום חדוָה. דיכוי במקום געגוע. סיגוף במקום הרהור. בגידה במקום פרידה. כדור במקום נימוק. טבח במקום פילוג. מוות במקום שינוי. מסע טיהור במקום מוות. ״נצח״ במקום חיים.

283. ״הנח למתים לקבור את המתים״: את החיים יקברו החיים.

284. ״תופסי חרב בחרב יפולו״: עד ביאת המשיח וחרב־אש מתהפכת בידו.

285. ״ואהבת לרעך כמוך״ – ומיד – או שנכניס בך כדור.

286. ״ואהבת לרעך כמוך״ – אבל אם כבר אכלה בך שׂנאת עצמך, הציווי הזה נטען אירוניה קטלנית.

288. והתחיה? תחיית המתים המובטחת לנו? תמיד בלי הגוף.

290. אשר לנשמתך: היא תתמזג כליל עם אחיותיה. תשוב ותיטָמע, לרַווחתה, במאגר הנשמות הכללי. ״תיאָסף אל חיק האומה״. או אל לב האבות המתים. או אל דודי הגזע.

או אל גנזי התנועה. ושָם תשמש חומר־גלם ליציקה חדשה, מטוהרת. האַ־פֵּירוֹן של אנַכּסימַנדרוֹס. "צרור החיים" היהודי. כור ההיתוך הנוצרי. מתיך הכפתורים של פֶּר גִינְט.

291. ואילו הגוף? אינו אלא מְטרד חולף. כלי מלא ליחות סרו־חות. מקור מועקה ואילוח. צלב שנאלצים לשׂאתו. נסיון שחייבים לעמוד בו. עונש שנגזר לרצותו על־מנת להיפָּטר ממנו בעולם שכולו טוב. גוש של טומאת הווה שנדחק בזוהמתו אל בין טוהר העבר המופשט לזוהר העתיד המופשט.

292. התפשטות הגשמיות: להשמיד את הגוף. אם בהדרגה, בסיגופים, ואם במהלומה גואלת, על מזבח הישועה שבפתח.

293. על־כן: "עפר אל עפר".

294. על־כן: "וִיוָה לָה מוּאֶרטֶה", לאמור "יחי המוות".

295. ושוב פַּסקַאל: כל הרעוֹת בעולם, מקורן הנסתר הוא בכך שאיננו מסוגלים לשהות במנוחה בתוך חדר. אפסותנו באה ועושה בנו שַמוֹת.

☆

מישל סומו

<u>תרנז 7 ירושלים</u>

אהלן מישל, את זה אני כותב לך מזיכרון. מצידי אילנה יכולה לקרוא גם, אבל שאתה תיקרא רישון. בטח אתה כועס וחושב אותי קפוי־טובה גדול שאתה הייתה איתי מאה אחוז בסדר ואני שמתי עליך פַּס אירגנתי דרך אמריקה ליות פה בזיכרון נגד התוכניות שלך. אם אתה מחומם עלי אז תזרוק את המיכתב הזה לזבל ואל תיכתוב תשובה רק שלא תתחיל להתיף לי עוד פעם מוסר. אתה לא ה׳ מישל ואני לא הפרייר שלך. ובכלל להאגיד כל היום אחד לשני מה לעשות בחיים זה כן וזה לא זה טיפשי. זות הדעה שלי מצתער. אבל המיכתב הזה לא בשביל לשנות או־תך בכלל אני נגד לשנות אנשים. אז בשביל מה המיכתב? אילנה.

תשמע מישל. לפי דעתי אילנה נכנסת בצרות. ראינו את זה עליה מתי שהיא באה לבקר פה. מאה אחוז נורמלית אף פעם היא

לא היתה אבל עכשיו ירדה אולי מתחת חמישים אחוז. ההצעה שלי זה שהיא ויפעת יבואו פה לזיכרון לכמה זמן לעבוד בנקיו־נות או בגן ירק ולנוח קצת מהדוסיות שלך. אל תתרגז מישל אתה יודע שאתה בן אדם נחמד וטוב רק מה? השגיעה שלך זה שכולם צריכים ליות בדיוק כמוך ומי שלא כמוך זה לא בן אדם אצלך. אני אצלך בריון אילנה אצלך תינוקת והערבים אצלך זה חיות. אני מתחיל לפחד שאתה עוד תחשוב שיפעת זה ילדה מפלסתלינה שאתה יכול לעשות ממנה איזה צורה שבא לך, ואז תשעים אחוז שגם יפעת תכנס בצרות מעל ומעבר ואתה תאשים את כולם רק לא את עצמך. כל הטובות שאתה עשית לאילנה ולי ולמדינה מישל הם לא מספיק טובות עד שלא תיתן לכל אחד לחיות לפי החיים שלו. תיקח את קירית ארבע איפו שאתה דחפת אותי מקום יפה מאוד עם נוף והכל אבל מה? זה בכלל לא מקום בישביל אחד כמוני שלא דוס ולא חושב שֶמה שהמדינה צריכה זה לנצח כל הזמן את הערבים או לקחת להם את המקומות שלהם. לפי דעתי צריכים לאזוב אותם ושהם יאזבו אותנו. אבל לא בישביל זה המיכתב. ההצעה שלי זה שיפעת ואילנה יבואו לפה כמה זמן לנוח מהשילטון שלך ומהשיגעונות שיש בירוש־לים. סידרתי בשבילהם חדר נקי הכי טוב עם קצת רהיטים והכל ויש לי כבר שש בחורות ובחורים שעובדים לעשות פה סדר ואדון זקים שבהתחלה היפריעה לי עכשו השתפר אירגן מהמוע־צה רשיונות מים וחשמל ומהכסף האמריקאי קניתי ממטרות שתילים כלי־עבודה עופות והעסק מתחיל לקבל צורה קולל טלסקוף על הגג כמעט גמור. שהיא תבוא עם יפעת יהיה לה טוב פה חמישה כוכבים. כל היום עובדים אחרי זה הולכים להתרחץ בים אחרי זה בערב מנגנים ושרים קצת ואחרי זה בלילה אני ישמור לך עליהם. יש פה מידבח גדול ואני לא מתנגד שיהיה חלק כשר בשבילהם אם אילנה רוצה את זה. לא היכפת לי. חופ־שי־חופשי. אצלי זה פה לא קירית ארבע כל אחד עושה איך שבא לו רק שיעבוד טוב שיהיה בסדר עם השני שלא יעצבן ושלא יתיפו מוסר.

מה אתה אומר מישל? כתבתי את זה לך כי אצלכם אתה הבוס ואתה קובע הכל אבל לא היכפת לי שגם אילנה תקרא את זה.

ואסיים בתודה וכבוד בגלל שבסך הכל אתה די בסדר מישל. שתידע שמימך אישית אני למדתי משהו, לא להרביץ לא להרים ארגזים אפילו שבהתחלה היו באים פה כל מיני שוטרים ופאק־חים עשו בעיות העליבו אותנו והפריעו אני לא נגתי באף אחד וזה ביזכותך מישל. דש מימני לאילנה וצביתה חלשה ליפעת. היכנתי לה פה נד נדות מַגלֶצ׳ה ארגז חול מה לא. ולאילנה יש לי עבודה. עכשו הכל יפה פה כמו קיבוץ קטן ואפילו יותר הרבה בגלל שֶפה אף אחד לא ניכנס לשני בנשמה. גם אתה מוזמן לבוא לבקר ואם יבוא לך לתרום לנו כסף אז למה לא? תתרום. אין בעיה.

בהארכה ותודה

בועז ב.

לכבוד בועז ברנדשטטר
בית גדעון בזכרון־יעקב (דרום).

בע״ה ירושלים י״ט באב תשל״ו (15.8.)

בועז היקר,

אמך ואני קראנו את מכתבך שתי פעמים רצופות ולא ידענו את נפשנו. אני ממהר להשיב לך על ראשון ראשון ועל אחרון אחרון. ראשית אודיעך בועז כי אין בלבי כעס על כפיות־הטובה שלך (כותבים את זה בכ״ף, לא בקו״ף, קוף עם־הארץ שכמוך!). אבל תקצר היריעה מלתקן כאן את הכתיב הגרוע שלך ואת התחביר הקלוקל. לא עלי המלאכה לגמור!

ולמה אכעס עליך? אם הייתי טורח לכעוס על כל מי שעשה לי עוול או כפיות־טובה הייתי מוציא את חיי במרה שחורה. העולם בועז מתחלק לאלה שלוקחים בלי בושה ולאלה שנותנים בלי חשבון, ואני מהילדות שלי שייך למחלקה השניה ואף פעם לא כעסתי על אלה שבמחלקה הראשונה ולא קינאתי בהם, כי אחוז האומללים שמה הרבה יותר גבוהַ ממה שאצלנו לְמַטה וזה מפני שלתת בלי חשבון מביא גאוָה ושמחה ואילו הטיפוסים שרגילים לקחת במצח נחושה, מן השמים דנים אותם לחרפה ולריקנות: צער ובושת ביחד בכפיפה אחת.

מה שנוגע אליך, אני את שלי עשיתי כמידת כוחי למען אמך ולמענך, וכמובן לשם שמים, ואם לא כל־כך סייעו לי מלמעלה – מי אני שאתלונן? כתוב אצלנו במשלי: בן חכם ישַׂמח אב ובן כסיל תוגת אמו. אביך הנחמד לא ראוי לשמחה בועז ואמך כבר היה לה מספיק תוגה ממך. ואילו אני יש לי מידה של סיפוק חל־קי. אמנם נכון שקיויתי להוליך אותך בדרך אחרת, אבל כמו שכתוב, להיכן שאדם חפץ לילך – לשם מוליכין אותו. אתה חו־שק להיות עכשיו איכר וחוזה בכוכבים? למה לא, לך בכוחך זה ולא נבוֹש בך.

מאוד נגעו ללבנו נקודות אחדות במכתבך והראשונה ביניהן היא שאתה כותב לי שאני הייתי אִתך מאה אחוז בסדר. דנת אותי במידת החסד בועז ואת זה אני לא אשכח. אנחנו כידוע לך יש לנו זכרון טוב. אבל מה? הלואי שהיתה זו האמת! לידיעתך בועז שאני הרבה פעמים מיַסר את עצמי על משכבי בלילות מחמת זה שיש לי חלק ונחלה (בשוגג!) בחטאות הנעורים ובמעללים שלך, שאני לא אזכיר אותם כאן. יכול להיות שמההתחלה, מהיום שזכיתי לשֵׂאת את אמך היקרה לאשה, חובתי הקדושה היתה להחזיק אותך קצר מאוד במקום לעבור בשתיקה כשאתה ניתקת מוסרות ופרקת עול תורה ודרך־ארץ. ליַסר אותך בעקרבים עד שתעלה בחזרה על דרך הישר. ואילו אני בעוונותי פחדתי להק־פיד עליך פן תרחיק לכת. חסתי על דמעות אמך וחשכתי שבטי ממך. אולי הריעותי לעשות שביטלתי את רצוני והרשיתי לך לכלות את שנות תלמודך במוסד חילוני מפוקפק ממדרגה רא־שונה ששָמה לא השׂכילו אפילו ללמד אותך קרוא וכתוב ומצוַת כיבוד אב ואם. במקום זה הלכתי בדרך הקלה לא הכנסתי בך תו־רה ומצוות ומעשים טובים והתעלמתי מהמשוגות שלך בבחינת רחוק מן העין רחוק מן הלב. אף־על־פי שאתה, בועז, אף פעם לא היית אצלי רחוק מן הלב. אף רגע. אולי גם עשיתי טעות שהלכתי שלוש פעמים לפַקֵד אלמליח לבקש רחמים עליך? אולי היה לך לברכה ללמוד לקח בדרך הקשה, שתתפוס דרך התחת אם לא דרך הראש שיש שׂכר ועונש ויש דין ויש דיין? שלא תתרגל לחשוב שהכּוֹל מותר בחיים? שהחיים של יהודי זה רק לעשות חיים כמו שכתבת לי בטפשוּת ממדרגה ראשונה? אני

עוד אחזור בהמשך לנקודה החמורה הזאת. את חטאי אני מזכיר היום, בועז, שריחמתי עליך ועד היום לא התגברתי על הרחמים בגלל היסורים שהיו לך בילדותך מהרָשע ההוא. כמו שכתוב, הבן יקיר לי אפרים אם ילד שעשועים כי מדי דברי בו אזכרנו, המו מעַי לו? הפסוק הזה מתאר בדיוק את הרגש שלי אליך. ואו־לי שלא בטובתך?

אבל כנראה בכל־זאת שמעו את תפילתי ומהשמים שומרים לך קצת את צעדיך. אביך הנחמד והמפורסם שוב התנכל להוריד אותך לדרך חתחתים, שאתה תלך מקריית־ארבע לחורבה ההיא ותעשׂה שם שבע תועבות, והנה יד ההשגחה התערבה להפוך את מזימותיו לטובה: רשמתי לפנַי בסיפוק מה שסיפר לי מר זק־היים, שאתה עם עוד כמה צעירים וצעירות מבני עמנו עוסק במצוַת בנין המולדת ומוציא בזיעת אפיך לחם מן הארץ. טוב מאוד בועז. רואים שיפור! אני מתרשם שאתה עמֵל שם ביושר על־פי חוקי המדינה למרות שלצערנו אתה ממשיך כנראה לעבור על כמה איסורים מן התורה ומתעקש להישָאר עם־הארץ. הלוַאי שלכל הפחות היית שומר שבת מחַללה ומקפיד קצת יותר על גדרי הצניעות. את זאת כתבתי לא להטפת מוסר אלא רק כמו שכתוב אצלנו, נאמנים פצעי אוהב. אל תתרעם עלי, כמו שגם אני מתאפק (בקושי!) מלהתרעם עליך. בסדר, בועז? סיכמנו? נמשיך להיות ידידים?

ועוד משהו אחד אני אגיד לך בענין חטאיך שהזמן גרמָם ושהם בהחלט בגדר צרת רבים: כל זמן שחוקי המדינה ימשיכו להיות מחוץ לחוק התורה, המשיח שכבר שומעים ברור את פעמיו ימ־שיך לעמוד על המדרגות. לא ייכָּנס אצלנו. טוב נשאיר את זה לחכמים ונבונים מאתנו ובינתים אני מסתפק ממך במועט שבמו־עט: אתה לפחות תשמור על חוקי המדינה ואנחנו נגיד שהחיָנו, גם זו לטובה. וביחוד על זה שנגמלת מהרמת ארגזים וכו׳ ולא אפרט. מעשיך בועז יקרבוך ומעשיך ירחקוך, ואת המעשים הטובים שאתה עושה ומניח על כף־הזכות שלך אנחנו רושמים לפנינו באהבה רבה ובסיפוק.

אני בהיותי בן־גילך חייתי בעוני ובמחסור והייתי ממון מיגיע כפי את הלימודים בתיכון, וכן עשו כל אחי ואחיותי.

אבינו הנכה היה כרטיסן ברכבת התחתית מֶטרוֹ ואמנו לא עליך רחצה רצפות בבית־חולים יהודי. גם אני רחצתי רצפות: כל יום בשעה חמש, תיכף אחרי שעות הלימוד בתיכון (עוד היו מרבי־צים שמה לתלמידים!) הייתי רץ מהכיתה ישר לעבודה עד חצות. היה שוער־בית אחד, יהודי מרוֹמניה, אצלו הייתי נכנס להחליף את מַדי התיכון בבגדי עבודה דלים שסחבתי בילקוט שלי. ומנקה חדרי־מדרגות. ותזכור שאני לא הייתי דוֹפֶן וגיבור כמוך, אלא ילד רזה וחלש ואפשר להגיד גם נמוך לְמַטה מהרגיל. אבל מה? עקשן גדול ואפילו טיפוס מר־נפש. את זה אני לא מכחיש. בריוֹנים היו נטפלים אלי ולפעמים הכניסו מכות רצח. ואני בועז היקר הייתי חוטף ומבליג, חוטף וחורק שן, ומרוב בושה וכלימה לא סיפרתי כלום בבית. ״אין בעיות בכלל,״ זאת היתה הסיסמה שלי. כאשר נודע בכיתה שאני עובד־נקיון התחילו הנחמדים ההם לקרוא לי ״הסמרטוט עם הסמרטוט״, ותאמין לי בועז שבצרפתית זה יוצא עוד יותר משפיל. אחרי זה מצאתי עבודה אחרת, לנקות שולחנות בבית־קפה, ושמה קראו לי אחמד כי חשבו אותי ערבי קטן. האמת שרק בגלל זה התחלתי לחבוש כיפה על הראש. האמונה באה לי הרבה יותר מאוחר. בלילות הייתי יושב עוד שעה־שעתַים אחרי חצות על האסלה בבית־כסא, אם תסלח לי, מפני שהיינו גרים שש נפשות בחדר וחצי ורק שָמה היה אפשר להדליק חשמל מתי שכולם כבר ישנו ולהכין שיעורי־בית. חמש שעות נשארו לי לישון כל לילה על המזרון שלי שהיה במטבח ועד היום הזה אפילו לאמך היקרה לא סיפרתי איך לפעמים במקום לישון מהעייפות הייתי שוכב על המזרון ההוא ומתיַפח מהשִנאה והכעס. הייתי מלא חרי־אף על כל העולם. הייתי חולם להיות עשיר ומכובד ולסגור חשבון ברי־בוע עם החיים. הייתי מרגיז חתולים בחצר, ולפעמים ברחוב הולך ומוציא אויר מהצמיגים של המכוניות החונות בחושך. היי־תי בחור רע ומר.

וככה המצב עוד היה עלול להפוך גם אותי בועז לאלמנט שלי־לי, אבל פעם אחת ביום שבת הלכנו אני ושני חברים מאותו הרחוב, פרוֹספֶר וזַ׳אנין (שאתה מכיר את שניהם: גברת פוקס ופקד אלמליח) לפגישה של תנועת בית״ר עם שליח שבא

מהארץ. תאמין לי, שהיה יכול להיות באותהּ מידה הקומוּניסטים לא עלינו או משהו עוד יותר גרוע חלילה, אבל יד ההשגחה דא־גה שיהיה בית״ר. מאז התחלתי להיות בן־אדם חדש ויותר לא בכיתי בחיים ויותר לא עשיתי רעה לאף בן־אדם ואפילו לא לחתול. זה מפני שהבנתי בועז שהחיים לא ניתנו לנו בשביל לעשות חיים אלא בשביל לתרום משהו מעצמך לזולת וגם לאו־מה. ולמה? בעבור שהנתינה נותנת לך זקיפוּת־קומה אפילו שתהיה מטר ששים וארבע והתרוממות־הרוח אפילו שתהיה סמרטוט מחזיק סמרטוט. עץ־חיים היא למחזיקים בהּ. ואם אתה חי כמו שכתבת לי רק בשביל לעשות חיים, אז אתה זבוב ולא איש אפילו שתהיה גדול ויפה כמו הר מון־בְּלַאן בעצמו. יותר טוב שתהיה כל החיים שׂערה או צפורן של עם ישראל, במקום שתהיה הזבוב המסכן של עצמך. זאת התורה שלי על רגל אחת בועז. וגם אתה עוד תבין את זה, בלב אם לא בַשׂכל, בזכרון־יע־קב אם לא בקריית־ארבע, בחילוניות אם לא במסורת, ככה שעדיין יש סיכוי שכף־הזכות שלך תכריע את כף־החוֹבה שהיא אצלך די כבדה כמו שאתה יודע. שערי תשובה עומדים פתוחים, אף פעם לא סוגרים אותם.

ואם כבר נגעתי בכף־החובה שלך, לא אוּכל לעבור בשתיקה על היהירות והמצח הנחושה שגילית: מאיפה, תגיד לי, אתה לקחת את החוצפה ועזות־הפנים לכתוב על אמא שלך שהיא חס ושלום ״לא נוֹרמלית״? איך לא רעדה לך היד? מה, אתה בעצמך נורמלי? כן? לך תסתכל בראי! פרא למוּד מִדבר! אז שַל נעליך בבקשה לפני שתדבר על אִמך! אפילו שאתה בטח הולך שם יחף כמו ערבי.

ולענין אחר. ידוע לי שאביך היקר באדם התחיל עכשיו לשלם לך משהו כמו משכורת חָדשית. תרשום לפניך כי כל מה שהוא נותן לך – מִשלך הוא נותן ולא משלו, באשר שבע שנים הוא התאכזר כעורב אל אמך היקרה ואליך ומנע ממך וממנה את דמי מחייתכם ואת סך הנזק הצער והבושת שגרם לכם בזדון. מה שהוא שולח כעת זה אולי בקושי לֶקט שִׁכחה ופאה מפירורי שולחנו, לא יותר. אבל לא באתי לקומם בן על אביו חלילה. למה הזכרתי את הכסף? רק כדי לציין בזאת שאתה בועז היקר הפעם

אתה לא מבזבז את הכסף על תענוגות מפוקפקים ולא אציין כאן דוגמאות מהעבר וכו׳, אלא משקיע בשיקום ההריסות שהוא השאיר אחריו ובהקמת נקודה חקלאית. לכן אמרתי שאנחנו לא ידענו את נפשנו למקרא מכתבך, לַמרות השגיאות והחוצפה, ולכן מצאתי לנכון לצרף בזה המחאת־דואר על סך אֲלפים חמש מאות לירה. וככה אתן לך מעכשיו והלאה משהו כל חודש בתנאי שאתה מתחייב בהן־צדק להתחיל ללמוד קרוא וכתוב ואולי למַעֵט בחילול שבת? וזה אומר בחשבון פשוט שלושים אלף לירה כל שנה מהיום ועד שתתבגר. לא תצטרך יותר לקחת כסף מהרָשע. עשינו עסק, בועז?

עוד משהו על כף־הזכות שלך, משהו אשר אין ערוך לו: כנר־אה שהתחלת, במקום לגרום יסורים, לאהוב קצת לרעך כמוך. אֶל מה ירמזון מלַיִ? אל ההצעה הילדותית שבמכתבך. ילדותית אבל בהחלט נוגעת ישר ללב. אתה עוד קטוֹנת מלארח אצלך את אמך ואחותך, לפני זה תקשוֹט עצמך תחילה כמו שכתוב אצלנו, אבל התרגשנו מאוד מההצעה. כמעט שהייתי כותב כאן: אל הילד הזה התפללנו. רק שעדיין יש לך דרך ארוכה מן הרע אל הישר בעיני השֵם, ואתה עד עכשיו התקדמת רק מדרגה או שתיִם. זאת האמת, בועז, ולא אִכפת לי אם תתרגז ותקרא לי דוֹס או תמשיך להעליל עלי כזבים לא יפים כגון שאני מכביד ידי על אמך היקרה או כגון שאני חס ושלום רוחש שִׂנאה לערבים או להבדיל ליהודים אשר טרם נפקחו עיניהם.

אתה השתגעת בועז? מתי חטאתי לאמך? אל מה ירמזון מליך שאני ״שולט עליה״? או עליך? קשרתי מישהו בשרשרת? למי הרֵעוֹתי? על מי הרימותי יד? או ארגז? על מי הבאתי יסורים? בטח יש בספר החשבונות שלמעלה כמה נקודות שחורות רשו־מות על מיכאל סומו. אני לא אומר שלא. בסך־הכּול אני בן־אדם בינוני ויהודי מהשורה לגמרי. אבל להגיד עלי שאני גרמתי זדון? למישהו? אפילו זדון קטן?

עשית לי עוול בועז. מזל שאני לא מהנעלבים והכּול מחול לך. אני במקומך לפחות הייתי מבקש סליחה על חטא שחטאת לפנַי בהלבנת־פנים.

ותאמין לי, דרך־אגב, שאפילו לערבים, שאתה העללת עלי

במכתבך שאני דורש רעתם כביכול, אפילו להם אני מאחל מכל הלב שיחיו בשלום על־פי דתם ומנהגיהם ושיזכו במהרה לשוב למולדתם כמו שאנחנו זכינו לשוב למולדתנו. רק שאנחנו יצאנו מאצלָם בעירום ובחוסר־כֹּול ואפילו בבושת־פנים, ואילו להם אני מציע לצאת מאצלנו בכבוד וברכוש גדול ובלי שאנחנו חלילה נגזול מהם מחוט ועד שׂרוך נעל. אפילו עבור הנכסים שהם תפסו בארצנו בכוח החרב אני מציע לשלם להם כסף טוב עובר לסוחר. קל וחומר שבן־אדם כמוני לא חולם להפיל שׂערה אחת מראש יהודי, שיהיה החוטא הכי גדול. אז מה נבחת עלי? ועוד יש לך החוצפה לבקש שלא יטיפו לך מוסר, ולדגול בזה ש"אסור לשַנות אנשים"! דבר חדש!

מה יש? מה, האנשים מושלמים כבר? אתה בעצמך מושלם? קח אפילו את העם הנבחר: אין כבר מה לשַנות? אין כבר מה לתקן? שטויות בועז! כולנו חייבים לנסות להשפיע זה על זה לטובה. לשלב זרועותינו יחד פן נמעד בדרך. כל בן־אדם הוא בהחלט שומר אחיו. ובטח שֶכָּל יהודי!

אשר לאמך ולאחותך – אולי נבוא שלָשתֵנו לביקור קצר אצ־לך, אבל רק בתנאי שלפני זה אתה שוב מתחיל לעלות לשבתות לירושלים. אתה שהתרחקת ועליך החובה להתקרב ראשון. עוד כמה חֳדשים אנחנו עוברים לגור ברובע היהודי בדירה נאה ומרווחת ולך נחזיק חדר למתי שתרצה. זה ענין אחד. אבל שהן תבואנה להתגורר בחורבה שקיבלת מאביך? בין טיפוסים שאולי כל אחד מלאך, אבל אני לא מכיר אותם ולא את המשפחה שלהם? מה זה, אתה רוצה להושיע את אמך ואחותך מידי? אבל אסלח לך – כוונתך היתה לטובה.

ועכשיו לדעותיך המסוכנות שכתבת לי, שהעיקר בחיים הוא לעשות חיים. הזדעזעתי, לא אכחד ממך. אביך החכם־בלילה, כנראה שממנו בא הרעל הזה שאתה מדקלם לי בעברית רצוצה. הרעיון הזה, בועז, הוא אֵם כל חטאת ויותר טוב שתברח ממנו מהר כמו ממגיפה. העיקר בחיים זה לעשות את הטוב. פשוט מאוד. ושלא יבואו אביך ועוד פיקחים מהסוג שלו ויתחילו להגיד במִרמה שהטוב זה עסק יחסי, שאף אחד לא מוסמך להבדיל בין טוב לרע, שהטוב של שמעון זה הרע של לוי ולהיפך, שתלוי

מתי ואיפה, וכל ההתחכמויות האלה. שמענו מספיק. אנחנו אין לנו עסק בפילוסופיה הנָכרית הזאת שכולה רק פרחים ולא פרי כמו שאמר החכם, ועוד פרחים מורעלים. תעזוב את הטומאה הזאת. אני אומר לך בועז שעוד לא נולד הבן־אדם, כולל ערבי או פושע, שלא יודע בעומק נשמתו מה טוב ומה רע. כולנו יודעים את זה ישר מבטן אמנו. מהצלם אלוקים שלנו. יודעים טוב מאוד שלהיטיב עם רֵענו – זה טוב, ולהרע לו – זה רע. בלי חכמות. זאת כל התורה כולה על רגל אחת. אבל מה? יש לצערנו כאלה לֵצים מושבעים שמתחכמים או מיתַממים ואומרים, תביא הוכ־חות. בסדר, למה לא? יש הוכחות בשפע. הנה למשל אני מבין ממך, שעשית לך שמה איזה טלסקופ ובלילות אתה הוֹבֵר קצת בכוכבים. ובכן, תסתכל טוב־טוב במכשיר שלך, ולבך יתחיל להגיד הַלל על כל נפלאות השֵם, ואתה תראה את ההוכחה בעיני הבשׂר ממש: בִזְבוּל המאורות, בועז, בשִׁבעת הרקיעים שמעלינו, מה אנחנו רואים? מה כתוב על־פני השמים באותיות קידוש לבנה?

עכשיו אתה שותק? יפה מאוד. עושה את עצמך כאילו שהכוכ־בים זה רק אוֹפּטיקה ואסטרוֹנוֹמיה. עושה את עצמך טֶמבֶּל. אז בסדר, אני אגיד לך: שמה כתוב סדר! שמה כתוב תָכנית! שמה כתוב תכלית! כתוב שכל כוכב ילך בדיוק נמרץ במסילתו! ושמה גם כתוב, חביבי, שהחיים עשויים בכוונה. שיש מנהיג לַבירה. ויש דין ויש דיין. שאנחנו כמו צבא השמים חייבים להיות תמיד על משמרתנו ולעשות את רצון הבורא. כוכב או תולעת, לא משַנה, כולנו נבראנו לתכלית וכולנו חייבים לנוע במסילה שהתווּ בשבילנו.

נכון שברקיע אפשר לקרוא גם: כי אראה שמיך מעשה אצב־עותיך, ירח וכוכבים אשר כוֹננת, מה אנוֹש כי תזכרנו ובן־אדם כי תפקדנו? כלומר, שאנחנו קטנים מאוד, שהשלושים־ארבעים סנטימטרים שיש לך מעלֵי חשובים כקליפת־השוּם, אבל מצד שני כתוב בשמים שאנחנו נבראנו בצלמו ושהכוֹל נהיה בדבָרו.

אם תסתכל למעלה בכל נפשך ובכל מאודך תיוָכח במו עיניך שהשמים מספרים כבוד השם: נוטה שמַים כיריעה, לובש אור כשַׂלְמָה. ומי שמסתכל בעיני הלב יודע מה מותר ומה אסור ומה

מותר האדם. כמה שלא נתחכם, אנחנו יודעים מצוין. מאז שאכל־נו מפרי עץ־הדעת שהשם המלא שלו בתורה הוא עץ הדעת טוב ורע. אפילו אביך יודע, ואתה – קל וחומר, חומץ בן חומץ שכמוך. תן אפוא דעתך אל הכוכבים שלך ואל המצפון שלך וככה תביט לבריח ולא תפנה ליֵצר ולא תהיה ככוכב שהוגה ממסילתו ולא כעלה נידף.

אולי אתה תתעניין לשמוע ממני, אם עוד לא שמעת ממר זק־היים, שהפסקתי להיות מורה ועכשיו אני עסוק כמעט יומם ולילה במצוַת פדיון הארץ, יחד עם עוד חברים המוסרים נפשם על תחייתנו, מקבוצת "אחדות ישראל", שאתה הכרת אותם אצלנו בבית בירושלים ובקריית־ארבע, וכן כמה חדשים מקרוב באו. יש לנו אפילו שלושה בעלי־תשובה, כולל אחד שצמח בקי־בוץ חילוני שמאלני ועכשיו התבגר מזה לגמרי. תבוא כמה ימים בלי שום התחייבות מצדך ותראה במו עיניך? אולי יידָלק הניצוץ היהודי שלך? בקרוב אם ירצה השם אני יוצא לכמה ימים לפריס בענין גאולת קרקעות וכאשר אחזור ניפָּגש. אם תרצה להצטרף אלינו נגיד לך ברוך הבא, נשכח את הבריחה מקריית־ארבע ולא נבדוק בציציות. תוכל לקבל תפקיד מעניין וחשוב כמו איש־בטחון למשל. תלמד קצת תורה וגם תביא ברכה. רק תגיד ואני מסדר לך משהו, יש לי תודה לאל הרבה קשרים חדשים ואפש־רויות חדשות בשפע.

ובינתים אל תהסס לכתוב לי מכתבים, ואפילו עם שגיאות. אתה יקר לי כמו בן. אני מצרף למכתב את ההדבקות שעשתה אחותך ואמרה תשלחו לבוֹזז. ועוד רציתי להודיעך שמהמכתב ששלחת לנו אמך בכתה בדמעות, ולא דמעות־חרפה אלא דמ־עות־נחמה. היא תוסיף כמה שורות פה למַטה. אנחנו מתגעגעים אליך ומתפללים שתמיד תבחר בטוב. אַל תתבייש, תודיע אם נחוץ לך איזה דבר, כולל קצת כסף, ונראה מה ביכָלתנו.

שלך בחיבה,

מישל

נ"ב: תחשוב טוב אם אתה מקבל את ההצעה שצמודה לצ'ק. אם לא – אין דבר, בכל־זאת תשמור לך את הכסף הפעם. אם כן,

תקבל כאמור כל חודש סכום כנ״ל ממני. תשקול את זה בועז? בשׂכל? אמך רוצה גם כן לכתוב לך כמה שורות.

☆

15.8

שלום בועז. לא קראתי מה כתב לך מישל. קראתי את מכתבך אליו מפני שהרשית לי לקרוא. כל מה שאתה עושה שם בבית של סבא שלך נפלא בעיני. אתה טוב מכולנו. אני לא אוכל לבוא עם יפעת אליך בלי לפגוע במישל. וחוץ מזה, ידי ריקות. אין לי מה לתת. מה לעשות שנכשלתי? נכשלתי בַּכּוֹל, בועז. נכשלתי לגמרי. רק שגם אשה נכשלת ואפילו אשה לא נורמלית מסוגלת לאהוב ולהתגעגע. ולוּ גם אהבה עלובה.

אתה לא שונא אותי ואני מתפלאת איך זה. מה לא הייתי נותנת תמורת האפשרות החסומה בפנַי להעניק לך משהו. לפחות להטליא את בגדיך ולכבס לך לבָנים. אינך צריך לענות. אם תוכל, תשתדל לא לבוז לי. אתה טוב וטהור מכולנו. שמור על עצמך מאוד. אמא.

☆

מישל ואילנה סומו
תרנז 7 ירושלים

שלום מישל ואילנה ויפעת המתוקה

קיבלתי את המיכתבים שלכם והכסף. חבל שאתם דואגים ועושים מיסביבי כזה רעש. אני מאה אחוז ואין לכם מה לדאוג. הויקוחים שלך מישל עושים לי כאב ראש והחלתתי להפסיק עם זה. בארך שישים אחוז ממה שכתבתה אני די מסכים חוץ מהפסוקים וזה, ובארך שלושים אחוז בכלל לא היבנתי מה אתה רוצה ממני? אתה בן אדם נחמד מישל אבל מבולבל לאללה מהתורה ומהפוליתיקה שלך. הכי טוב שתיה עכשו כמה זמן בפריס ותקייף בהזדמנות טוב טוב תעשה חיים ותירגע מכל הגעולות שלך? לידיעתך הכוכבים לא אומרים כלום ובטח שלא מתיפים מוסר וזה. רק עושים שקט על הנשמה משהו לא רגיל. אני לומד כתיבה מבחורה אחת שאצלנו ובשבתות בין כה כמעט לא עוב־

דים ככה שאת הכסף קיבלתי. וקניתי לידיעתך מרסס ומקסחת. אם בא לך תשלח לי עוד כי נצתרך דחוף לקנות איזה טרקטור קטן בלי זה קשה להתקדם. אילנה אַת בסדר רק מה? עזבי רג־שות דמעות וזה ותתחילי לעשות משהו. הכנסתי במעטפה נוצות של תַבַס ליפעת כי קיבלנו תבס מזקנה אחת והוא מסתובב לנו בחצר. שלום ודש.

מבועז ב.

☆

לכבוד
פרופ׳ א.א. גדעון
סאמֶר פרוגראם / פוליטיקס, אוניברסיטת פרינסטון,
פרינסטון, ניו־ג׳רסי, ארה״ב.

ירושלים 20.8.76

אלכס שלי. אם במקרה כבר נרגעת, סיימת את שלב הברקים והרעמים ונכנסת להתבהרות חלקית, תוכל למצוא בסיום מכת־בי רעיון מעניין לשיקולך. לעומת זאת, אם עדיין אתה רותח על מאנפרד שלך, שופך חמתך הפראית על העצים ועל האבנים, שקוע ברחמנות עצמית במיטב המסורת הטֶטָרית של אביך – אבקשך להקשיב בסבלנות לכתב־ההגנה שלי.

לא קשה לי לנחש מה אתה חושב עלי כעת. בעצם הייתי מסו־גל, just for the hell of it, לחבר בשבילך את נאום התביעה נגדי: מאנפרד־קשישא יופיע בו בתפקיד ״יאגו לעניים״, כלשונך (ואולי דווקא יאגו לעשירים?) מין מַקיאבֶלי מהיידלברג שבגד באביך אתך, בך – עם גרושתך הסֶנסַציונית, בהּ – עם בעלהּ המתוק, עד שסגר לבסוף את מעגל השפלות שלו ובגד גם בסומו – שוב אִתך. זקהיים איש־קריות בריבוע. אין פלא שעשן שחור עולה מנחיריך ומאזניך. לא שכחתי את התקפי הזעם שנה־גת לפַּתח בילדותך: אחרי מריטת השׂערות וניפוץ הצעצועים היקרים היית נועץ את שיניך בגב ידך עד שהופיע מעֵין שעוֹן שותת דם. מצדי אתה חפשי להמשיך ליַצר שעונים כאלה. או לפתוח את תֶזָאוּרוּס ולקלוע בי את כל הגידופים שתמצא שם, לפי סדר האלף־בית. go right ahead, be my guest. אני כבר

מתורגל בכל הרפרטואַר הגוּדוֹנסקאי של שלושת הדורות האחרונים ואשמח להחזיר לך עם ריבית. רק רצוי שתזכור, חביבי, לפחות in the back of your mind, כי לולא הרֶגל החכ־מה שלי על הבּרֶקסים המקולקלים שלך, כבר מזמן היו מפשיטים אותך עירום ועריה, מקלפים אותך מכל נכסיך ושולחים אותך להתפגר כמו כלב בבית־המחסה הקרוב ביותר.

יתר־על־כן, אלכס: לולא מאנפרד האיום היה כל רכושו של אביך נמס בידיו הסֶניליות ומתבזבז עוד לפני עשר שנים על פרוֹיֶקט המתקת ים־המלח או על כינון אוניברסיטה ביידיש למען שבטי הבֶּדוים. אני הוא שחילצתי למענך את הרכוש ואת רוב ההון מצפָּרני הצאר, והעברתי את השלל בשלום תחת חטמם של כל המארבים הבּוֹלשביקיים שטָמנו לך רשויות המס למיניהן. זאת אני מַזכיר לך, מחמלי, לא כדי לזכות אצלך בצל״ש מאוחר על גילוי גבורה תחת אש, אלא כדי להעמיד עובדה זו כבסיס לשבועה בהן־צדק: לא בגדתי בך, אלכס, חרף ברד העלבונות והגידופים שאינך חדל להמטיר עלי. להיפך, לכל אורך הדרך עמדתי בענוָה לימינך ותימרנתי כמיטב יכָלתי להצילך מסחיטוֹת רגשיות, ממזימות, וביחוד – מכף שגעונותיך האחרונים.

למה עשיתי זאת? שאלה מצוינת. אין לי תשובה עליה. על־כל־פנים, לא תשובה קלה. ברשותך ארשום כאן את השתלשלות העלילה הנוכחית, כך שלפחות נוכל להסכים על רצף העובדות. בסוף חודש פברואר, כרעם ביום בהיר, ציוית עלי פתאום למכור את הנכס בזכרון כדי לממן לרב סומו את מסעי הצלב שלו. אני מודה שמצאתי לנכון לנסות להרויח קצת זמן, בתקוָה לצנן את הקפריסה הרוּבין־הוּדית שלך. טרחתי לאסוף ולשטוח לפניך את האינפוֹרמציה הדרושה לך לשיקול־דעת חוזר. אכן קיויתי להוריד אותך בעדינות וברוב טַקט מעץ האגוזים שטיפ־סת עליו. לאות תודה אתה שטפת אותי במבול של חרפות וגידו־פים שהיה בו כדי להביא כף נחת לאביך בכבודו ובעצמו לוּ רק הצליח להיזָכר מי אתה, מי אני ומי הוא. ומאנפרד היקר־באדם? הוא מחה את רוקך מעל פניו ומילא באדיקות את פקודתך: למכור, לשלם, ולבלום את פיו הגדול.

אודה ולא אבוש, אלכס: בנקודה זו הרשיתי לעצמי לעגל קצת

את הזיזים. תפסתי יָזמה תחת הפגזה, החלטתי על דעת עצמי למכור לך נכס אחר כדי לשלם את דמי הפרוטֶקשן ההם, אך הצלתי למענך את זכרון. רוח הנבואה צלחה עלי: הלא תודֶה כי בכך הצלחתי לחזות בדייקנות מדהימה את התהפוכה הבאה שלך. כי עד שהספקתי להגיד גודונסקי המטורף, אתה שינית את דעתך ונצמדת אל הנכס שלך בזכרון כאילו חייך תלויים בו. יד על הלב, אלכס: לו מילאתי בפברואר או במַרס את רצונך המקורי ומכרתי את ארמון החורף – אתה היית מולק לי את ראשי המסכן, או לכל הפחות מורט ממנו את השׂערות שאינן כבר.

ומה היתה תודתך הנסיכית, מַרקיז? העמדת אותי אל הקיר וירית בי צו פיטורין. זבֶּנג וגמרנו. קַאפוּט. ובכן קיבלתי את הדין והסתלקתי מניהול עסקיך (אחרי שלושים ושמונה שנות שירות מסור ללא תנאי לבית גודונסקי המפואר!), ואפילו נשמתי לרוָחה. אבל עד שהספקתי לסיים את הסיגריה שלי, אתה הברקת בבהילות כי שוב אתה חוזר בך, מבקש מחילה וזקוק, פחות או יותר, לסעד נפשי דחוף. ומאנפרד אציל־הנפש? במקום לשלוח אותך עם כל שגעונותיך לעזאזל, הוא קם ויצא בו־ביום בריצה קלה ללונדון וישב לילה ויום לרגליך וספג ממך הרעשה מרוכזת של אש ותימרות עשן (״נמושה״, קראת לי, לפני שבחרת לקדמֵני לדרגת רַאספוטין). וכשנחה לבסוף דעתך, הנחת עלי סדרת פקודות חדשה: פתאום התחשק לך שאפעל להרחיק את היפהפיה מן החיה שלהּ, ״שאקנה בשבילך את הג׳נטלמן Lock stock and barrel״, והמחיר לא משנה. למה? ככה. ״דבר המלך במועצתו״ וחסל.

וכך, קרחתו חפופה לו כהוגן וזנבו מקופל בין רגליו, חזר מאנפרד היקר לירושלים והחל למשוך בחוטים. אלא מה? בתוך כך רחש לבו דבר טוב: אַ־פּרוֹפּוֹ אילוף הסוררת, למה לא להניח אפסר על זרבוביתו הקדושה של סומו, לקשור אותו קצת ברצועה, כך שהונו של אביך לא יתבזבז סתם כך על הקמת ישיבת פוניבֶז׳ בחַלחול או שְטיבּל־צ׳ורטקוב בקלקיליה־עילית, אלא יושקע בתבונה בנכסי־דלא־ניידי סולידיים. זה פשעי וזו חטאתי. ותזכור שההון הזה רווי בדמו ובזיעתו של זקהיים לא פחות מכפי שהוא פרי חזיונותיו של הצאר. כנראה יש לי לאסוני

קשר סנטימנטלי אל הרכוש היתום של משפחת גודונסקי לדורו־תיה. את מיטב שנותי השקעתי בצבירתו, ואני לא מקבל שום קִיק מלהרוס אותו במו ידי. פעם, בארבעים ותשע, כשהייתי סגן הפרקליט הצבאי, הקלתי בענשו של חייל בשם נאג׳י קדוש שסחב מבסיסו רמון־יד בטענה שהשקיע שנה וחצי בכתיבת כל ספר תהילים באותיות זעירות בטוש על־גבי הרמון הזה. כנראה שגם אני קצת קדוש.

ובכן אטמתי היטב את נחירי במקל־כביסה וירדתי עמוק אל העם. פתחתי את האולקוס שלי במאמץ טיטָני לאַלף קצת את סַנ־טה־סומו שיהיה לפחות פַּאנַאט־יזואִיט במקום פַּאנַאט־קמיקָזָה. והאמן לי, אלכס חביבי, שהיה זה תענוג מפוקפק מאוד: על כמות הדרשות המיסיונריות שנאלצתי לבלוע, הייתי צריך לחייב את חשבונך אצלי לפי מטר רץ.

וכך, בעוד אתה מקלל אותי ומפטר אותי והרבי מטהר את נשמתי, עלה בידי לקשור את סומו בידים וברגלים אל זוהר את־גר חתני, ולסובב אותו, אם לא במאה ושמונים מעלות – לפחות בתשעים, פלוס־מינוס. כך שברגע זה המאה אלף שלך שטופים במצוַת פרו ורבו, ובקרוב יהיו שם מאתים.

ועכשיו תשאל למה היה לי לטרוח? הן יכולתי להגיד לעצמי: שמע נא מאנפרד, אם דווקא מתחשק לרוזן המשוגע שלך לתלות נזם־זהב באף חזיר – קח בשקט את העמלה המגיעה לך והנח לו לקפוץ מהגג? כאן נכנסים לתמונה רגשות ענוגים. זקהיים איש־קריות אולי לא בוחל בשלושים שקלי כסף (או יותר), אבל משום־מה אין לו חשק להגיש את אדוניו לצליבה. או להשתתף בעושק יתומים. היינו ידידים? או נדמה לי? כשהיית בן שבע, שמונה, ילד משונה, מדוכדך, שבונה אנדרטות לקופי־רֶזוּס ונו־שך את עצמו בראי, החתום מַטה כבר השאיל את שׂכלו המחודד לשירות חזיונותיו של אביך. יחד, בארבע ידים, בנינו אימפֶּריה מלא־כלום. זה היה עוד בשנות השלושים הסוערות. יבוא יום, מַרשי המלומד, כאשר אתיַשב סוף־סוף לחבר את זכרונותי המרעישים, עוד ייוָדע לך איך התפלשתי למען אביך בחלאת אֶפֶנדים דֶגֶנֶרטים, התגאלתי בשיכר בריטי, התבוססתי עד כאן בפרזות הבולשביקיות של פקידי סוכנות מאנפפים, והכּול – כדי

לצבור בתחבולות דונם לדונם, אבן לאבן, לירה ללירה, את כל מה שאתה קיבלת ממני על טס, עטוף בנייר מתנות וקשור בסרט כחול. take it or leave it, חביבי, לא יכולתי לשאת את המחש־בה שאתה תשחית את כל זה על תקיעת מזוזות־זהב בכל חירבּה ערבית בשטחים, על קשירת גַ׳בלאות בתפילין, על כל העבודת־אלילים הזאת. להיפך, לעיני־רוחי נפתחה האפשרות המרהיבה להשתמש בסומו כדי לחדש ימינו כקדם, לרכוש בזיל־הזול מגר־שים במקומות אשר רגל אדם לבן טרם דרכה בהם, לקשור לעגלתנו את חמור־המשיח הזה ולעשׂות למענך בהווה כפליִם ממה שעשיתי למען אביך בשעתו. זה כתב־ההגנה שלי, אלכס. נותרו רק עוד נקודה או שתים.

במאמצים הגובלים בקידוש־השם העליתי את סומו על דרך הישר (היחסית). הפכתי את הפיגמליון השחור לסוחר קרקעות ציוני, והצמדתי אליו את זוהר על תקן סיכת־בטחון. ציפיתי כי במשך הזמן גם אתה תירָגע, תתפכח קצת, ותיַפה את כוחי לעלות בשְמך על העגלה החדשה שבניתי. האמנתי כי ככלות הסאון והזעם אולי תתחיל סוף־סוף להתנהג כגוּדוֹנסקי אמיתי. תיכננתי שהכסף שלך פלוּס השׂכל שלי פלוּס הקוּזֶנים חודרי השריון של סומו פלוּס המרץ של זוהר עוד יעשירו יפה את כולנו ובא לציון גואל. בקיצור, אם לצטט את הרש״י הקטן, בסך־הכּול ניסיתי להוציא מתוק מעז. And that's all there is to it, חביבי. רק לשם כך התחברתי אל הציר שבין סומו לבין פַּטרוֹנוֹ הפריסי והתברגתי אל עִסקת טוּלוּז. רק לשם כך התחננתי לפניך שתיאוֹת להחליף את החירבּה שלך בזכרון, שלא מכניסה לך גרוש ורק זוללת ארנונה, תמורת מאחז בבית־לחם, ששם מקופל העתיד. תרשום לפניך, אלכּס: הבּוֹלשביזם שלנו כבר גוסס. לא רחוק היום שבו המדינה הזאת תהיה בידים של סומו־את־זוהר ודומיהם. ואז יופשרו הקרקעות בגָדה ובסיני לבנייה עירונית, וכל רגב יהיה שוֶה את משקלו בזהב. תאמין לי, מתוק שלי, כי על הרבה פחות מזה היה אביך מעניק לי ליום־הולדתי איזו מֶרצֶ־דֶס קטנה בתוספת ארגז שמפניה.

ואילו אתה, דַרלינג? במקום לרשום את מאנפרד בספר־הזהב, במקום להודות שלוש פעמים ביום לאביך שהוריש לך יחד עם

כס־מלכותו גם את הביסמַרק שלו, במקום מרצדס ושמפניה – אתה שוב פיטרת אותי. וחירפת וגידפת במברקיך כמו מוז׳יק שיכור. ועוד גילגלת עלי את השגעון החדש שלך: לקנות מידיהם את בועז. כמו שכתוב אצל שייקספיר: ״My kingdom for a horse״ (אבל לא For an ass, אלכס!). וזה אחרי כל מה שהכרחת אותי לעולל במשפטי הגירושין שלך? מה פתאום בועז? לכבוד מה? בשביל מה? מה קרה?

כי כך עלתה מלפניך. ״דבר המלך במועצתו״ וחסל: האצולה הרוסית המצורפתת מפלך צפון־בנימינה מנפצת אל הקיר גביעי־בדולח, ואנחנו המשרתים אוספים בהכנעה את הרסיסים ומקרצפים את הכתמים מן המרבד.

כיוָן שמילאתי את חובתי ההומניטרית להשהות קצת את ביצוע טירופיך עד שאולי תתעשת, אתה שוב פיטרת אותי ושׂכ־רת במקומי את רוברטו. כפי שזרקת לפח האשפה את אביך וכפי שהשלכת לגרוטאות את אילנה ובועז וכפי שעכשיו החלטת לזרוק לעזאזל את עצמך: כמשליך זוג גרבים ישן. אחרי שלו־שים ושמונה שנות שירות! אותִי, שבניתי יש־מאין את כל דוּכ־סוּת גודונסקי! בטח שמעת פעם על האסקימוּאים שזורקים את זקניהם על השלג? אפילו אצלם לא נהוג להוסיף יריקה בפרצוף: רוברטו! לבלר הצוָאוֹת הזה! המֶטר־ד׳וֹטֶל הזה!

והנה, lo and behold, דוד מאנפרד היקר, גלגולם יפה־הנפש של קינג ליר ושל אבא גוריוֹ, בחר – על אף המהלומה – להישָאר על משמרתו. להתעלם מן ההדחה בבזיון. ״כאן אני ניצב, ואינני יכול אחרת.״ בבית־הדין הצבאי לערעורים היה לנו פעם מעשה בחייל שסירב לפקודה להפעיל מרגמה בקרב בטענה שהוא, אי־שית, חתום על הפגזים.

ובינתים רכשת את בועז, ניפנפת את רוברטו, ושוב פנית אלי והתחננת שנפתח דף חדש. התדע, גאון שלי? יש שיטה בשגעון הזה. קודם אתה רומס (את אילנה, את בועז, אותי, ואפילו את סומו) ואחר־כך אתה מצטדק, מתרפס, מרעיף כספים והתנצ־לויות, מפייס ומנסה לקנות במזומנים מחילת עוונות רֶטרוֹאַק־טיבית. וגם לבקש רחמים. מה זה? נצרוּת עממית? היורים ברינה בדמעה יחבושו? הרצחת וגם מרַחת?

ומיד הטלת עלי משימה חדשה: להניח בשמך ובכספך את כפי על הילד המונומנטלי ולהירתם לסייע לו בהקמת מין קולוניה היפית על אדמת אביך הנטושה. (אגב, הגוליבר הזה קרוץ כנר־אה מחמרים לא־רעים, אף כי מטורלל לגמרי, ואפילו בקנה־מידה של משפחת גודונסקי). מאנפרד אוהבך־בלי־תנאי שוב חרק שן אך מילא אחר הנחיותיך הסהרוריות. כמו נחש לחלילו של פאקיר. הטריח את עצמו לזכרון. הפציר. שילם. החליק. הרגיע את המשטרה המקומית. כנראה נשארה אצלי איזו בלוטה קטנה שממשיכה להפריש מין חיבה אליך וחרדה תמידית לברי־אותך. ברשותך אזכיר לך שאפילו שייקספיר הגדול בכבודו ובעצמו לא הניח להמלט, בסצינת הדקירות ההמוניות, לשפד כבדרך־אגב את הוראציו הנאמן שלו. יש גבול לכל תעלול. לפי דעתי, לא אני הוא החייב לך הסברים אלא רום־מעלתך חייב לי לפחות התנצלות חגיגית (אם לא ארגז שמפניה). ואגב, אתה חייב לי גם כסף: אני משקיע בגולית הפלשתי שלך כמאתים וחמישים אמריקאים כל חודש כפי שציוית עלי. רק שהואלת לשכוח – ממתי יש לך ראש לזוטות? – כי אין לך כאן מזומנים. לעומת זאת יש לך עכשיו, בזכותי, ערימה גבוהה בחשבון וילה־לם טל שלך, בעקבות עסקת מגדיאל־טולוז. לא נעים לגלוש ממרומי חשבון־הנפש אל עמק־הבכא הכספי, אך בכל־זאת תו־איל לא לשכוח. ואל תנפנף לי שוב בצואתך המפורסמת עם הסעיף המתוק לנכדי: מאנפרד הזקן ייתכן שהוא קצת רקוב, אבל לפי שעה עוד רחוק מלהיות סנילי. וגם לא התנדב בינתים לשורות חיל־הישע.

או אולי דווקא כן התגייס, בלי שהבחין בכך? צורף שלא בידיעתו אל לגיון־הכבוד הססגוני של מושיעי אלכסנדר האומ־לל? כי אחרת איך להסביר את דבקותו המשונה בך ובכל גלגולי שגיונותיך?

לך תידפק, אלכס. לך תתחתן עם סומו, תאמץ את גרושתך לאם, את הבריון שלה לקוף־רזוס ואת רוברטו לנושא־כליך. לך לכל הרוחות. זה מה שהייתי צריך להגיד לך פעם אחת ולתמיד. לך תתרום את מכנסיך לאגודת־הנימפומניות־הגמולות־למען־יהודה־ושומרון, ותרד לעזאזל מהגב המסכן שלי.

הצרה היא שסֶנטימֶנט ישן גובר אצלי שוב ושוב על קול התבונה הטהורה. זכרונות מלפני המבול מרתקים אותי אליך כמו זוג אזיקים. נתקעת אצלי בנשמה כמו מסמר חלוד בלי ראש. וכנראה שגם אני תקוע ככה אצלך, בין גלגלי השינַיִם שהרכיבו לך במקום נשמה. הייתי רוצה שתסביר לי פעם על כוס ויסקי איך עובדת עלינו המאגיה השחורה שלך. איך עולה בידך שוב ושוב לכופף את כולנו, לרבות דוד מאנפרד השוטה? בשנת ארב־עים ושלוש, כשעדיין הייתי סגן־משנה קטן בצבא הבריטי, הזעיקו אותי פעם בלילה לאוהל המַטה של מונטגומרי במדבר קירנאיקה, שאתרגם לו איזה מסמך מגרמנית. מדוע זה בנוכ־חותך אני חש תמיד כמו אז, במחיצתו? מה יש בך שמקפיץ אותי לדום? פעם אחר פעם אני נוקש (סמלית) בעקבי ולוחש בהכנעה "יֶס סֶר" לכל גחמותיך וגידופיך? מה הלחש שלך על כולנו, ואפילו ממרחקים טרנסאטלנטיים?

אולי הצירוף המסתורי של אכזריות עם חוסר־ישע.

אני רואה לעינַי את דמותך המוטלת על גבהּ על ספת־העור בבית ניקולסון בלונדון בליל פגישתנו האחרונה (אף כי בינתים אתה שוב באמריקה, אם לא בציילון או בטימבּוּקטוּ). פרצופך הרוֹמאי־הפַּטריצי מחושק במאמץ נחוש להעלים מפנַי את כאביך. אצבעותיך לופתות ספל תה כמו עומדות בכל רגע להתיז בפרצופי את תָכנוֹ או לנפצו על ראשי. קולך היה קר, צלול, והמלים – כחיילי־עופרת. כפעם בפעם עצמת לאט את עיניך, כאילו היית טירת אבירים מֶדיאֶוָלִית המגביהה מבפנים את הגשר וטורקת את שערי־הברזל. בעודי ממתין לך שתואיל לחזור ולהבחין בי, הסתכלתי בגוון שהיה שׂרוע במתיחות על הספה, בפניך החתומים, החיוְרים, בהעוָיית הסלידה המרירה החרותה סביב שׂפתיך תמיד. והנה להרף־עין, כמו מציץ בי מחרך ירי של טַנק, יכולתי להבחין בַילד הזכור לי מלפני ארב־עים שנה: ילד מגודל, מפונק, נער־קיסר דֶקָדֶנטי העלול ברגע הבא להורות לעבדיו בתנועת סנטר עצלה שיתיזו מעלי את רא־שי. ככה סתם. כמהתלת לילה קטנה. מפני שחדלתי לעניין אותו.

כך נראית לי אותו רגע בלונדון. ובי היתה תערובת של הכנ־עת נושׂא־כלים עם חמלת אב עמומה. יראת־כבוד פיסית מהולה

בדחף פתאומי להניח אצבעותי על מצחך. כמו אז. כמו בימי ילדותך.

גו הגלַדיאטור שלך, שכל־כך רזה והתגרם, ארשת הנסיך המעונה, עָצמת מבטך האפור, קרינת רוחך המסוגפת, צינת רצון־הברזל. אולי זה הדבר: פראותך השבירה. עריצותך נטולת־המגן. הזאביות הילדותית המַשווה לך איזו מהות של שעון שאבד לו מכסה־הזכוכית. כך אתה מהפנט את כולנו. מעו־רר אף באיש כמוני ריגוש כמעט נשיי כלפיך.

גם אם תצא מכליך לא אתאפק הפעם ואכתוב לך שבפגישתנו זו בלונדון עוררת בי מין רחמים. כאילו הייתי אקליפטוס זקן, מקולף, שהחל לפתע־פתאום להניב תאנים לתמהונו. צר היה לי עליך. על מה שעוללת לחייך ועל האופן שבו אתה מתכנן עכשיו את מותך. הלא אתה פיתחת את המחלה כמו טיל קטלני משוכלל שאותו בייתָ על עצמך (יש לי ודאות פנימית שהבחירה כולה בידיך, להחניק את המחלה או להתמסר להּ כליל). עכשיו תגחך ביבושת, בעקימת חצי פיך, ואולי תרשום לעצמך כי מאנפרד השפל שוב רוקד לפניך מַה־יָפית. אבל מאנפרד חרד לך. לילד הבדידות המוזר, שלפני ארבעים שנה נהג לקרוא לו "דוד מאלפרֶנד" והיה מטפס על ברכיו ומחטט לו בכיסי הז'קט ויש שהיה מוצא שם שוקולד או חפיסת מַסטיק. פעם היינו ידידים. ועכשיו גם אני מפלצת. אמנם רק מפלצת של פורים: בקומי כל בוקר להתגלח, אני רואה לפני בראי מנוּוָל קֵירח, מנוּוָל מצומק, סטירי, המשרך את נַוולותו מיום ליום כדי להעניק בבוא היום את דינריו לנכדיו היקרים לו. מה יקר לך, אלכס? מה מקים אותך מחדש כל בוקר? מה מציץ אליך מן הראי?

היינו פעם ידידים. אתה הוא שלימדת את הדוד מאלפרנד איך לרכוב על חמור (מַרק שאגאל היה צריך להנציח את החזיון הזה!) ואילו אני לימדתיך להטיל על הכותל תיאטרון חיות שלם עשׂוי מצללי אצבעותינו. בביקורי התכופים אצלכם נהגתי לקרוא לך לפעמים סיפור לפני השינה. והיינו משׂחקים בקלפים משׂחק שעדיין זכור לי: קראו לו "הדוב השחור". מטרת המשׂחק היתה לסדר את העולם בזוגות, רקדן עם רקדנית, חייט עם תופ־רת, איכר עם איכרה, ורק לדוב השחור לא היתה בת־זוג. מי

שהדוב נשאר בידו, היה המפסיד במשחק. תמיד, בלי יוצא־מן־הכלל, הייתי אני המפסיד. לא פעם נאלצתי לתחבל מזימה מסובכת כדי להניח לך לנצח בלי שתבחין בויתורי, שאם לא כן היית נתקף זעם פראי להחריד: אם הפסדת במשחק, ורע מזה – אם חשדת שהנצחון הוענק לך במתנה. היית מתחיל לשבור, להשליך ולקרוע, מאשים אותי ברמאות, נושך את גב ידך עד שהופיע דם, או נכנס לדֶפּרֶסיה קודרת וזוחל כמו נמיה להסתתר בחשכת החלל הצר שמתחת לגרם־המדרגות.

לעומת זאת, בכל פעם שהפסדתי במשׂחק היית אתה – על־פי איזה חוש צדק משונה – יוצא ממש מגדרך כדי לפַצות אותי. רץ למרתף להביא לי בירה קרה. מעניק לי במתנה גולה או סלסלה מלאה חלזונות לבנים שאספת בשקדנות בחצר. היית מטפס על ברכי ומגניב סיגר של אביך אל תוך כיס הז׳קט שלי. ופעם בחורף התגנבת אל חדר־המבוי לקרצף את הבוץ מעל הערדלַיִם שלי. ופעם אחרת, כשאביך הִרעים עלי בקולו וקילל אותי ברוסית, אתה השתמשת במגהץ מקולקל כדי לחולל קֶצֶר ולהחשיך את הבית באמצע ברקיו ורעמיו.

ובארבעים ואחת התגייסתי לצבא הבריטי. חמש שנים התגלגלתי מסָרָפֶנד לקאהיר, לקירנאיקה ולאיטליה, מאיטליה – לגרמניה ולאוסטריה, מאוסטריה להַאג, מהאג לבירמינגהם. כל אותן השנים זכרת אותי, אלכּס: אחת לשבועים־שלושה היה החייל האמיץ מאלפרנד מקבל ממך חבילה. ממך ולא מאביך. ממתקים, גַרבּי־צמר, עתונים וירחונים מהארץ, מכתבים שבהם שׂירטטת לי סקיצות של כלי נשק דמיוניים. גם אני נהגתי לשגר אליך גלויות־דואר מכל תחנות נדודי. אספתי ושלחתי לך בולים ושטרי־כסף. בשובי ארצה, בארבעים ושש, פינית לי את חדרך. עד שאביך שׂכר לי את דירתי הראשונה בירושלים. ועדיין מונח על שולחן־הלילה שלי תצלום מאפריל ארבעים ושבע: יפה־תואר, עצוב ואַלים קצת, אתה עומד בו כמו מתגושש מנומנם ומחזיק את מוֹט החופה בחתונתי. כעבור שבע שנים, כשנהרגה רוזלינד, הזמנתם אתה ואביך את דורית הקטנה לשהות כל הקיץ בזכרון. בצמרת אחד האֳרנים בנית לה בקתת ענפים עם סולם־חבלים ושָבית את לבהּ לתמיד. כשנרשמת ללמוד בירושלים,

נתתי לך את מפתח דירתי. כשנפצעת בגבך בפשיטה על צפון־הכנרת, שוב ישבת אצלנו כשבועים. אני הוא שהכין אותך לבחינות בגרמנית ובלטינית. אחר־כך אירעה החתונה המְטֶאוֹרית שלך, ואחר־כך החל אביך לפזר את ההון על קרנות צדקה למיניהן ולהעניק המחאות לנוכלים שהבטיחו לו כי הם מְיַצגים את עשרת השבטים. עד ששלח את הצֶ׳רקסים שלו לפשיטת־לילה על הקיבוץ השכן, ואז נפגשנו שנינו והחלטנו לתכנן הפיכה. לא שכחנו, אתה ואני, את אחד־עשר המשפטים שניהלתי בשמך עד שחילצנו את הרכוש וסגרנו את הצאר במוסד. ואתה לא תוכל לשכוח מה עשיתי למענך בערכאות הגירושין שלך. העליתי על הכתב את ראשי הפרקים האלה כדי לומר שהדוד מאלפרנד נשׂא אותך על גבו מקטנותך ועד עכשיו ועד בכלל, בעוד אתה מקים לך שֵׁם־עולם וספרך הולך ומיתרגם לתשע לשונות. אתה מצדך מימנת את מסע הכלולות של דורית וזוהר ליפן ואפילו פתחת חשבון חסכון נדיב כשנולד כל אחד מנכדי. האומנם היתה זו רק השקעה מחושבת, צוננת? אשמח אם תאיר את עיני. ואם תואיל לאשר לי בכתב, לפחות בין חירוף לגידוף, כי מה שרשמתי כאן אכן היה ונברא. פן איאָלץ להסיק שאחד משנינו כבר סֶנילי ורואה מהרהורי לבו. אנחנו ידידים, אלכס? ענה לי כן או לא. Just to set our record straight. והעיקר: תן סיגנַל ואני משקיע את המזומנים ממגדיאל ברכישת שדמות בית־לחם. שמור על בריאותך וכתוב במה אוכל לעזור.

דוד מאלפרנד שומר־החותם

[מברק] אישי זקהיים ירושלים ישראל. נכה מחשבוני את המגיע לך עבור תשלומיך לבועז קח עוד אלפים בקשיש ותפסיק לכשכש בזנב. אלכס.

[מברק] גדעון סַאמר־פרוגראם פרינסטון. אני בהחלט חמור־גרם ואתה מקרה אבוד. לקחתי ממך חמשת אלפים. שולח חשבון מפורט. רוברטו מסרב החלטית לקבל

שוב ניהול עניָניך. נא בדחיפות הנחיותיך למי להע־
ביר התיקים. אולי הכי טוב לך שתתאשפז מרצונך
החָפשי לפני שישימו עליך כותונת בלי שרוולים.
מאנפרד.

☆

[מברק] אישי זקהיים ירושלים ישראל. התפטרותך לא מתקב־
לת. תורשה להמשיך לטפל בניהול הרכוש בתנאי
שתסלק את הפה והטלפים ותפסיק לבלוש ולנבור
בחיים של כולנו. אתה מנהל עסקים ולא כומר וידויים.
את נכדיך אני משאיר בצוָאתי השד יודע למה. אלכס.

☆

[מברק] גדעון סאמר־פרוגראם פרינסטון. התפטרותי עומדת
בתָקפהּ. גמרתי אתך לתמיד. חוזר ומבקש הנחיותיך
למי להעביר התיקים. מאנפרד זקהיים.

☆

[מברק] אישי זקהיים ירושלים ישראל. מאנפרד תירָגע.
מתאשפז לשבוע להקרנות במָאונט־סיני ניו־יורק.
אחלק הירושה בין הבן שלי הבת שלהּ ונכדיך. אל
תעזבני עכשיו. נוטה לחזור ארצה אולי אחרי ההקר־
נות. התוכל לסדר לי קליניקה פרטית שקטה מצוידת
לכימותירַפיה. נותן לך יד חפשית בניהול הרכוש
בתנאי שתישָאר לצדי. אל תתעלל. אלכס.

☆

[מברק] גדעון מאונט־סיני הוספיטל ניו־יורק. בהמשך לטלפון
שלי מאתמול. הכּול מסודר למקרה שתחליט לבוא
כולל קליניקה מצוּינת רופא פרטי ואחות. הוריתי
לזאנד לרדת ממשפחת סומו ומבועז. משקיע המזומנים
שלך בחברת יתד אך לא נוגע בנדלן. הבנתי שאינך
רוצה שאודיע מצבך לאילנה ובועז. דורית ואני נצא

בסוף השבוע לניו־יורק להיות לידך אלא אם תורה לי אחרת. ברשותך מחבק אותך. מאנפרד.

☆

[מברק] אישי זקהיים ירושלים ישראל. תודה. אל תבואו. אין צורך. צוָאה מעודכנת בדרך אליך. ייתכן שאבוא. או לא. מרגיש מצוין ומבקש שתתנו לי מנוחה. אלכס.

☆

[מברק] סומו הוטל קסטיל רו גאמבון פריס 9. מישל אל תכעס. נסעתי עם יפעת לזכרון. הייתי מוכרחה. תבין. אשת־דל למענך לשמור שבת וכשרות. אין צורך שתקצר נסיעתך. בועז שולח דש וחיבה ומוסר שתיהנה שם ולא תדאג. אוהבת אותך. אילנה.

☆

[מברק] גברת סומו בית גדעון על־יד זכרון־יעקב ישראל. אילנה על המקום שתחזרי עם הילדה הביתה או שנבקש מאלמליח שיחזירו אותך בניידת. אני נאלץ להישאר כאן עוד כמה ימים גובל בפיקוח־נפש. סלחתי ומחלתי לך בתנאי שתחזרי עוד היום. לא חטאתי לך וככה לא מגיע לי ממך. ביגון רב מישל.

לכבוד גב׳ ז׳אנין פוקס
הלימון 4, רמת השרון.

אוגוסט 31 שעה 23.35

ז׳אנין היקרה,

כבר שני ימים שאני מחפש אותך בטלפון והערב באתי אישית לביתכם כאן ומצאתי הכֹּול סגור ונעול על מפתח. מהשכנים בירּרתי שלקחתם טיול מאורגן לרודוס ואמורים לחזור באל על מאתונה בערך לפנות־בוקר. היות שאני אהיה באילת לרגל תפ־קידי, החלטתי לשים לך את המכתב הזה תחת הדלת בתקוָה

שתמצאי אותו. זה בנידון ידידנו המשותף מישל (סומו). מישל נסע לרגל נושׂא ציבורי מסוים לפריס (וגם לבקר אצל הוריו שחיים עכשיו על־יד אחותו במארסֵיי). כאשר הוא חזר שלשום ארצה, נקלע למצב רע מאוד בעקבות הצעד שנקטה אשתו על דעת עצמהּ, שהלכה עם הילדה הקטנה אצל הבן שלהּ מהנישׂו־אים הקודמים שמתגורר במבנה נטוש בין זכרון־יעקב לבני־מינה. ונודע שבערך יום אחד לפני שמישל חזר הופיע שמה גם הבעל הראשון שלהּ (המלומד שירד לאמריקה). אַת מתארת לך את ההלם שנגרם למישל ואת הבושה שעוד לא היתה כמוה במשפחת סומו ידידינו מהמצב הבלתי־מכובד הזה שהיא ככה יושבת במחיצת הבעל הראשון, מעוררת את הלשונות הרעות וממאנת לפי שעה לחזור הביתה למישל שעולמו חרב עליו.

אני ואחיו הגדול של מישל ועוד שני ידידים נסענו שמה את־מול לדבר על לבהּ, אבל מה? היא סירבה אפילו לראותנו! וככה חזרנו בידים ריקות לירושלים וישבנו אבלים וחפויי ראש בחוג המשפחה עד שלוש וחצי בלילה ומצאנו עצה כזאת: שמישל יגיש נגדהּ תלונה על לקיחת הילדה מהבית בלי הסכמתו, שזה גובל בחטיפה.

הצרה שמישל תפס דכאון נפשי ומתעקש כמו חמור שהוא בחיים שלו לא יגיש תלונה פלילית נגד אשתו, יותר טוב לו למות, את הנעשה אין להשיב, ועוד דיבורים גרועים מהסוג הזה. נראה לי שבור לגמרי ואפילו די מיואש. ואני בלי תלונה מצדו הידים שלי קשורות. אחיו והבני־דודים חשבו ללכת שמה ולנקוט מהלך פיזי שאני לא רוצה אפילו לחזור עליו בכתב, בקו־שי רב הורדתי אותם מזה.

בקיצור ז'אנין היקרה, היות שאַת וברונו יש לכם קשרים אי־שיים די טובים עם כל הצדדים המעורבים, כלומר גם עם מישל גם עם אילנה גם עם הבן שלהּ בועז שהיה מתגורר אצלכם כמה זמן אחרי שאני שיחררתי אותו, והיות שברונו שירת פעם בצבא תחת פיקוד הבעל הראשון ומכיר אותו מאז, אולי כדאי ששניכם תסעו לשמה ותנסו לדבר על לבם? לפני שתפרוץ חס וחלילה שערוריה פומבית עם עתונות ואי־נעימויות ובושות, שזה יפגַע קשה מאוד במישל ובכל משפחת סומו? אני מפציר בכם בשם

המשפחה והידידים בכל לשון של בקשה. כולנו תולים בכם את יהבנו!

אם נראה לכם למועיל שגם אני אצטרף (בלי מדים), כמובן שאני מוכן תיכף שאחזור מאילת לבוא אתכם לשם. רק תשאירו לי הודעה טלפונית במַטה מחוז תל־אביב על שם רב־פקד אלמ־ליח, והם כבר יעבירו לי את זה בַקשר. אבל מה, אולי יותר טוב לנו לא לאבד זמן ושתסעו לשם שניכם תיכף בהקדם האפשרי ביותר? כמו־כן ז׳אנין שתתקשרי בבקשה בלי דיחוי למישל שהוא במצב רע מאוד ותדברי על לבו שלא יעשה שום שטות ולא יקשיב לעצות גרועות. בתודה ובתקוָה שתצליחו וכמובן כמו תמיד בידידות,

שלכם,
פרוספר אלמליח

☆

מר א. גדעון
בית גדעון, זכרון־יעקב.

למסירה ביד

בע״ה ירושלים ערב שבת קודש, ח׳ באלול תשל״ו (3.9.)
אדוני,

מכתב זה אתה תקבל על־ידי שליח עוד לפני כניסת השבת, ככה שאנחנו נותנים לך בערך עוד כשלושים שעות להרהר בחשבון־הנפש שלך, באשר ביום ראשון בבוקר שעה תשע ושלושים יבואו אצלך כמה ידידים שלי לקחת הביתה את הילדה שלי מַדלֶן־יפעת אם בדרכי אדיבות ונימוסין ואם בדרכים אח־רות, הכּול בהתאם להתנהגותך. אשר לאשה האומללה השרויה גם כן במחיצתך, היא תעמוד לגורלהּ. איך אראה את פניה ולבי חלל בקרבי? על־פי מה שהואיל להבהיר לי אמש כבוד הרב בּוּס־קילה, מעמדהּ הוא עדיין בצריך־עיון: אפשר מאוד שעל־פי ההל־כה היא כעת בחזקת אסורה לבעלהּ ואסורה לבוֹעלהּ ואבודה משני העולמות. בכל־אופן תביעתי הנוכחית שלפניך מתיַחסת רק לבתי מדלן־יפעת שעליה גם לפי דין תורה וגם לפי דין מלכות אין לך שום זכות ושום חזקה ושום טענה ולכן יותר טוב

לך שתחזיר אותה בשלום ביום ראשון בבוקר ולא תאלץ אותנו לנקוט באמצעים. ראה הוזהרת, אדוני.

ועל החתום:

מיכאל (מישל־אנרי) סומו

נ״ב

תהרוג אותי אם הראש שלי תופס, ואפילו בעיקום גדול, איך אתה יכולת לעשות חרפה כזאת? ואכזריות? אפילו בין עכו״ם או באגודות של ליסטים וגזלנים לא נשמע כדבר הזה! אתה שמעת אדוני על־אודות נתן הנביא? על חטא דוד המלך בבת־שבע? או שאולי בימינו אלה הפרופסורים המודרנים כבר משוחררים מלדעת מה כתוב בתורה?

זה שלושה ימים וארבעה לילות שאני מסתובב בחוצות ירוש־לים, זיפי אבלות על לחיי מפני שאיך אתגלח? מסתובב ושואל את עצמי אם אתה יהודי או עמלקי? אם אתה בן־אדם שנברא בצלם או שאתה בכלל אחד מאלה המזיקים החיצונים חלילה? כל פשעיך שפשעת בעבר נגד האשה והילד כשלג ילבינו לעומת התועבה החדשה שלך. אפילו אנשי סדום ועמורה לא היו מקב־לים אותך ביניהם! אחרי שהתעללת באשה, אחרי שהשלכת מלפניך את הילד כנצר נתעב, לא אמרת די כי אם חזרת ושלחת את טלפיך הטמאים אל כבשת־הרש ושפכת גם את דמי ועמדת על הדם.

האמת שאני מפקפק אם אחד כמוך, רשע מועָד ונבל אשר דבר־בליעל יָצוק בו, אם יש עליך בכלל איזה מורא שמַיִם או אפילו מורא המצפון. כנראה שאין. שמעתי פה בירושלים אנ־שים מדברים עליך, שאתה חסיד גדול מאוד של הערבים. על־פי "ההשקפות" שלך כאן זה כנראה ארץ ישמעאל, שמהשמים הבטיחו אותה לזרע איבראהים, הארץ שמוּסָה ראה מרחוק ודאוּד מָלָךְ עליה, ואנחנו בכלל אין לנו מה לחפשׂ פה. אולי אם ככה לפחות היית חושב אותי לערבי? אולי לפחות היית מתנהג אלי לפי העקרונות הנחמדים שלך כלפי הערבים? מה, אתה היית לוקח לערבי את אשתו? את הילדה שלו? את כבשת־הרש שלו? בטח על המקום היית יוצא לכתוב על זה מאמרים בעתון ולעשות הפגנות ולחתום כרוזים והיית מרעיש שמים וארץ אם מישהו

היה מעיז לעשות דבר כזה אפילו לאחרון הערבים! אבל אנחנו הפקר דמנו מותר, חרפה לשכנינו לעג וקלס לכל סביבינו. כבר אנחנו עומדים עכשיו בימים נוראים, מר גדעון, ואתה יותר טוב לך שתזכור שיש מי שמשיב גמול על גאים ואין לפניו לא שחוק ולא קלות־ראש. או שאני חי בטעות? אולי חס ושלום השמַים ריקים? אין דין ואין דיין? אולי העולם כבר הפקר?

האמת שכבר מלכתחילה היה לי חשד כי שבע תועבות בלבָך. מאז שהתחלתם אתה והאומללה להתכתב ביניכם פתאום מחוץ לגדרי הטבע. מאז שהצ'קים שלך התחילו לרדת עלינו כגשם־נדבות. לפעמים יִסרוּני כליוֹתי מפחד בלילות, פן אתה פורשׂ לרגלינו רשת מזורה. מה זה? לב חדש נכון פתאום בקרבּך? או שזה השטן מרקד לפנינו? בשביל מה הוא מוריד עלינו את כל הכספים האלה? אולי בסך־הכּוֹל יארוב לחטוף עני במָשכוֹ ברשתו כמו שכתוב בתהילים? אבל אמרתי לעצמי, אולי חובה עלי לעמוד בנסיון הזה. לא ליפול בחשדות. לתת לך ליהנות מהספק ולפתוח שערי תשובה לפניך. טהוֹר עינַים מֵראוֹת רע, זה מה שהייתי, במקום לשׂים קץ לקשר המלוכלך הזה בעודו באִבּוֹ.

ושמא חטאתי גם אני? הבצע עיוֵר את עיני?

את חטאי אני מזכיר היום, שעברתי על הכתוב "לא תצדק הרבה". ועכשיו מן השמים נפרעים ממני אחת אפַים. שאלמד לקח, לא לתת את גֵוִי לַמכּים ולא להושיט את הלחי השניה, שזה מחוץ לגדרי היהדות, אלא לעשות לרָשע מה שההגדה של פסח מצווה עלינו לעשות לו. עכשיו אני בא על עָנשי ואתה רק השוט שבו מצליפים על גבי. חמש־שש שנים היתה למיכאל סומו איזה הרמת ראש, חמש־שש שנים נתנו לו לזקוף קצת את קומתו בבחינת אבא ובעל ובן־אדם, ועכשיו הוא מתבקש לפרוע את חשבונו עם ריבית ועוד פעם להיות אפס. לחזור אל העפר שמִשָמה היתה לו החוצפה לנסות לטפס למעלה.

הערב בהתחלת השקיעה הלכתי לעמוד קצת בחורשת תל־פיות. נשׂאתי עיני אל ההרים לראות מאין יבוא עזרי. איפה סומו ואיפה ההרים. ההרים החרישו ולא טרחו לתת לי תשובה על שאלות עתיקות־יומין כגון עד מתי רשעים יעלוֹזו? השופט כל הארץ לא יעשה משפט? במקום לענות התעטפו ההרים חושך. מי

אני כי אתלונן? הרב בוסקילה יעץ לי לקבל יסורים באהבה. הזכיר לי שהשאלות הנ״ל נשארו בלי מענה גם כשהציגו אותן גדולים וטובים ממני, לפני אלפים בשנים. ההרים התעטפו חושך ולא שמו לב אלי. ואני עמדתי שם עוד קצת, התפלאתי מה יש לרוח שהיא טורחת ללטף אחד כמוני, השתוממתי על הכוכבים שמראים את עצמם לאיזה תולעת ולא־איש, עד שהתחיל להיות קר. אז הבנתי, בערך, שסומו הוא קטן מאוד. שצערו כצל עובר. שאסור לו לחקור במופלא ממנו. ככה שאם לרגע הירהרתי אחרי דרכי ההשגחה, ולרגע שאלתי את נפשי למות, ואפילו עבר בי ההרהור הנורא ללכת להרוג אותך במו ידי, הנה כעבור רגע חזרתי בי ונכנעתי. עד שיצא הירח כבר שיויתי ודוממתי נפשי. ימי כצל נטוי ואני כעשב איבש.

אבל אתה אדוני? אֵיך לא תפחד? לאן תשא את עיניך? וידיך מלאות דמים?

האמת שאתה אולי פרקליט גדול של הערבים ועוכר ישראל, אבל את דם הערבים אתה שפכת כמים במלחמות ובטח גם בין המלחמות. בעוד שאני, הבן־אדם הלאומני והקיצוני כביכול, כל החיים שלי לא שפכתי דם. אפילו טיפה אחת. ולא הפלתי שׂערה מראש ערבי ארצה, למרות שאני ואבותי שׂבַענו מהם כלימות ורוק ודברים יותר גרועים. לא הריעותי ולא גרמתי עָגמת־נפש לא ליהודי ולא לנָכרי ורק הבלגתי ושתקתי. אבל מה? אתה נח־שב רחמן גדול וּוַתרן והוּמני ואני קנאי אכזר. אתה איש־העולם ואני המוגבל צר־האופק. אתה מחנה השלום ואני מעגל הדמים. ולמה הדיבה הרעה הזאת עושה לה כנפַים? מפני שלך ושכמותך יאתה תהילה ולי ושכמותי – דומיה. בטח מרוב דם ערבים ששפ־כת נהיית שופך־דמים כזה. ואיך הערצנו אתכם בימי נעורינו! איך נשׂאנו אליכם עינים ממעמקים! שִׁבְעים הגיבורים! בני־הענק! אריות־יהודה החדשים! אבל מה לי להתוַכּח אִתך ועוד לתַנות לפניך את עלבוני. אתה חייב להחזיר לי את הילדה שלי ביום ראשון בבוקר, ואחרי זה – לך תישָׂרף בגיהנום. אולי את כל הכתוב כאן אתה תקרא בצחוק לעג, תחקה את המבטא שלי, תגחך על המֶנטליוּת, והיא תגער בך שתפסיק, שלא נאה לצחוק מהמסכן, אבל גם היא לא תצליח לכבוש את החיוך שלה. כאשר

אבדתי אבדתי.

לא סתם נאסר על דוד המלך לבנות את בית־המקדש. מהשמים זכרו לו לרעה את ידיו המלאות דם נקי. רק שהעונש הזה לא ינ־חם את אלה שדמם נשפך. בטח מי שיצא לו להיוָלד על תקן סומו בימי דוד המלך לא שָפרה עליו נחלתו גם אז. אנחנו התבן לעפ־רים. מוץ לפני רוח. אסקופה תחת כפות־רגליכם.

קרובים, ידידים ומכרים באים ויושבים אצלי מהבוקר עד הערב לניחום אבלים. נכנסים הביתה חפויי ראש כאל בית שיש בו מת, לוחצים חזק את ידי, אומרים לי חזק ואמץ. ליושב־שִבעָה דמיתי, רק שלבִּי עוד לא נותן לי לקרוע עליה קריעה. אולי עוד יש צל של ספק? ומן הספק הזה אני אתן לה ליהָנות, כמובן על־פי התנאים שאני אקבע לה ועל־פי פסק־דינו של כבוד הרב בּוּס־קילה. אבל את הילדה אתה מחזיר ביום ראשון בבוקר ולא שעתַים אחרי זה פן תדחוף אותי לנקוט צעדי יאוש. אפילו חשב־תי ללכת אצלך לעמוד יומם ולילה על פתח ביתך ולשאת בידי כרזה: "נבלה נעשׂתה בישראל". קרובים וחברים שלנו מדברים על צעדים עוד יותר נמהרים נגדך. אבל מה? אולי בכל־זאת מהשמים עוצרים בעדי. שלא אפול בשפל־המדרגה שלך.

כל היום נמצאת עמי כאן בבית אשת אחי היקרה. עזבה את ילדיה ובאה להיות עמי בצרה. היא מקריבה לפני האורחים סודה קרה ומלוּחים וקפה שחור, שופכת את המאפרות, גוערת בי תא־כל תאכל, ואני נשמע לה ואוכל את לחמי בדמעה. אנשים טובים טורחים כל היום להסיח את דעתי מאסוני. מדברים אתי על הממשלה על ועדת אַגרנט על רבין וקיסינג׳ר וחוסיין. אני כמי־טב יכָלתי מעמיד לפניהם פנים. אפילו מר זקהיים היה כאן. החליק לשון והציע עצמו כמתווך. למה לנו מתווכים אדוני? רק תחזיר לי את הילדה, ואחרי זה תעמוד לגורלך. והאשה תעמוד לגורלה. אתמול בערב כצאת אחרון האורחים בא אחי, הביא בקבוק קוניאק וחיבק ונישק אותי, וככה אמר בעצב: אסור לנו להתחתן בהם. אלה נגוּעים באיזה משהו גרוע שאנחנו לא מבי־נים ולא מכירים, ואנחנו צריכים להישָאר בתוך שלנו, שלא ניד־בק בהם ולא נידבק מהם. ככה אמר, ואחרי זה לקח את אשתו והלכו. גם אני יצאתי מהבית להסתובב קצת ברחובות. עליתי

על הגבעה לראות את ירידת השמש ולשאול שאלות יתירות. בתשובה קיבלתי רק לחש שיצא מהעצים. ואולי הכּוֹל בטעות? גן־עדן והמבול והר המוריה והסנה הבוער לא היו ולא נבראו אלא רק משל היו? אולי המלומדים הגדולים טעו בזיהוי שלהם, לא פה ירושלים הקדומה ולא פה ארץ־ישראל שבתורה אלא באיזה מקום אחר לגמרי? מעבר להרי חושך? לא יכלה ליפול טעות כזו? מה, המדענים לא טועים? אולי בגלל זה קרה שאין אלוקים במקום הזה?

הירח יצא מההרים ואני פניתי הביתה. אין לי עסק עם הירח, פן שוב יחפז עלי יצרי ואשאל את נפשי למות או לחנוק אותך אדוני. ובשובי אל הבית הריק מה נשאר לי לעשות אם לא למזוג לי מהקוניאק שהביא אחי, להדליק את הטלביזיה, לשבת בחושך להסתכל איך הבלשים הזריזים יפי־התואר רצים באקדוחים שלהם אחרי איזה פושע בארץ הוַאי שבאמריקה? ולבּי בַל עמדי: מה יתן לי הצדק בארץ הוַאי? באמצע הקפיצות והיריות, באמצע הרדיפה קמתי ועזבתי אותם. שלא יעשו טובות. שיהבהבו עם עצמם בחושך. יצאתי במקום זה לגזוזטרה לראות אם עדיין הארץ על מקומהּ עומדת והירח מתרפס ברצי־כסף חרף הנבלה אשר נהיתה בישראל. עוברים־ושבים חלפו על־פני במדרכה איש־איש בדרכו לביתו אל אשתו ואל ילדיו ועיני ליווּ את צִלם: אולי אמצא לאן אוליך את חרפתי?

בסוף התרוקן הרחוב ואני חזרתי אל החדר ומצאתי שהכּוֹל בא על מקומו בשלום שָׁמָה בהוַאי בינתים. אולי אקח את הילדה שלי ואלך לחיות בהוַאי?

אני יושב במטבח מול הסינר שלהּ על הוו, שומר את צעדי השכנים מאחורי הקיר וגם מלמעלה, מדפדף עד בוש בספר תהי־לים לנחמה. אפילו שהיה מתאים לי לקרוא במקום זה באיוב. למה גבַהּ לבי? למה נשׂאתי אשה מבנות מרום? למה הלכתי בגדולות? בעינים עששות אני משנן את הכתוב: יֵבֹשׁוּ וְיִכָּלְמוּ מבקשי נפשי יסוגו אחור חושבי רעתי יהי דרכם חושך וחלקל־קות כי חינם טמנו לי שחת רִשתּם חינם חפרו לנפשי, צדקתך כהררי אל משפטיך תהום רבה וגו׳. מה בצע לי בפסוקים האלה ולבּי מת בקרבי? את הנעשה אין להשיב ומעוּות לא יוכל לתקון.

לי החרפה ולא למבקשי נפשי. עזוב כערער בערבה. דרכי זרועה חושך וחלקלקות ואתה רואה את עולמך בחייך. ולמה? תהום רבה. מה חטאתי לפניך אדוני? ומה יצא לאוריה החיתי מזה שבסוף המלך בא קצת על עָנשו? אפילו עכשיו שעברו כבר שלושת אלפים שנה עדיין אנחנו קוראים בקדושה את זמירות דוד בן־ישי ואילו קינות אוריה לא היו ולא נבראו. או היו ונשכ־חו מלב וגם זִכרן כבר אבד? השם רצה את הבל ואת מנחתו ואל קין ומנחתו לא שעה. ומה יצא להבל? הבל מת וקין חי וקיים והאות על מצחו עוד נותן לו חסינות ושום דבר לא מפריע לו להתעשר להתפרסם ולהתענג על רוב טובה.

אני קם להתהלך בחדר, פותח ארון והנה לפני שׂמלותיה. יוצא לשטוף את פני תחת הברז והנה התמרוקים שלהּ. עובר על מיטת הילדה והנה מסתכל עלי דוב. זה הדוב שהבן שלך הביא אחרי חג הפסח מתנה לבתי. תחזיר לי אותהּ אדוני?

למה אתחנן לפניך. ארץ ניתנה ביד רָשע. אתם מלח הארץ לכם הרכוש והשׂררה לכם החכמה והמשפט ואנחנו עפר תחת רגליכם. אתם הלויים והכוהנים ואנחנו שואבי־המים. אתם תפא־רת ישראל ואנחנו הערב־רב. בכם בחר ואתכם קידש להיות בנים לשכינה ואנחנו בנים חורגים. לכם נתן את התואר ואת ההדר ואת יפי־הקומה, כל העולם משתאה לכם, ולנו נמיכות־הרוח ונמיכות־הקומה ורק בקושי כפשׂע בינינו לבין הערבי. או־לי עלינו להודות על הזכות שנפלה בחלקנו לחטוב בשבילכם עצים ולאכול בבושת־פנים משיירי סעודתכם ולגור בבתים שאתם כבר מאסתם בהם ולעשות לכם כל מלאכה שכבר נמבזה בעיניכם לרבּות בנין הארץ ולפעמים לשאת את גרושותיכם שהשלכתם מאחורי גבכם והואלתם להרשות לנו לשתות מים מהבאר שירקתם לתוכהּ ולנסות לסגל את הליכותיכם ולשׂאת חן וחסד בעיניכם. להוֵי ידוע לך שאחד כמוני, יהודי פשוט מהשו־רה, מוכן לסלוח ולמחול. אבל לא עכשיו אדוני אלא רק אחרי שתעבור עליכם הכוס. אחרי שתכו על חטא ותגידו אשמנו בגד־נו. אחרי שתשובו מדרככם הרעה ותחזרו לשרת את המדינה במקום להרוס אותהּ ולעשות איש לביתו, ועוד להוציא בעולם הגדול את דיבתהּ רעה. כקליפת־השום בעיני הפרסום העולמי

שלך והתהילה הזולה: אתה ביזית את שם ישראל בספר שכתבת בשביל הגויים שאני לא קראתי אותו ולא חולם לקרוא, מספיק היה לי לקרוא מה שכתבו עליו במעריב. "הטירוף הציוני"! איך יכולת? איך לא רעדה לך היד? ועוד באנגלית? חגיגה לשונאינו?

כשהייתי בחור בפריס עבדתי במלצרות והיו מהקלַיֶנטים, כולל יהודים, שחשבו אותי ערבי קטן בטעות. היו קוראים לי אחמד, אחרי כל מה שעשו לנו הערבים. לכן עליתי ארצה מלא אמונה שכאן כולנו אחים והמשיח יבוא למלוך עלינו. ואיך הארץ קיבלה בן־אדם צעיר אידיאליסט שבא הנה, לידיעתך, ישר מהאוניברסיטה סורבּוֹן? בנאי. שומר־לילה. קופאי בקולנוע. שין־גימל. בקיצור – זנב לשועלים. חמור מושלם כל החיים ועכ־שיו בזכותך אדוני הפרופסור חמור עם קרנַיִם על המצח אם רק תוכל לתאר לך איך נראית חיה כזאת. או כלב שלקחו לו את העצם שמצא תחת השולחן.

ואני בחָפזי אמרתי מה יש? למה לא? אדרבא, אפרושׂ את כנפי אפילו על הבן שלו. הוא השליך ואני אאסוף. הוא רמס ואני אקומם. אהיה לבנך בבחינת אב ומורה, ובכך אשלם טובה תחת רעה ועוד גם אציל נפש אחת מישראל ואולי שתי נפשות. הייתי תמים. או כסיל. נכון שכתוב אצלנו אשרי תמימי־דרך וכתוב שומר פתאים השֵם, אבל כנראה שהפסוקים האלה הם לא כפשוטם. מי שכתב אותם לא התכוון לסומו אלא לטובים ממנו. דרך רשעים צלֵחה, ארץ ניתנה ביד רשע, אלה הפסוקים האקטואליים. ואני מצדיק עלי את הדין. רק תחזיר לי את היל־דה. עליה אין לך זכות.

ובכלל, מה הזכויות שלך? שהיית גיבור־מלחמה? גם בני צרויה הנמהרים וגם אחאב הרשע היו גיבורים גדולים. ובין מלחמה למלחמה, מה עוללתם למדינה? סיאבתם אותהּ? מכרתם בנזיד־עדשים? אכלתם אותהּ בלי מלח?

על־כן כבר עבר זמנכם. הפעמונים שלכם מצלצלים. אחרי חצות כעת, אור ליום ששי, וכאן בדרום־ירושלים שומעים את הפעמונים. הלכה המלכות אדוני, עוד מעט היא תינָתן ביד רֵעכם הטוב מכם.

לא אמרתי שאין בי רבב. אולי חטאתי ששלחתי ידי לאשה

שנועדה למישהו גדול ממני. היא גבוהה ממני, ויפה, ואני מי אני בכלל? כל השנים שהייתי נשוי לה הצל הטמא שלך לא סר מעל חיינו. מה שלא התאמצתי, שמעתי אותך צוחק עלי מהחושך. ועכשיו כנראה מהשמים החליטו להיפָּרע ממני. או שחס ושלום כבר אין אלוקים במקום הזה? עבר לארץ הַוַאי? האמת שבמכתב הזה מעורב רבע בקבוק קוניאק שהשאיר לי אחי ועוד גם שני כדורי הרגעה שמצאתי במגירה. שלהּ. ששָׁמָּה היה גם תצלום ישן מהעתון שרואים אותך לובש את המדים שלך עם כל מיני דרגות ואותות ויפה כבני מרום.

יותר טוב לי שאפסיק עכשיו. כבר כתבתי יותר מדי. בבוקר יבוא גיסי עם הטנדר־פֶּז'ו שלו לקחת את המכתב ולהביא אצלך בזכרון. במקום זה אלך ברגל לעשות תיקון־חצות בכותל המער־בי, אפילו שֶׁמִי יודע אם תפילות שבאות מאחד כמוני עושות אי־זה רושם למעלה. בטח רק רושם רע. אבל אין רע בלי טוב: יד שׂמאל מוחצת ויד ימין מרפאה כמו שכתוב אצלנו. עכשיו שאין לי שום דבר בעולם הזה, מהיום והלאה אקדיש את עצמי למפעל גאולת הארץ והיתה זאת נקמתי, שעל אפכם ועל חמתכם היא עוד תיגָאל. עד שתתמלא סאת היסורים של סומו ויקראו לו לעלות למעלה לנוח מכל עמלו וגמרנו. גם בעולם הבא אולי צריכים טבחים ושין־גימלים, ככה שאולי עוד תראה אותי מצדיע לך במחסום אבל בטח לא תשים לב. רק עוד משהו: לפחות הפעם תנסה להתנהג אִתּהּ בהתחשבות? בקצת רחמים? אל תתעלל בהּ יותר כי אין בהּ מתום כבר?

ואת בתי תחזיר לי בטוב. אחתום בבוז קר.

מ.ס.

☆

מר סומו
<u>תרנ"ז 7 ירושלים.</u>

בית גדעון בזכרון־יעקב
שבת 4.9.76

למר סומו שלום.

א. אתמול הביא לי גיסך את מכתבך הסוער. לחשדותיך אין

שחר: איש לא רימה אותך. אמנם רגישותך מובנת לי היטב, ובמובן ידוע גם אינהּ זרה לי. לאמיתו של דבר היתה זו רעייתך שהחליטה מרצונהּ החפשי לשהות כאן עוד ימים אחדים ולטפל בי עד שאיכָּנס (בקרוב) להקרנות בבית־החולים, שאז כמובן תשוב אליך מיד. אקווה שאתה, מר סומו, לא תכביד עליה בשו־בהּ. בסיום מכתבך ציינת ש״כמעט אין בהּ מתום״, ואני מסכים עמך. אין לי אפוא אלא להסב אליך את בקשתך שלך: תנהג בהּ בחסד.

ב. מהדסה לא אצא כנראה. לפני שנה חליתי בסרטן־הכליות ונותחתי פעמַים. עכשיו התפשט הגידול בחלל הבטן. הרופאים בניו־יורק לא ראו הגיון בניתוח נוסף. מצבי די עלוב, ומכך תו־כל להסיק כי אין יסוד לפנטסיות הקנאה שלך ואין טעם להפליג עד אוריה החיתי. או עד הוַאי. די לחזור שנים אחדות לאחור. כידוע לך נשׂאתי את אילנה בספטמבר חמישים ותשע, מרצונהּ יותר מאשר מרצוני. כעבור כמה חֳדשים הרתה וילדה את בועז על דעת עצמהּ: אני לא ראיתי את עצמי מתאים לתפקיד אב, וכך גם אמרתי לה מראש. אחר־כך הסתבכו חיינו המשותפים. התב־רר מעל לכל ספק כי אני גורם להּ סבל. אשר אולי היא רצתה בו (אינני מומחה בתחום זה). מתוך חולשת אופי דחיתי את גירו־שינו עד ספטמבר ששים ושמונה. הגט היה אכזרי משני הצדדים ומצדי – גם קטנוני: שׂנאה ורצון לנקום הכתיבו לי את התנה־גותי. אחר־כך עזבתי את הארץ. ניתקתי כל מגע. בעקיפין נודע לי על נישׂואיכם. ובתחילת שנה זו הגיעתני בקשת עזרה, ממנה ואולי משניכם. מנימוקים שאינם ברורים לי, ואולי הם נובעים מהתפתחות מחלתי, מצאתי לנכון להיעָנוֹת. עכשיו עם סיום חיי יש שנַים־שלושה דברים שהתחלתי להתחרט עליהם. בגללם באתי ארצה בשבוע שעבר (בלי הודעה מוקדמת) כדי לראות את בועז וכן לשהות בבית שגדלתי בו. מצאתי כאן את אילנה, שבחרה לנהוג בי בערך כאחות רחמניה. לא אני הזמנתיה לשהות כאן, אבל גם לא ראיתי סיבה לגרש אותהּ מחדש. מה גם שהבית כבר שייך למעשה לבועז, אף כי פוֹרמלית עדיין הוא רשום על שמי. היחסים השוררים כאן בינהּ לביני, מר סומו, אי־נם קשרי איש ואשה בשום מובן מקובל. אם יש לך צורך בכך,

אנסח הצהרה חתומה עבור הרבי שלך ואעיד בה על תומת אשתך.

ג. הוריתי בצוָאתי המתוקנת להבטיח היטב הן את עתידו של בועז והן את עתיד משפחתך. אם לא תפזר את הכסף על השקעות משיחיות וכו׳ תהיה אפוא ילדתך מחוסנת מפני המחסור והעוני שבהם התנסית אתה, כפי שתיארת במכתבך בצבעים חריפים. אגב, הילדה הקטנה נראית לי עדינה ונדיבה: הבוקר השכם, למשל, בעוד כל הקומונה כאן ישֵנה, היא באה לשבת על קצה מיטתי, המציאה בשבילי מין תרופה (נפט ועלי תות כנראה), ונתנה לי במתנה חרגול מת בתוך שׂקית של פלסטיק. בתמורה ביקשה (וקיבלה) שלוש סירות של נייר. היתה לנו שׂיחה פילו־סופית קטנה על טבעם של המים.

ד. אשר לשאר טענותיך, אלו שהפנית אלי בגוף שני יחיד ואלו שבחרת לנסח בגוף שני רבים ובהֶקשר אידיאולוגי או פו־ליטי, אין לי אלא להודות ברוב סעיפי האישום. זאת – בתנאי שיורשה לי תחילה להסיר מהם אי־אילו הגזמות רגשניות שאו־תן אני נוטה לייַחס לזעמך או למרירותך המצטברת. בלשון פשוטה, מר סומו, לא זו בלבד שאני רואה בך אדם טוב ממני – בכך אין רבותא מיוחדת – אלא שאני רואה בך אדם טוב. נקודה. על סגולותיך המצוינות למדתי בשנה האחרונה, וביחוד בימים האחרונים, הן מפי אילנה, הן מפי בועז, והן – בעקיפין – מהתבוננות מרוכזת בבתך (כרגע שוב נכנסה לחדרי, תיקתקה בעזרתי את שמה על ההֶרמֶס־בֵּייבּי שלי, והפעם הגישה לי במת־נה שש נמלים בתוך ספל והזמינה אותי לריקוד. נאלצתי להתח־מק, באשמת המחלה וגם מפני שאף פעם לא הצלחתי ללמוד לרקוד).

ה. בעוד שאתה, כדבריך, רוחש לי ״בוז קר״ – אני רוחש לך הוקרה מסוימת, מעבר לחילוקי־הדעות. ומתנצל בזאת על הצער שקיומי גורם לך.

ו. בדין אתה מייַחס לי יהירות. בניגוד לך, מר סומו, אני נהגתי תמיד להתבונן באנשים מלמעלה למטה, אולי מפני שהטמטום כה נפוץ בכל מקום שעברתי בו ואולי רק מפני שמִקטנותי הסתכלו בי כולם, משום־מה, מלמטה למעלה. עכשיו, שכמעט אינני

מצליח להשיג שינה ממשית וגם ער לגמרי אינני, נדמה לי שהיתה זו שגיאה. הקשבה והיסוס מציינים את יחסי הנוכחי אל הסובבים אותי כאן (אף כי איני בטוח שהם מבחינים בכך). לוּ נותר עוד זמן, ייתָּכן שהייתי מציע שאתה ואני ננסה להיפָּגש פעם ולראות זה את זה מגובהּ שוֶה בערך. ייתָּכן שלא נשתעמם. אלא שאכן, כפי שציינת במכתבך על־פי אינטואיציה נוקבת, זמ־ני כבר חלף, מר סומו. ובאמת הפעמונים מצלצלים לי.

ואני מתכוון לא לפעמונים סמליים אלא לפעמונים ממש: בועז התקין כאן באחד החדרים העליונים מין כסילוֹפוֹן של רוח, עשוי מבקבוקים שחיבר בחוטים לתקרה. כל משב רוח הבא מן הים מפיק מהם ניגון שומם וחוזר על עצמו. יש שהניגון הזה מגרש אותי ממיטת־הקרשים שלי. אמש, בעזרת מקל־הליכה שבועז התקין לי, הצלחתי להקים את עצמי ולרדת אל הגן המחשיך. שמונת הצעירים השוהים כאן עקרו את הקוצים והיַבּלית, פיזרו זבל עזים (שריחו הנוקב מחזיר לי משהו מריחות ילדותי) והִכּוּ את האדמה בקלשונים. במקום זני הורדים האֶכּזוטיים שנהג אבי לטפח יש כאן עכשיו ערוגות ירק. אילנה התנדבה להכין דח־לילי־סמרטוטים (נראה לי שהצִפֳּרים אינן מתרשמות במיוחד). ואילו בתך מַשקה פעמַים ביום במשפך ששלחתי לקנות להּ בחנות במושבה.

בין הערוגות, ליד בריכת־השיש המתוקנת אשר שוב שטים בהּ דגים (קרפיוֹנים במקום דגי־זהב) מצאתי שני כסאות־קש. אילנה הביאה להּ קפה, ולי – תה מעִשׂבי מנתה. אם יש לך ענין בפרטים, הנה היא ואני ישבנו בגבנו אל הבית ופנינו אל הים עד שירד החושך. לא דיברנו בינינו אלא מלים הכרחיות. ייתָּכן שאילנה נדהמת מחוורון לחיי השקועות. ואילו אני שוב איני מוצא מה לומר להּ, מלבד ששמלתהּ יפה ושׂערהּ הארוך הולם או־תהּ. לא אכחיש כי בשנות נישואינו לא עלה על דעתי אף פעם לדבר אליה כך: לשם מה? האם אתה, מר סומו, משבח להּ את שׂמלתהּ? האם תצפה ממנה שהיא תהלל את מכנסיך?

היא כיסתה את ברכי בשׂמיכה. וכאשר התחזקה הרוח פרשׂתי את השמיכה הזאת גם על ברכיה. שוב הבחנתי עד כמה הזקינו

כפות־ידיה, אף כי פניה צעירים. אבל לא אמרתי דבר. כשעה וחצי שתקנו. רחוק, ליד דיר העִזים, ילדתך צחקה וצווחה מפני שבועז הרכיב אותהּ בתנופה על כתפיו, על ראשו, ואחר־כך – על גב החמור. אילנה אמרה לי: תראה. ואני אמרתי: כן. אילנה אמרה: אַל תדאג. ואני אמרתי: לא. בכך חזרנו לשתיקתנו. לא היה לי מה להגיד להּ. התדע, אדוני, היא ואני משתמשים עכשיו כך בשפה: לא, כן, קר, התה טוב, השׂמלה מוצאת חן, תודה. כמו שני ילדים קטנים שאינם יודעים לדבר. או כמו חיילים פגועי הלם שראיתי אחרי המלחמה באיזה מכון לשיקום. אני מתעכב על פרט זה כדי לחזור ולהטעים כי לחששותיך אין שחר. בינהּ לביני אין אפילו קשר מלים ממשי. לעומת זאת, התעורר בי רצון לכתוב דפים אלה אליך. אף שאין לי מושג מה הטעם. מכת־בך, אשר בא אולי לפגוע בי, לא פגע אלא דווקא נעם לי. איך זה? אין לי מושׂג.

בשבע טבעה השמש והחלו דמדומים אִטיים. מן המטבח הגי־עה אלינו נגינת מפוחית. וגיטרה. וריחות אפיה. (הם אופים כאן בעצמם את לחמם). ובשמונה או קצת אחרי שמונה הוציאה לנו בחורה יחפה פנס־לוּכּס, פיתה חמה מהתנור, זיתים ועגבניות ויוֹגוּרט (גם הוא מתוצרת הבית). אילצתי את עצמי לאכול קצת כדי שגם אילנה תאכל. והיא נגסה באי־חשק כדי לדרבן אותי. בתשע ורבע אמרתי: מתחיל להיות קריר. אילנה אמרה: כן. ואמרה: בוא נלך. ואני עניתי: טוב.

היא עזרה לי לעלות לחדרי, לצאת מבגדי (ג׳ינס וחולצת־טריקוֹ שמודפס עליה פּוֹפּאי המלח), ולשכב על מיטת־הקרשים. בצאתהּ חילצה ממני הבטחה שאקרא להּ אם יהיו כאבים בלילה (בועז התקין לי קצה חבל ליד מיטתי. אם אמשוך בו יצלצלו ספ־לי־הפח שקשר למראשות מיטתהּ בקומת־הקרקע). אבל את הבטחתי זו לא קיימתי. אלא קמתי וגררתי כסא וישבתי כמה שעות ליד החלון החשוך שזגוגיותיו מודבקות בפלסטרים. ני־סיתי לקלוט את הלילה ולבדוק מה עושה הירח לגבעות מנשה במזרח. אמי נהגה לשבת כך בקיץ האחרון שלהּ. התוכל לדמיין לך איך זה לגלגל שלושה רמוני־יד אל תוך בּוּנְקֶר מלא מצרים? ואחר־כך לחדור פנימה בתת־מקלע מרסס, בין צוָחות יללות

וחרחורים? לחטוף נתזי דם ומוח על בגדיך, שׂערותיך, בפר־צופך? והנעל שוקעת בתוך בטן מרוטשת הנותנת בעבוע סמיך?

עד שתיִם בבוקר ישבתי בחלון ושמעתי את קולות החבורה של בועז. הם שרו סביב מדורת גחלים בגן שירים שאינם מוכּ־רים לי. בחורה ניגנה בגיטרה. בבועז עצמו לא הבחנתי, וגם קו־לו לא נשמע. אולי טיפס על הגג להתיַחד עם הטלסקופּ שלו. או־לי ירד אל הים (יש לו רפסודה קטנה, עשויה בלי אף מסמר, שאותה הוא נושא על גבו אל החוף חמישה קילומטרים מכאן. אני לימדתיו בקטנותו לבנות קון־טיקי מעץ קל מהודק בחבלים. מסתבר שלא שכח).

בשתיִם התעטף הבית חשיכה ושקט עמוק. רק הצפרדעים המשיכו. ואיזה כלבים רחוקים. ותשובת כלבי החצר. השועל והתן, ששרצו כאן בלילות ילדותי, נעלמו ואין להם זכר.

עד לפנות־בוקר ישבתי ליד החלון ההוא, עטוף בשמיכת־צמר כמו יהודי בתפילתו. דימיתי לשמוע את הים. אף כי ודאי לא היתה זו אלא רוח בצמרות הדקלים. הירהרתי בתלונות שבמכת־בך. לוּ נותר לי עוד זמן הייתי שולף אותך מבקתת השין־גימל שלך. עושה ממך גנרל. מוסר לך את המפתחות והולך להתפלסף במדבר. או אולי תופס את מקומך כמוכר כרטיסים בקולנוע. התרצה להתחלף, מר סומו?

הקומוּנה ההיפית הקטנה מתנהלת סביבי גם בשעות היום כמו בלחש, על קצות אצבעותיה. כאילו הייתי רוח־מת שהגיחה מן המרתף ועלתה לקנן בחדרים. וחדרים יש כאן בשפע. רוּבּם עדיין נטושים. אל תוך חלונותיהם צומחים ענפי התאנה והתות. נחמד בעיני האופן שבו מכהן כאן בועז – או לא מכהן, רק קיים – בתפקיד של ראשון בין שוִים. נעימה לי שירתם במטבח או בעת עבודתם או ליד מדורה בחצר עד אמצע הלילה. צלילי המפוחית. עשן הבישול שלהם. אפילו הטוֶס המתהלך כאן כמו מצביא מטומטם ויהיר בין צבאות היוֹנים במסדרונות ובחדרי־המדר־גות. והטלסקופּ הנטוי על הגג (רצוני לטפּס לשם. רצוני לבקש מבועז שיזמין אותי לסיור כוכבים קטן. אף כי אין לי כמעט שום הבנה בצבא השמים, מלבד כאמצעי לניווט במסעות לילה). הקו־שי העיקרי הוא שסולם־החבלים שוב אינו לפי כוחותי. אני

מסתחרר בקלות. ואפילו בעת נסיונותי לנוע לבדי בין המיטה לחלון. חוץ מזה, בועז נמנע מלבוא אתי בדברים מלבד בוקר טוב, מה שלומך, מה נחוץ לך מהחנות במושבה (הבוקר ביקשתי שולחן כדי להניח עליו את ההֶרְמֶס־בייבי שלי ולכתוב את המכ־תב הזה. כעבור שעה וחצי עלה והביא שולחן שהתקין בשבילי מארגזים וענפי אקליפטוס, עם הדום רגלים משופע. וביָזמתו גם קנה לי מאַוורר). רוב הזמן הוא עובד כנראה בג'ונגל שהיה פעם מטע: כורת גזעים בגרזן, מנסר ענפים, מסַקל, נושׂא סלי אבנים על כתפו העירומה כמגלם את אטלס הטיטָן, מעַזֵק, מגלגל מרי־צות זבל. או עומד באגף ומערבב באת ובטוריה מלט עם חצץ ועם זיפזיף, יוצק בֵּטון על רשת־ברזלים ששזר, ושוטח רצפה חדשה. יש שאני מבחין בו בסוף היום בגָבהי אחד האקליפטוסים הזקנים שנטע כאן אבי לפני חמישים שנה, תלוי בערסל־ישיבה שהתקין לעצמו בגובהּ שמונה מטר, וקורא לתמהוני באיזה ספר. או מונה מקרוב את העננים. או מדבר אל הצִפֳּרים בלשונן.

פעם עיכבתי אותו ליד מחסן הכלים. שאלתי מה הוא קורא. בועז משך בכתפיו וענה באי־חשק:

"ספר. למה?"

ביקשתי לדעת איזה ספר.

"ספר שָׂפָה."

כלומר?

"דקדוק הפה והאוזן. לגמור עם הכתיב וכל זה."

האם אפשר לקרוא "ספר שׂפה" כאילו הוא חומר קריאה להע־ביר בעזרתו את הזמן?

"מלים וזה," הוא תורם לי את חיוכו האִטי, "זה כמו להכיר אנשים. מאיפה הם באו. מי קרוב של מי. איך כל אחד מתנהג בכל מיני מצבים. וחוץ מזה" (משתהה. שולח את כפו הימנית למסע ארוך סביב גולגָלתו העצומה, לגרד בהּ את רקתו השמא־לית, תנועה אי־הגיונית ועם־זאת מלכותית כמעט), "וחוץ מזה, אין דבר כזה: להעביר זמן. הזמן בכלל לא עובר."

לא עובר? מה פירוש?

"אני יודע? אולי זה להיפך. שאנחנו עוברים בתוך הזמן. אני יודע? או שהזמן מעביר את האנשים. יש לך חשק לשבת למיין לי

קצת זרעים? זה בתוך המחסן. בצֵל. רק אם בא לך לעשות משהו. או שאולי אתה יכול לקפל שׂקים ריקים?"

כך הוכנסתי, פחות או יותר, אל סידור העבודה שלהם (כחצי שעה מדי בוקר, בישיבה, אם הכאבים אינם חזקים במיוחד. ויש שאני מתנמנם שם).

הנערות החיות כאן: שתים או שלוש אמריקאיות. אחת צרפ־תיה. אחת הנראית לי כגימנזיסטית ישראלית מבית טוב, אולי בבריחה רוֹמנטית מפני משפחתהּ, אולי במימוש עצמי. או כתח־ליף להתאבדות? כולן כנראה פילגשיו. ייתכן שגם הנערים. מה מבין בזה אדם כמוני? (אני בגילו עוד הייתי בתוּל מאוֹנן. ודאי גם אתה כך, מר סומו? אפילו התחתנתי בתוּל. האם גם אתה, אדוני?) בועז, לפי הערכתי, מתקרב למטר תשעים וחמישה ושוקל לפחות תשעים קילו. ועם־זאת – קל־תנועה, ברדלסי, מתהלך יום ולילה יחף ועירום מלבד איזה אזור־חלצַיִם דהוי. שׂערו הזהוב־העמום יורד בקווּצות על כתפיו. זקנו הבלונדיני הרך, עיניו העצומות למחצה, שפתיו שאינן חתומות אלא תלויות בפישׂוק קל, כל אלה משווים לו ארשת של ישו באיקוֹן סקנדינבי.

ועם־זאת כתפוּשׂ־חלום. כאן ולא כאן. ושותק. חרף עָצמת גו־פו איני מוצא בו שום דמיון לאבי העבה, הדוּבִּי. אלא דווקא, איכשהו, לאילנה. אולי ברוֹך קוֹלו. או בפסיעותיו הארוכות, הגמישות. או בחיוכיו המנומנמים, הנראים לי ילדותיים וערמו־מיים גם יחד. "אתה תחדש את המזרקה, בועז?" – "לא יודע. או־לי. למה לא." "ואת השבשבת שהיתה על הגג?" – "אולי. מה זה שבשבת?"

בחלון חדרי: ערוגות של בצל ופלפל. תרנגולות משוטטות ומנקרות כמו בכפר ערבי. אי־אלה כלבים בני־בלי־גזע שנמשכו לכאן מרחוק ומצאו כאן מזון וחיבה. אקליפטוסים. ברושים. עצי זית. עצי תאנה ותות. אחר־כך המטע החרב. גגות אדומים בגב־עה שמנגד, טווח שמונה מאות מטר מכאן. הרי מנשה. יערות. ואֵד או עשן קל על קו האופק המזרחי. אפילו כסילוֹפון־הבקבו־קים בחדר־העליה אשר בו, לפני ארבעים ואחת שנים, מתה אמי

בליל חורף, אפילו הוא נראה לי מדויק וקולע. אף כי צליליו המוזרים קולעים כנראה רק בי. אם ציירת לך בדמיונך מאורת פריצים אשר באפלוליותהּ מתהוללת אשתך יום ולילה בזרועות שֵׁד אכזר – הנה האמת הפשוטה היא שאין שום אפלולית: יש אור קיץ חריף, או חושך. ואשר לַשֵּׁד: הוא מנמנם רוב הזמן בהשפעת התרופות קוטלות הכאבים שהביא עמו מאמריקה. (מלבדן, מלבד ההֶרמס־בייבי שלו, והפיג׳מה והמקטֶרת – עדיין ארוז הכּוֹל בתוך מזוודותיו המוטלות בפינת החדר. וגם המקטרת משמשת לו לנשיכה ולא לעישון. העישון גורם לו בחילה) וכש־אין הוא ישן? שוכב על מיטת הקרשים ובוהה. יושב בחלון ובוהה. ממיין קצת זרעים במחסן הקריר בחצר עד שאוזלים כוחותיו. שד מודח המרצה את עָנשו. מטושטש מגלולות. שד מנומס, שָׁקט, מתאמץ שלא ליפול למעמסה, וכמעט גם נעים־הליכות. אולי כמו אביו שנהפך מדוב לכבש בסַנטוריום שלו על הכרמל.

או גורר את עצמו ומשוטט מעט, נשען על מקלו החדש, בסנד־לים שעשה לו בנו מפיסות־צמיג וחבלים, בג׳ינס דהוים ובחול־צת־ילד עם פופאי המלח, מדשדש מרופט וצנום מחדר לחדר. ממבוי לפרוזדור. מהאגף המשופץ אל הגן. מתעכב לשוחח עם בתך. מנסה ללמדהּ לשחק בחמש אבנים. עונד להּ את שעון־היד שלו. וממשיך בדרכו למנות ולקטלג לעצמו את צללי ילדותו ונעוריו: כאן היה מגדל תולעי־משי. כאן שחט וקבר את התוכי. שם הריץ (ואחר־כך פוצץ באבק־שריפה שהוציא מתרמילי כדורים) את הרכבת החשמלית שהביא לו אביו מאיטליה. פה נחבא פעם יומים ולילה אחרי שאביו בעט בו. לכאן היה בא לאוֹ־נן. שם כבש בסיכות וחצים את מפת מערב־אירופה. פה שׂרף עכבר חי בתוך פח. וכאן הראה את אברו ומישש כמתעלף את מפשׂעתהּ של נכדת המשרת הארמני. פה הנחית את פולשי מאדים ופה ניסה בחשאי את פצצת האטום העברית. שם קילל יום אחד את אביו וחטף אגרוף באפו ושכב לבדו מדמם כמו גור חזירים. ופה הטמין את הסנדלים הדקים שמצא בעזבונהּ של אמו (והנה גם גילה שלשום, תחת מרצפת רופפת, את שׂרידיהם הנרקבים). שם הסתגר עם ז׳ול וֶרן וכבש איים נידחים. וכאן,

בחלל הנמוך שמתחת למדרגות האחוריות, התקפל ובכה באין רואה בפעם האחרונה בחייו: כשהוציא אביו להורג את קוף־הרזוּס שלו. כי בבית הזה הוא גדל. ועכשיו בא למות בו.

אולי כך: בעשרים לפני שמונה, אחרי נפילת השמש ולפני דעיכת האוּדים המבליחים באופק הים. ודווקא על הספסל השבור שבהתחלת המדרון, קרוב לשׂפת המצוק, מול הבוסתן שהפך ליער סוּבּטרוֹפּי ובועז החל לשקמו. יש שם גל אבנים במקום שהיתה בו הבאר. לא באר אלא בור מים שאביו חפר כאן אי־פעם לאגור את מי הגשמים. אילנה תשב לידו. ושתי כפותיו המצטננות תהיינה בין כפותיה: כי יש שהיא ואני, כמו שני יל־דים מתביישים, משלבים בשתיקה את ידינו. אתה שרוחך נדיבה לא תחשוב להּ זאת לרעה.

וכך, תוך כדי כתיבת הדפים שלפניך, אני הולך ונוטה לציית לבני, שאמר לי אתמול בקולו השוֶה, האדיש, כי במקום להירָ־קב בהדסה שבטח כבר לא תעזור לי, יותר טוב לי להישָׁאר כבר כאן ולתפוס, כלשונו, שלוָה.

האין נוכחותי מפריעה להם?

"אתה משלם."

האם ירצו שאנסה להועיל במשהו? להעביר איזה חוג? הרצאה?

"אבל אף אחד פה לא אומר לשני מה לעשׂות."

לעשות? והרי אינני עושה כאן כמעט כלום?

"הכי טוב לך: שב בשקט."

אכן אישָׁאר כאן. בשקט. האם תִטה לנו חסד ותרשה להן להי־שָׁאר כאן עוד קצת? יום־יום אשעשע את בתך. אערוך להּ תיאט־רון מפלצות־צל שאצבעותי מטילות על הכותל (זקהיים הוא שלימדני. כשהייתי בן שש. או שבע). אמשיך להחליף עמהּ דעות על טבע האש והמים ועל מה חולמות הלטאוֹת. היא תרקח לי תרופות מבוץ, מי סבון ואִצטרוּבּלים. ויום־יום, עם רוח הערב, אשב עם אילנה על הספסל להקשיב לאִוושת האורן.

המדובר הוא בזמן קצר.

וזכותך המלאה לסרב ולתבוע שתחזורנה מיד.

אגב, בועז מציע שתצטרף אלינו כאן גם אתה. לדבריו, תוכל

לתרום כאן מנסיונך כפועל בנין, ובתנאי שלא תנסה להיות משגיח כשרות. עד כאן בועז. מה דעתך?

אם תדרוש זאת, אשלחן בלי דיחוי במונית לירושלים ולא אתמרמר עליך. (מה זכותי להתמרמר?)

התדע אדוני? מותי מתקבל על הדעת. אַל נא תטעה: המדובר הוא לא במשאלת־מוות או כיוצא בזה (בכך אין שום קושי: יש לי אקדח מצוין שהעניק לי פעם במתנה גנרל אחד מהפֶּנטָגוֹן) המדובר הוא במשאלה אחרת לגמרי: לא להתקיים כלל. לבטל, רֶטרוֹאקטיבית, את נוכחותי. לעשות שלא איוָלד. לעבור מלכת־חילה לאיזה מוֹדוּס אחר: אקליפטוס, למשל. או גבעה ריקה בגליל. או אבן על־פני הירח.

אגב, לאילנה וליפעת הקצה בועז את מיטב הבית: בחר לשכן את שתיהן בקומת־הקרקע, בחדר המעוגל למחצה הנשקף בחלון צרפתי אל גגות הקיבוץ שלרגלינו, אל מטעי הבננות, אל רצועת החוף ואל הים. (שחפים לפנות־בוקר. זוהר עמוק בצה־רִים. ערפל תכלכל מדי ערב). פעם היתה בחדר הזה ספריָתו הגרנדיוֹזית של אבי (שמעולם לא ראיתיו פותח ספר). עכשיו צבעו את החדר במין תכלת פסיכֶדֶלית נוקבת. רשת דייגים נוש־נה מקשטת את תקרתו הגבוהה. ויש בו, מלבד ארבע מיטות מכוסות בשׂמיכות־צמר צבאיות ושידה סדוקה ומקולפת, גם ערימה של שׂקי דשן כימי. וכמה חביות של סוֹלֶר. איזו בחורה מאוהבת ציירה שם על קיר שלם את דמות בועז, עירום וקורן, צועד בעינים עצומות על־פני חלקת מים שקטה.

במקום לפסוע על המים הוא עובר כעת לפני חלוני, יושב על הטרקטור הקטן שרכש לא מזמן (בכספי). גורר מחרשת דיסקוס. ובִתך כמו קופיף בחיקו וידיה בין ידיו על ההגה. אגב, היא למדה כבר לרכוב כמעט לבדהּ על החמור. מין חמור פעוט וכנוּע. (אמש, בחושך, חשבתיו בטעות לכלב וכמעט ליטפתי אותו. ממתי זה אני מתעסק בליטוף כלבים? או חמורים?) פעם, על־יד ביר־תמאדה בסיני, נכנס איזה גמל שוטה לתוך שטח האש שלי. משך והלך לו אט־אט על קו רכס נמוך בטווח של אלפיִם מטר. קצת למעלה מחבית המטָרה שלנו. התותחן הרביץ בו שני פגזים והחטיא. הטען־קשר ביקש לנסות גם הוא והחטיא. ואני נכנסתי

לאמביציה, ירדתי אל מושב התותחן וירִיתי והחטאתי גם אני. הגמל נעצר ומדד במבטו במנוחה סתומה את מקום נחיתת הפג־זים. ביריה הרביעית התזתי את ראשו מעל צוָארו. וראיתי היטב במשקפת את מזרקת הדם שהתנשאה עד לגובה מטר או שנַיִם. הצוּאר הקטום עוד פנה לכאן ולכאן, כמחפש את הראש המותז, אחר־כך סבב לאחור ושטף את דבשתו בדמו, דומה היה לפיל השוטף עצמו בחדק, ובאיזו אִטיוּת אנינה קיפל לבסוף את רגליו הקדמיות הדקות, קיפל את רגליו האחוריות, קרס וישב על בטנו, תקע את הצוּאר השותת בתוך החול, וכך קפא על קו הרכס כמו אנדרטה מוזרה, שאותהּ ניסיתי לשוא לנפץ בעוד שלושה פגזים. לפתע הופיע מתוך השטח המת איזה בֶּדוִי מנפנף בזרו־עותיו ואני פקדתי לנצור את האש ולהסתלק.

הנה שוב עוברת כרגע רוח ים בכסילוֹפון־הבקבוקים. אני נע־צר ומרפה מן ההֶרמס־בייבּי כדי לשאול את עצמי האוּמנם נטר־פה דעתי: מה לי להשתפך לפניך? לחבר בשבילך וידוי? האומנם תאוָה חולנית להיות בעיניך לשׂחוק? או להיפך, לקבל מחילת עוונות? ממך? ובכלל מֶסיֶה סומו, מה היסוד לוַדאוּת האטוּמה שלך בקיום "השגחה עליונה"? כפרה? שכר ועונש? או חסד? אי־פה גירדת את זה? התואיל לספק לי הוכחה? תחולל מופת קטנטן? תהפוך את מקלי לנחש? את אשתך לנציב־מלח, אולי? או תקום ותודֶה שהכּול רק טמטום, בערוּת, צרוּת־מוח, רמאות, השפלה ואימה.

זקהיים מתאר אותך כפאנאט ערמוּמי, שאפתן, אף כי לא נטול כשרונות ישוּעיים ואינסטינקטים פוליטיים דקים. אם לפי בועז, אינך אלא נוּדניק טוֹב־לב. אילנה, בסגנונהּ הרגיל, מיַחסת לך בערך את קדושת המלאך גבריאל. או לכל הפחות הילה של צדיק נסתר. אף כי בהלך־רוח אחר היא מוצאת בך צד לֶבנטיני. גם בי הצלחת לעורר סקרנות מסוימת.

אבל מה היא הקדושה, מר סומו? כתשע שנים ביזבזתי על חי־פושׂי־סרק אחר הגדרה סבירה ופחות או יותר צוננת. אולי אשׂא חן בעיניך ותסכים להאיר את עיני? כי עדיין אין לי מושׂג. אפילו ההגדרה המלוּנית של הקדושה נראית לי רדודה ונבובה, אם לא מעגלית מיסוֹדהּ. ועדיין יש לי מין צורך להספיק לפענח משהו.

אף כי זמני כבר תם. ובכל־זאת: קדושה? או תכלית? וחסד? מה מבין הזאב בירח שלעומתו הוא עומד ומַיַלל בצואר משורבב? מה מבין פרפר לילה באש שלתוכהּ הוא מתנפל? רוצח הגמלים – בגאולה? התוכל לעזור לי?

רק בלי דרשה חסודה, נוֹד צבוע שכמוך שמעז להתרברב לי בכך שאף פעם לא שפך טיפת דם. לא נגעת בשׂערה של ערבי. גואל את הארץ בליקוקים. מפוֹגג את כל הנָכרים הלאה מאדמת הקודש בעזרת לחשים והשבעות מהולים בכסף שלי. מטהר את נחלת אבותינו בשמן זית זך. דופק את אשתי יורש את ביתי מושיע את בני משקיע את הוני ועוד שוטף אותי בהזדעזעויות תנ״כיות משֵׁפל־המדרגה המוסרי שלי. אתה מיַגע אותי. מעצבן כמו יתוש. אין לך מה לחדש לי. בַּסוג שלך כבר מזמן גמרתי לטפל ועברתי ליותר מוּרכבים. קח את הכסף ועוּף רחוק מהטווח שלי.

ואילו אני, מה יש לי לחדש לך מלבד להתפגר בהקדם? אתה במכתבך מאחל לי ש״הכוס תעבור עלי״, והנה באמת היא עוב־רת וכמעט כבר התרוקנה. אתה מטיח בי שגזלתי ממך את ״כבשׂת־הרש״ ואת פירורי סעודתך. אבל בעצם אני הוא המלקט עכשיו פירורים מהשולחן הכשר שלך. אתה מאיים עלי ש״בקרוב אעמוד לגורלי״ ואני כבר בקושי עומד. אתה שומע פעמונים והפעמונים הם כאן, בדיוק מעלי. מה עוד תבקש אדוני? לאכול זבחי מתים?

ואגב זבחי־מתים, זקהיים היקר אומד אותי בערך בשני מיליון דולר. ככה שגם אחרי ניכוי המחצית של בועז, זבחי המתים שלך בהחלט לא הולכים ברגל. תוכל להסתובב בלימוּזינה בין האתחלתות־דגאולה שלך. זקהיים ובתו הצהובה מאיימים לנחות כאן השבוע: גמר אומר להסיעני ״אפילו בכוח״ במכונית שלו לירושלים, לקבל את ההקרנות בהדסה, ובאותהּ נסיעה גם להשיב לך את הצאן האובדות שלך. אלא שאני, מצדי, תוך כדי כתיבת דפים אלה, החלטתי סופית להישָׁאר כאן. מה יש לי לחפשׂ בירושלים? להתפגר בין נביאים זבי ריר ומטורפי גאולה נובחים? אני נשאר אצל בני. אקפל שׂקים עד הסוף. אמיין צנו־ניות. אגלגל חבלים ישנים. אולי אשלח שיביאו לכאן מחיפה את

הלץ שהיה אבי: נוכל לערוך כאן מרתון משפחתי של ביליארד עד שאפול ואמות. תרשה לה להישָאר עמי עוד מעט? בבקשה? אולי יעניקו לך בעד זה קופון־זיכוי נוסף בפנקס המצוות שלך?

בועז מספר לי, ובאיזו עקימת שׂפתים שבין שעמום ללגלוג, כי אחת מאהובותיו שכאן נהגה פעם לצקת מים על ידיו של גורו זקן ממדינת ויסקונסין, שידע, לדבריה, לגרש מחלות ממאירות בעזרת עקיצות דבורים. ואני, לתדהמתי, אכן השתעשעתי הבו־קר בתחיבת מקל אל תוך הכוורת. אלא שהדבורים של בועז, נר־פות ומטושטשות כמוני או רודפות שלום כמוהו, זימזמו וזימזמו סביבי ולא הואילו לעקוץ. אולי ריח המוות הנודף ממני דוחה אותן מעלי. או שאין להן עסק לרפא קטני־אמונה?

והנה, בלי משים, שוב הדיבוק הותיק שלי: להפוך כל דבורה שוטה לנושׂאת שאלה תיאולוגית, רק על־מנת להסתער עליה בחירוק־שינים ולמעוך אותה עם שאלתה ביחד. ולהפיק מהמעיכה השוממת שאלה חדשה. שאותה אמהר לפוצץ בפגז בכינון ישיר. תשע שנים אני מתכתש עם מקיאבֶלי, מפרק את הוֹבְּס ואת לוֹק, פורם את הקצוות של מרכּס, לוהט בתאוָה להו־כיח אחת ולתמיד כי לא האנוֹכיוּת ולא השפלוּת ולא האכזריות שבטִבענו הן ההופכות אותנו לזן המכַלה את עצמו. אנחנו משמידים את עצמנו (ובקרוב נמחה סוף־סוף את כל בני־מיננו) דווקא בגלל "הכמיהוֹת האצילוֹת" אשר בנו: בגלל המחלה הרֶליגיוֹזית. בגלל הצורך היוקד "להיוָשע". בגלל טירופי הגאו־לה. מה הם טירופי הגאולה? רק מַסוֶה להעדר כללי של כשרון בסיסי לחיים. זה הכשרון אשר כל חתול ניחן בו. ואילו אנחנו, בדומה ללוייתנים המנפצים עצמם אל החוף בדחף התאבדות המוני, סובלים מהתנוונותו המתקדמת של הכשרון לחיים. מכאן החשק הפּוֹפּולרי להשמיד ולאבד מה שיש לנו כדי לפרוץ דרך אל איזה מחוזות גאולה שלא היו ולא נבראו וכלל אינם באפשר. להקריב ברינה את חיינו, לבַער באֶכּסטזה את זולתנו, לטובת מקסם־שוא מעורפל הנראה לנו כ"ארץ מובטחת". תעתוע כזה או אחר הנחשב "נשׂגב מן החיים". ומה לא נחשב בעינינו נשׂגב מן החיים? בעיר אוּפסאלה, במאה הארבע־עשרה, קמו שני נזי־רים ושחטו בלילה אחד תשעים ושמונה יתומים ואחר־כך שׂרפו

את עצמם, מפני ששועל כחול הופיע בחלון המנזר לרמוז להם בהופעתו שהבתולה מצפה לבואם. על־כן: לרפד שוב ושוב את פני האדמה ״במרבד מוחותינו השפוכים / כשושנים הלבנות״, מרבד המיועד לפעמיו הזכים של איזה מושיע מופרך (דברי שיר של פאנאט מקומי, שאכן התאמץ והצליח לארגן לעצמו שפיכת־מוח יפה מעשׂרים כדורי אקדח שהבריטים תקעו לו בראשו). או בנוסחה מקומית אחרת: ״כי שֶׁקט הוא רֶפש / הַפקר דם ונפש / למען ההוד הנסתר״. איזה הוד נסתר, אדון סומו? נטרפה דעתך? תסתכל על הילדה שלך פעם: זה כל ההוד הנסתר. אין אחר. חבל להשחית עליך מלים. אתה תרצח אותה. תרצח כל מה שזז בשטח. ותקרא לזה חבלי־משיח ותגיד צידוק־הדין. ייתכן שתע־לה אפילו עלי: תצליח לרצוח בלי לשפוך טיפת דם. תרתיח בשמן זית ותמלמל שלוש פעמים קדוש.

עכשיו היתה הפסקת צהרים קלה. בחורה בשם סַנדרה עלתה יחפה לחדרי, ומחייכת כמו מוכַּת חלום הניחה לפני קומקום־פח מלא תה עשׂבים ריחני וצלחת מכוסה בצלחת: ביצה קשה חצויה לשנַים. זיתים. פלחי עגבניה ומלפפון. טבעות בצל. שתי פרו־סות לחם ממאפה הבית ועליהן גבינת עזים עם שום. ודבש בצלוחית קטנה. נגסתי קצת ולגמתי ומזגתי לי עוד. סַנדרה זאת הוסיפה לעמוד בגַלַביה הערבית שלה ולהתבונן בי בסקרנות גלויה. אולי קיבלה הוראות למנות את נגיסותי. ועם־זאת, כמתיָראת מפני, נשארה ליד הדלת. שאותהּ לא סגרה אחריה.

החלטתי לנסות לקשור עמהּ שׂיחה קלה. אף כי בדרך־כלל אין לי מושׂג בשׂיחות קלות עם זרים. מנַיִן היא, אם מותר לי לדעת?

מאוֹמָהָה. מדינת נֶבּרַסקה.

האם ידוע להוריה היכן היא, ומה מעשיה?

זה ככה: הוריה הם לא בדיוק הוריה.

כלומר?

אשתו השניה של אביה ובעלהּ החדש של אמהּ נתנו להּ סכום כסף שתִסע לראות את העולם, בתנאי שהיא מבטיחה לשוב בסוף השנה ולהירָשם ללמוד בקוֹלג׳.

ומה בדעתהּ ללמוד?

לא יודעת עדיין. ובעצם, כאן היא לומדת המון.
מה, למשל? מבוא לחקלאות פרימיטיבית?
להבין את עצמהּ. קצת. וגם לקבל מושׂג על־אודות ה״מִינִינג אוֹף לייף״.
התסכים להאיר את עיני? מה הוא המינינג הזה?
אבל את זה, לפי דעתהּ, ״לא כדאי לשׂים במלים?״
אז אולי תתן לי רק כיווּן כללי? רמז?
״זה צריכים כל אחד לבד? לא?״
יש להּ הֶרגל תמהוני: לסיים כל משפט בסימן־שאלה, לא כשואלת אלא כמופתעת מדברי עצמהּ. אני עומד על בקשתי לקבל לפחות רמז קל בענין טעם החיים.
נבוכהּ. ממצמצת. ומחייכת כמו מפצירה בי שאוַתר. יפָה מאוד. ונכלמת. ילדותית עד כדי פליאה. מסמיקה ומושכת בכתפיה כשאני מציע להּ לשבת רגע. ונשארת, אהובתו זו של בני, אחת מאהובותיו, עומדת על המפתן כמו איילה שהריחה רו־דף. המנוסה מרטיטה את עורהּ. עוד מלה והיא איננה. אבל אני מתעקש:
״איפה להתחיל, סַנדרה?״
״אני חושבת: פשוט מההתחלה?״
״ואיפה ההתחלה?״
״אני חושבת: אולי הכי רחוק לאיפה שהזכרון שלך מגיע?״
״עד הברית־מילה שלי, זה יספיק? או שצריך לחפשׂ עוד לפני זה?״ (עייפתי מהנדוֹשויות האלה.)
״עד לאיפה שבהתחלה העליבו אותך, לא?״
״העליבו? חכי רגע. שבי. אני במקרה מהמעליבים. לא מהנעלבים.״
אבל היא ממאנת לשבת. מחכים להּ למַטה. בועז. והחברים. היום מתגייסים לפתוח את הבאר הסתומה. בור המים.
״אז אולי נדבר אחר־כך? ואגב, אולי חסר לך קצת כסף? אַל תביני אותי לא נכון. מה? נוכל לשוחח קצת בערב?״
״זה אפשר,״ היא אומרת בתמהון, מתעלמת מן ההצעה הכס־פית. ואחרי עוד הרהוּר חולמני היא שואלת בזהירות: ״מה יש לדבר?״

ואוספת את הכלים, ארוחתי שכמעט לא נגעתי בהּ, ויוצאת בטפיפה מן החדר (את קנקן התה ואת הדבש הואילה בכל־זאת להשאיר לי). מבחוץ, מן המסדרון החשוך, היא מוסיפה: ״נֶבֶר־מַיינד. בִּי אִין פִּיס? אִיט׳ס סִימְפְּל?״

מפגרת. או אולי מסוממת. עוד כמה שנים יבואו הרוסים ויאכ־לו אותם בלי מלח.

ובכל־זאת: היכן ההתחלה?

זכרון ילדותו הראשון הוא תמונת יום קיץ חרוך, טָבול בעשן מריר של מדורות זרדי אקליפטוס במורד החצר. נגוע באוֹבך חמסיני. ענן סמיך של נמלים מעופפות – אולי היה זה ארבּה? – נוחת על ראש הילד על כתפיו על ברכיו במכנסים הקצרים על רגליו היחפות ועל אצבעותיו העסוקות בהרס תִלי חפרפרות. או במכיתת־זכוכית שמצא בעפר הגינה והשתמש בהּ למקד את קר־ני השמש ולהבעיר פיסת נייר־משי של חפיסת סיגריות (סיימון ארצט?). צל עבות נפל עליו והפריד את העולם. אביו. שרמס את האש. ורושף זעם כיהוה תנ״כי הִכּה אותו על ראשו.

והגן: מה לא צמח בו? חצב וחמציץ בעוֹנתם. רקפות ותוּר־מוּסים וסביוֹנים בסוף החורף. מרגניות לבנות. ופרגים. ודַם־המכבים. כל אלה לא נחשבו בעיני האב, שטיהר את כולם לטו־בת ערוגות הורדים שלו, הזנים הנדירים האֶכּזוטיים שהזמין מהמזרח הרחוק ואולי מהרי האַנדים. והיו חרקים ורמשׂים ולטאות וקתֶדרלות מהופכות של קורי־עכביש, וצבים ונחשים שהילד לכד וכלא בפחיות ובצנצנות במרתף. יש שהיו נמלטים ונחבאים בסדקי האבן או פושטים לקנן בבית. ותולעי־המשי שאסף במעבה התות וקיוָה לעשות פרפרים, ותמיד בלי יוצא מן הכלל עלו בידו רק כתמי רקבובית מבאישים. הסָמוֹבָר שבחדר־האוכל היה שָׂעיר מתנשף. כלי־החרסינה מאחורי זגוגיות הקוֹ־מוֹדה כחיילים ססגוֹניים במסדר יציאה לקרב. עטלפי הגג היו רַקֶטות מונחות מרחוק. בחדר־הספריה עמד מקלט רדיו חום מגו־שם, בחושך זרחה מתוכו עֵין שד ירקרקת שנגהה מבּפנים על וינה, בלגרד, קאהיר וקירֶנאיקה בלוח התחנות הזגוגי. והיה פוֹ־נוֹגרף עם ידית ואפרכסת שהתגעש לפעמים באופרה אֶכּסטטית

מלווה בגעיות אביו. יחף, כפוף כגנב, היה הילד חומק אל פינות הבית והגן. בונה לו מבוץ, לרגלי איזה ברז חלוד, ערים וכפרים וגשרים, מבצרים, מגדלים, ארמונות, שאותם נהנה להשמיד בהפצצת אִצטרובּלים אוירית. מלחמות רחוקות השתוללו בספ־רד, בחבש, בפינלנד.

פעם חלה בדיפטֶריה. ער־לא־ער בחום המחלה ראה־לא־ראה את אביו בא עירום עד מָתניו אל החדר, בתלתלי שֵׂיבה פרועים על חזהו השחום הרחב, גוהר על האשה המטפלת. והיו נהמה ותחנון ואיזו לחישה קודחת ושוב תרדמת חוּמוֹ הטביעה את הזכ־רון בין קרעי חלום.

בבָקרי סוף הקיץ, כמו בבוקר השבת הזה, היו באים פלאחים מהכפר הערבי שעל החוף. בחמוריהם הכנועים, בעַבָּאיוֹת כהות, במהומת הפצרות גרוניות, בשׂפמים רוחשי ריטוטים, היו פורקים את סלי־הנצרים שלהם: אשכולות של ענבי מוסקט אפי־לים. תמרים. זבל בהמות. תאנים בירקרק־סגול. ריח נשיי סתום היה ממלא את הבית ושוהה גם אחרי לכתם. האב היה מגחך: אלה יותר מוצלחים מהמוז׳יק הרוסי, לא משתכרים, לא מגדפים, רק מזוהמים וגונבים קצת, ילדיה של אמא־טבע, אבל אם ניתן להם לשכוח מה מקומם הם מסוגלים גם לשחוט.

לפעמים התעורר הילד השכם בבוקר לקול נהקת גמלים. אור־חה מהגליל או מן המדבר שהביאה אבני־בנין. ולפעמים רק אבטיחים. מחלונו ראה את רוֹך צווארי הגמלים. את מבַּע עצ־בותם המלגלגת. עדנת קוי רגליהם.

בלילות בחדרו בקצה הקומה השניה קלט את מצהלות הנש־פים שערך אביו מדי פעם. קצינים בריטים, סוחרים יוָנים ומצרים, מתווכי קרקעות מלבנון – מלבד זקהיים כמעט לא דר־כה כאן רגל אדם יהודי – היו נאספים באולם לבלות לילה גברי בשתיה, בבדיחות, בקלפים ולפעמים בהתיַפּחויות שיכורים. האולם היה מרוצף באריחי שיש דק־נימים שהביא אביו מאיט־ליה (האריחים נגנבו כולם בשנות העזובה. בועז יוצק במקומם מרצפות־בֶּטוֹן אפורות). והיו ספות מזרחיות רכות, נמוכות, מכוסות בכרים רקומים. אנשים זרים נהגו להרעיף על הילד צעצועים מסובכים ויקרים. שלא האריכו ימים. או בּוֹנבּוֹנִיֶרות.

שתיעב מקטנותו (אך שלשום שלח לקנות שתים בחנות במושבה כדי לפנק את בתך). ילד תחבלן, מאזין, חמקמק, מציץ ונעלם כמו צל, חורש מזימות קטנות, מר ויהיר, מסתובב לבדו קיץ אחר קיץ בשבילי הנחלה הריקים. בלי אם בלי אח בלי חבר מלבד קוף־הרֶזוּס שלו שאביו הוציאו להורג והילד הקים על קב־רו מין מאוזוליאום היסטֶרי. שעכשיו גם הוא חורבה ובתך מגד־לת שם צב. זה הצב אשר בועז מצא לה.

ובלילות: דומיַת הלילות. שלא היתה דומיה.

הבית עמד בודד. כשלושה קילומטרים הפרידו בין חלונו הצפוני ובין הבנין האחרון במושבה. בשולי הבוסתן עמדו חמש־שש בקתות עבדים, שאביו ציוָה להקים מפח ומבלוקים של מלט בשביל פועליו הצֶ׳רקסים שהביא לו מהלבנון או מהגליל. עמום ואטום בלילה עלה קולם בשיר שהיו בו רק שני תוים. בחושך נבחו שועלים. התן השתפך בקינה בערבת הסלעים הקוצנית, הרוחשת שיחי אלת־המסטיק, אשר השׂתרעה סביב הבית. פעם הופיע צבוֹע ליד מחסן הכלים לאור ירח מלא. אביו ירה בו והרגו. בבוקר נשׂרפה גופתו בקצה המדרון. ארבעה חדרים רי־קים, מסדרון ושש מדרגות הפרידו בין חדר הילד לחדר־השינה של האב. ובכל־זאת יש שהגיע משָם קול גניחת אשה. או צחו־קים נמוכים ולחים. מדי בוקר העירוהו קולות העורבים והיונים. קוקיה בלתי־מתפשרת נהגה לשנן מדי בוקר סיסמה עקשנית קבועה. ועדיין היא כאן: משננת. אותה סיסמה עצמהּ. או אולי הנינים שלהּ חזרו ללמד את בועז מה שאביו כבר שכח. לעתים במעוף דמוי ראש־חץ חלפו אַוְזי־בּר בנדודיהם. החסידות חנו ונסעו. האם תדע, מר סומו, להבחין בין חסידה לאַוָז־בּר? בין תן לשועל? בין פרג לדם־המכבים? או רק בין קודש לחול ובין ידי־עות למעריב? אין דבר. ייתָכן שבתך כבר תדע.

עד גיל ארבע בערך לא למד הילד לדבּר. אולי לא התאמץ במיוחד. אבל כבר בגיל ארבע ידע להרוג יונה בקליעת אבן ולחנוק חפרפרות בעשן. וידע גם לרתום עגלת שני גלגלים לחמור (מחר אלמד את בתך. אם בועז עוד לא הקדימני).

שעות־על־שעות, יחידי, היה טס אל מעבר לים (אַטלַנטידה, קַאכַּמַלקה, אֶלדוֹרדוֹ) בנדנדה שהעבד הארמני התקין לו בגן. בן

שבע הקים מְצפּור עם סולם־חבלים בצמרת אחד האקליפטוסים. לשם היה מטפס עם קוף־הרזוס שלו להציץ אל מאחורי חומת סין ולבדוק את מסעות קוּבּלַאי־חאן (ועדיין שרידי המצפּור נשקפים אלי מחלוני עכשיו, בעודי כותב זאת. אחד התמהונים של בועז רובץ שם, עירום, גלוח ראש, ומנגן במפוחית־פה. צליל מקוטע, מֶלנכולי, מגיע אלי לרגעים).

עשׂר שנים שוממות ריצה הילד ההוא, גבוהַ מכולם אך דק וגרמי כבֶדוִי, בכיתת מסיֶה מַרקוֹביץ׳ במושבה. תמיד על הספסל האחרון. מדייק במילוי חובותיו ובכל־זאת מופרד מכולם בעיגול של בדידות עקשנית. קורא לבדו ושותק. קורא גם בהפסקות. משנן את דפי האטלס. ופעם, בהתקפת חימה, הניף כסא ושבר למסיֶה את אפו. פרצי זעם כאלה, נדירים אך אלימים עד זוב דם, הִקנו לו מין הילת סכנה. שלא סרה ממנו כל חייו. ואשר בתוכה הוא דימה תמיד להתבצר מפני הטמטום הכללי.

במלאות לו תשע החל, במצוַת אביו, לנסוע פעמַיִם בשבוע לחיפה לשיעורים פרטיים באגרוף. בגיל עשׂר לימד לו אביו לפרק ולהרכיב אקדח. עד מהרה היו מתחרים בקליעה בשיפולי החצר. גם בסוד השימוש בפגיון החליט האב להביאו: כי אוסף של פגיונות עקומים, בֶּדוִיים, דרוּזיים, דמשׂקאיים, פרסיים, תפס חצי קיר בספריה. התדע, מר סומו, איך משתמשים בפגיון? אולי נערוך דו־קרב קל?

והבית הרחב, העבה, שנבנה כמו הימור של שתיין: בהנף בזבזני פרוע. מאבן מקומית. כמעט שחורה. עם כּרכּוּבים מאבן אחרת שהובאה מדרום הר חברון או מהרי השוף. בחומות מתנשׂאות ובאי־הגיון זועף. מעברים מתפתלים, מדרגות לוליי־ניות שהועתקו ממנזרי ירושלים, מזָוִים, כוכי סתר, מבואות שאינם מביאים אלא למבואות אחרים. ומִפלש חשאי שבעדו אפ־שר היה לעבור בכפיפה מן המרתף אל מתחת לאגף ולצאת בבי־תן הגן (עכשיו הוא סתום בעפר).

כשתבוא לבקר כאן יום אחד, אחרי שאסתלק, בועז ודאי יכבד אותך בסיור מודרך. תוכל לראות בעיניך ולברך ברכת הנהנים. אולי יפתחו עד אז את המִפלש הסתום, כפי שהם מנקים כעת את בור המים הנחשב בטעות לבאר. אגב, אבי קנה לבועז הר אחד

בטיבֶּט והוא נקרא רשמית בשם פסגת בועז גדעון. אולי אתקשר אל אותה פירמת נוכלים איטלקית ואקנה גם לבתך איזה הר. איך נסביר את החשק שתקף אותי לחבר בשבילך זכרונות ילדות? תמצא לי פסוק בשביל זה? או מדרש קטן וקולע? מעשה ברבי זו־מא שירד תהומה? אולי נגע ללבי מה שסיפרת לי על ימי נעוריך. או הבוז שאתה רוחש לי. ואולי שוב תקף אותי יצר הסדר שלי, ההכרח להשאיר איזה דו״ח בידי אדם מהימן? האם סיפרה לך אילנה על טירוף הסדר שלי? שתמיד שיעשע אותה? האם היא שיתפה אותך, מר סומו – או תרשה לי לפנות אליך בשמך הפר־טי, מרסל כמדומני? מישל? – בשעשועים אחרים מימי נישׂואיה הראשונים?

מקטנותי התעקשתי תמיד להניח כל דבר במקומו. כלי המלא־כה שלי, מברגים, פצירות, משׂוריות, היו כולם ערוכים על לוח־שעם בחדרי כמו מוזיאון קטן. צעצועים מוינו והונחו על־פי הסוג ומקום היִצור. עד היום שולחני בשיקאגו ערוך ומוכן בכל רגע למִסדר המפקד. ספרי מסודרים על־פי הגובה כמשמר־כבוד. ניירותי מתויקים למופת. במלחמת־יום־כיפור, בקרב המר על התפר שבין שתי האַרמיות המצריות, הייתי הקצין העברי היחיד שיצא להסתערות מגולח, ובחולצה טריה מעומלנת. בדירת־הרוָק שלי, לפני וגם אחרי אילנה, הונחו הסדינים בארון כמו על צלב של כוונת, והתקליטים – לפי האלף־בית. מאחורי גבי בצבא קראו לי ״זוית ישרה״. למראה אצטבת הנעלים שלי היתה אילנה פורצת כל פעם בצחוק רם. האומנם סיפרה לך על כך? האם סיפרה על לילותינו? על פציעתי? על חיסול חירבת־ואהד־נה? מה אני בעיניך, מַרסל, סתם נבל – או נבל מגוחך?

אבל מה זה אִכפת לי. ממתי משַנה לי לדעת מה דמותי בעיני השין־גימל.

ובכלל, אדון סומו, מישל, כדאי שאתה תיזָהר קצת. נחש זקן וחולה עוד עלול להכיש לסיום. אולי עוד נותרה לי טיפה בבלוטת הארס שלי. למה לא אגלה לך בנקודה זו שאשתך היפה מטפסת אלי כאן בלילות? מרחפת בכותָנתה אל חדרי אחרי שכו־לם נרדמים. פנס הגששים של בועז רועד בידה ומרעיד לי בועות חיורות על הקיר קלוף הטיח שלי. מסלקת מעלי את השׂמיכה.

מחליקה בכפהּ על בטני. שׂפתיה חורשות בחושך את שׂער חזי המקליש. אולי אמנם מנסה להפיק ממני משגל מנומנם. ואולי מצליחה. לא אוכל לדווח בוַדאות: עֵרוּתי דומה לחלום, ושנתי – לקרב הַשְׁהָיָה. אולי מתרחש כל זה רק בהזיותי. בהזיותיה. ובהזיותיך שלך, מרסל.

למה לא אֲשַׁסה בך את זקהיים? עוד אספיק להפוך את הצוָאה. לחלק הכּוֹל בין צער־בעלי־חיים לוועד לפיוס עם הפלסטינים. אמחץ אותך ידידי אם תנוח עלי הרוח.

אבל הרוח איננה. כוחות־הרֶשע שלי הולכים ונוטשים אותי עם שׂערותי הנושרות ועם לחיי השוקעות פנימה ועם שׂפתי הנסוגות אל עומק חלל הפה ומותירות רק חריץ זדוני.

עכשיו, כשאזל הזדון.

למה ארמוס אותך?

אתה כבר חטפת מספיק. ועכשיו תורי לשלם ותורך לקבל שילומים. הן לא תסרב, נכון? אני אקבל על עצמי להיות המשיח שלך. המוציאך מעבדות לחירות ומעוני להון גדול. כמו שכתוב אצלך, יעלה זרעך ויירש את שער אויביו.

תנוח דעתך, מַרסל: אשתך שומרת לך אמונים. שום גיחות־לילה ושום משגלי גסיסה. מלבד בדמיונות שלָשתֵנוּ. לשם אי־אפשר לחדור לא בטנקים ולא בניצוצות גאולה. גם בתך הקטנה אינהּ שוכחת אותך: הנה נכנסה לחדרי והחליטה לקדם את מכו־נת־הגילוח שלי לדרגת טלפון (כי אין כאן) והיא משתמשת בהּ כדי לדווח לך לירושלים בשׂיחות של חצאי שעה על התפתחות יחסיה עם העִזים, האוָזים והטוָס. האם כבר אמרתי שבועז מצא להּ צב?

אסיים, אדוני. אַל תדאג. קין הולך ומתפגר והבל בא לרשת. לא רק בארץ הוַאי הצדק מנצח בסוף. שאלתך התיאוֹלוֹגית העתיקה, עד מתי רשעים יעלוזו, מקבלת במקרה שלפנינו תשובה קונקרֶטית פשוטה: עד ספטמבר. עד אוקטובר. לכל היו־תר – עד דצמבר.

אחר־כך, ככתוב אצלך, אדם ובהמה ייוָשעו ונחל עדניך תַשקֵם.

אין לי טלפון בבית הזה, ולכן, כדי לוַדא שאתה לא תקום ותב־

רח לי בינתים להוַאי, ביקשתי עכשיו מבועז שיקפוץ על אופניו למושבה ויזמין מונית. בארבעים־חמישים דולר (כמה זה עכשיו בלירות?) לבטח יסכים הנהג להביא את המכתב הזה ישר לביתך בירושלים ולמסור אותו לידיך בדיוק עם צאת השבת. עייפתי קצת, מישל. ויש גם איזה כאבים. ובכן אסיים כאן. מספיק. לנהג תהיה הוראה להמתין אצלך עד שתכתוב לי תשובה ולהביא את תשובתך עוד הלילה בחזרה אלי. מה שאני שואל אותך הוא זה: האם עדיין אתה עומד על זכותך לקבל את שתיהן מיָד בחזרה? אם כן, אשלח אותן מחר בבוקר וחסל.

אם, לעומת זאת, תסכים להשאירן כאן עוד זמן־מה, אתה מקבל מחצית הירושה שלי. ועוד זוקף לזכותך מצוָה ממדרגה ראשונה. תחשוב מהר ותחליט. אמתין לתשובתך עוד הלילה על־ידי נהג המונית.

שמור על עצמך חביבי. אל תלמד ממני שום דבר.

א.ג.

☆

מר א. גדעון
בית גדעון בזכרון־יעקב.

(למסירה אישית ביד על־ידי שליח־מצוָה)

ב״ה ירושלים מוצאי שבת קודש ט׳ באלול תשל״ו (4.9.)

למר גדעון.

בידי הנהג ששלחת, הממתין לי כאן בטובו ושותה אצלי כוס קפה, אני משגר אליך כמה שורות קצרות בעקבות מכתבך מהבוקר. דבר ראשון אבקש שתסלח ותמחל לי על העלבונות הקשים והמיותרים שאני הטחתי בך במכתב שלי משלשום בלי לדעת חלילה שאתה שכִיב־מרע וחולה אנוש. כתוב אצלנו אין אדם נתפס על צערו ואני כשכתבתי אליך הייתי שרוי בצער גדול מאוד.

ועכשיו אנחנו עומדים על מפתן הימים הנוראים ששערי התשובה והרחמים נפתחים בהם לרוָחה. ככה שאני מציע שאיל־נה ויפעת יחזרו מחר בבוקר הביתה וגם אתה בעצמך תבוא לפֹּה תיכף ומיָד בלי דיחוי לקבל את הטיפול הנאות בבית־חולים

הדסה. ואני מציע שאתה תתארח בביתנו אלכסנדר. ושיבוא להנה כמובן גם בועז, כי עכשיו חובתו הקדושה להיות בקִרבת אביו ולסעוד אותו בחָליו. בזכות החרטה שלך בזכות היסורים שלך בזכות הגבורה שלך על קידוש־השם במלחמותינו ובעזרת רחמי שמים, אני מאמין שתתרפא. עד אז אתה בהחלט מתגורר כאן אצלנו. לא אצל זקהיים לא במלון ולא מעניין אותי כהוא־זה מה שאולי ידברו מאחורי הגב כל מיני אנשים ערלי־לב. מחר בבוקר אני הולך לבאר את כל הדבר לכבוד הרב בּוּסקילה שעי־ניו בטוח תראינה לעומק הענין. ואני אבקש ממנו שיקבל אותך לפגישה בהקדם ולא ימנע ממך את ברכתו שכבר עשתה הרבה נפלאות בשביל חולים אנושים. חוץ מזה טילפנתי לבן־דוד של גיסתי שעובד בהדסה אוֹנקוֹלוֹגית וסידרתי לך שתקבל שמה יחס ויעשו בשבילך את כל מה שרק באפשר, מעל ומעבר.

ועוד משהו אלכסנדר. תיכף אחרי שהנהג גומר את הקפה שלו ויוצא בחזרה אליך עם המכתב הזה, אני הולך לכותל להתפלל עבורך שָׁמָה ולשׂים בשבילך פתק בין האבנים שתבריא. ימי הרחמים עכשיו. בבקשה בטובך תגיד עוד הערב לאילנה וכן גם לבועז שסלחנו אחד לשני ושאני סולח לאילנה ובוטח שמהשמים יסלחו לכולנו.

באיחולי שנה טובה, בברכת רפואה שלמה,
ובלי זכר לכעס שאולי היה לפני זה,
מיכאל (מישל סומו)

למישל סומו
תרנ"ז 7, ירושלים.

21 באוקטובר 76 (יום חמישי)

מישל יקר,

מהלילה יורדים גשמים. אור אפור עלה הבוקר בחלונות. ובאופק הים מרצדים ברקים חריפים ואילמים, ברקים ללא רע־מים. היונים שהמו עד אתמול שותקות היום כנדהמות. רק נביחת הכלבים בחצר חוצה לפעמים את קול המים הנופלים. שוב עומד הבנין הגדול עזוב וכבוי כולו, מבואותיו, חדריו,

מרתפיו ועליית־גגו, הכּול נמסר מחדש לרשות הרפאים הנוש־
נים. החיים נסוגו אל המטבח: בועז הבעיר שם הבוקר אש ענפים
גדולה ויפה באח. מול האש הזאת הם יושבים או רובצים על
מזרניהם, עצלים, מנומנמים, שעות־על־שעות הם צובטים את
לב הבית הריק בנגינות הגיטרה ובשיריהם הנמוכים
המתמשכים.

בועז חולש עליהם כמעט בלי מלים. עטוּף באדרת שעשׂה לו
מפרוַת טלה הוא יושב בפינת המטבח, רגליו משׂוּכּלות, ותופר
שקים בשתיקה. שום מלאכה אינהּ למטה מכבודו. בשבוע
שעבר, כמנחש את היורה המוקדם, הוא פתח ושיפץ וניקה את
ארובת האח. סתם את הסדקים במלט. והיום, כל הבוקר, הייתי
גם אני ביניהם. בעוד הם מנגנים ושרים קילפתי תפוחי־אדמה,
חבצתי חמאת חלב, כבשתי מלפפונים במי חומץ עם שוּם ועלי
פטרוֹסיליה בצנצנות־זכוכית. לבושה בשׂמלה בדוּית שחורה
רחבה ומרוקמת ששאלתי מנערה בשם איימי, ולראשי מטפחת
משובצת, כאיכּרה פולנית מימי ילדותי. ורגלי כמו רגליהם
יחפות.

שתים בצהרים עכשיו. גמרתי את עבודתי במטבח והלכתי אל
החדר הנטוש אשר בו התגוררנו יפעת ואני בהתחלה, עד שאתה
שלחת לקחת אותהּ ממני. הדלקתי תנור־נפט וישבתי לכתוב
אליך את הדפים האלה. אני מקווה שבגשם הזה יפעת ואתה
פרשׂתם לכם מחצלת. שזכרת להלביש להּ את הנַיילון תחת מכנ־
סי־הפלנל. שטיגנת להּ ולך את ביציות־העין שלכם וסילקת את
הקרום מעל הקקאוֹ. והיא ואתה מרכיבים אוירון־בר־בר־חנה
לבובה הבוכיה שלהּ או מפליגים בארגז כלי המיטה לצוד לויתן
נחש בריח. אחר־כך תעשׂה להּ אמבטיה, תפריחו בועות־סבון,
תסרקו זה לזו את שׂערכם המקורזל, תלביש להּ פיג׳מה חמה
ותשיר להּ לכה־דודי. היא תמלמל אל אצבעותיה ואתה תנשק
ותאמר לה אִיסְתְרָא בִּלְגִינָא קִישׁ קִישׁ קָרְיָא לא לצאת מהשׂמיכה.
ותלך להדליק את הטלביזיה, עתון הערב על ברכיך, תראה חד־
שות בערבית וקומדיה וחדשות בעברית וסרט טבע ודרמה
ופסוקו של יום ואולי תירָדם בגרביך מול המַקלט. בלעדי. אני
בחטאִי ואתה מרצה את העונש. לא מסרת אותהּ לגיסתך? לבת־

הדוד ובעלה? לא מתחת עליה קו והתחלת בחיים חדשים? או או־לי משפחתך המדהימה כבר המציאה לך בת־זוג, איזה יצור חסוד גוץ וצייתן בשביס ובגרבי־צמר עבים? אלמנה? או גרושה? מכרת את דירתנו ועקרת לקריית־ארבע שלך? שתיקה. לא לי לדעת. מישל האכזר. המסכן. ידך הכהה השׂעירה מגששת בלי־לה לבקש בין קפלי השׂמיכה את גופי שאיננו. שׂפתיך מחפשׂות את שדי בחלום. אתה לא תשכח אותי.

ריח עמום, חושני, מסתנן אלי מבחוץ. זה ריח טיפות הגשם הנוגעות באדמה הכבדה שנִקלתה כל הקיץ בשמש. לחש עובר בעלי העצים בגן. ערפל על ההרים המיוערים במזרח. לחינם המכתב הזה: אתה לא תקרא. ואם תקרא לא תשיב לי. או תשיב על־ידי אחיך שיתבע ממני שוב, במפגיע, לחדול לַיַסר אותך ולהסתלק לתמיד מתוך חייך שאותם הפכתי לגיהנום. ויכתוב שבמעשי הרעים כבר הפקעתי את זכותי על הילדה ויש דין ויש דיין והעולם אינו הפקר.

עוד מעט תעבור לפני חלוני נערה שחוחה בגשם, ראשהּ וכת־פיה יהיו מכוסים ביריעת־ברזנט מגושמת, סַנדרה או איימי או סינדי, בדרכהּ להאכיל את בעלי־החיים שבחצר. הכלבים יֵלכו אחריה. בינתים רק וילונות־הגשם בחלון. שום קול לא חודר מבחוץ מלבד הסתודדות האֳרנים וכפות הדקלים למגע הרוח הרטובה. שום קול לא נשמע מבפנים, מפני שהשירים והנגינה כבר דעכו במטבח. נחל קטן זורם במגְלשה הריקה שבועז בנה ליפעת. ומלמעלה מגיע אלי הד פסיעותיו הקצובות. נקישות מקל־ההליכה שהתקין לו בנו. בצעדים מוזרים הוא מודד שוב ושוב את שלושת המטרים הריקים שבין הקיר והדלת במקומו החדש בעליית־הגג. לפני שלושה שבועות הוא ציוָה על בועז פתאום לסלק את כסילוֹפון־הבקבוקים ולהעביר לו את כל חפציו אל חדרהּ הישן של אמו. בקיר החשוּף, קלוּף הטיח, מצא מסמר חלוד ותלה עליו את שׂרידי סנדליה שחפר מתחת לאיזו מַרצפת רופפת באגף. באחד מארגזי המרתף גילה את תצלומהּ החום, נגוע בכתמי טחב. וקבע את התצלום על שולחנו. אמנם, בלי הפמוטות ובלי פרחי־האלמוות שבהם נהג אביו להקיף את התצ־לום הזה בחֶדר־הספריה הישן.

מעכשיו היא מתבוננת בנו בעינַים רוסיות חולמניות, צמתהּ קלועה כזר סביב ראשהּ הנוגה, צל של חיוך דק מרחף אולי סביב שׂפתיה. אַלק מדבר אליה בקול נרגן, ילדותי, כנער מפונק שאין די לו בעצמו אף לרגע. וידי קצרה מלהרגיעוֹ. מה שאני מנסה לספר הוא שעברתי גם אני ללון שם. רק כדי לטפל בו בלילה: הוא מרבה להתעורר בביעותים. מתיַשב במיטתו ומתחיל למלמל פקודות מעורפלות, כממשיך את חלומו הרע. ואני ממהרת לקום מן המזרן שפרשׂתי לי לרגלי מיטתו, משקה אותו תה עשׂבים מן התרמוס, תוחבת אל בין שׂפתיו שתים־שלוש גלולות, אוחזת את ידו בין ידי עד שהוא חוזר ומתנמנם ומשמיע נחרת יסוּרים מקוטעת.

פניך האפילו מקַנאה? השׂנאה מחשיכה את עיניך? אל תיַדה בי אבן. ודאי יש כתוב באחד מספרֵי־הקודש שלך שאני מקיימת מצוָה? עושׂה חסד? לא תפתח לי את שערי התשובה ההם? מדי בוקר אני מגלחת את לחייו במכונה החשמלית שלו המופעלת בסוללות. סורקת את שארית שׂערותיו. מלבישה ומנעילה אותו, קושרת היטב את שׂרוכיו ומושיבה בעדינות אל שולחנו. פורשת עליו חיתול ומאכילה אותו בכפית ביצה רכה ויוגוּרט. או דייסה של חלב ופתיתים. ומוחה את סנטרו ואת פיו. בשעה שבהּ אתה גומר את הקפה שלך ומקפל את גליון ״הארץ״ והולך להנמיך את מעקה המיטה הקטנה, להשמיע קריאת תרנגול מושלמת ולומר בּוֹנז׳וּר, מַמְזֶל סומו, קומי התנערי כארי לעבודת הבורא. ואם היא שואלת עלי? נסעתי רחוק־רחוק? ואם היא דורשת לדעת מתי אחזור? מתי אחזור מישל?

בימים לא קרים אני נוהגת להושיבו לחצי שעה בכסא־הנוח שבועז התקין לו במרפסת, מרכיבה לו משקפַים כהים ושומרת על נמנומו מול השמש. לעתים הוא מבקש סיפור. אני מספרת מהזכרון מפרקי רוֹמנים שאתה היית מביא לי מספריַת ההשאלה. יש בו עכשיו סקרנות רפה, פזורת־דעת, לשמוע על חיי אנשים אחרים. מעשׂיות אשר הוא, כמוך, התיַחס אליהן תמיד בביטול גמור: אבא גוֹריוֹ, דיקֶנס, גלסוורתי, סוֹמרסֶט מוֹהם. אולי אבקש מבועז שיקנה טלביזיה. כבר אנחנו מחוברים לרשת החשמל.

בועז משרת אותו באיזו הכנעה דרוכה: הרכיב תריסים

בחלון, החליף את זגוגית השמשה, פרשׂ לו בבית־השימוש מרבד של פרוַת טלה, מקפיד על קניית התרופות בבית־המרקחת במושבה, גוזם ומביא מדי יום זר ענפי נענע להפיג את ריחות המחלה, הכּול בדומיה מתוחה. מתחמק בעקשנות מדיבורים, מלבד בוקר טוב, לילה טוב. כמו שֵׁשֶׁת מול רוֹבִּינזוֹן קרוּזוֹ.

יש שהוא ואני מעבירים את רוב שעות הבוקר במשׂחקי דַמקָה אינסופיים. או במשׂחק קלפים, בּרידג׳, רֶמִי, קאנאסטה. כשהוא זוכה נוגהת עליו עליצות ילדותית, כנער מושחת בתפנוקים. ואם זכיתי אני, הוא מתחיל לרקוע ברגלו ולהתלונן לפני אמו שרימיתי. אני מסַבֶּבֶת את משׂחקינו כך שכמעט תמיד יהיה הוא הזוכה. אם הוא מנסה לשַׁטוֹת בי, להשיב אל לוח הדַמקה כלי שהצלחתי להוריד, להגניב קלף צדדי, אני סוטרת על כפו וקמה לצאת מן החדר. מניחה לו להתחנן ולהבטיח כי מעכשיו יתנהג יפה. פעמִים תקע בי פתאום מבט בוהה, חייך בטירוף שקט וביקש שאפשוט את בגדי. פעם דרש שאשלח את בועז אל הטל־פון הציבורי במושבה להזעיק אליו בדחיפוּת את שר הבטחון והרמטכ״ל, שניהם מכּריו מזמן, בענין שאסור לי לדעתוֹ אַך אין הוא סובל דיחוי. ופעם אחרת, להיפך, הפתיע אותי בהרצאה סדורה, מהממת, מבריקה ובהירה לגמרי, על האופן שבו יכריעו בשנות התשעים צבאות ערב את ישראל.

אבל על־פי־רוב הוא שותק. שובר את שתיקתו רק כדי לבקש שאלַווה אותו לשירותים. יציאותיו מסובכות ומכאיבות ועלי לעזור לו בכּוֹל, כמחליפה ומחתלת תינוק.

לקראת הצהרים הרגשתו על־פי־רוב משתפרת. הוא קם וסו־בב בחדר ומתחיל לסדר כל דבר במקומו כאחוז דיבוק. מקפל את בגדי שעל מסעד הכסא. מחזיר את הקלפים לחפיסה. עט על פי־סת־נייר. מסלק אל הספסל שבמסדרון את הכוסות הריקות. טו־רח שעה ארוכה ליַשר בקפידה את השׂמיכות, כמו היה כאן בסיס טירונים. נוזף בי על מסרק שלי שנשאר בפינת השולחן.

בצהרים אני מאכילה אותו תפוחי־אדמה רכים או אורז מבושל בחלב. משקה אותו כוס מיץ גזר. ואחר־כך יורדת לעבוד שעתים־שלוש במטבח או באחד המחסנים, לוקחת עמי בצאתִי את הכלים המלוכלכים מספסל המסדרון ואת הכביסה שהצטב־

רה. והוא פותח בצעידתו היומית בין הקיר לדלת, מקלו מנקש, תמיד באותו מסלול, כמו חיה בסוגר. עד ארבע או חמש לפנות־ערב, תחילת הדמדומים, שאז הוא מגשש במקלו ממדרגה למדר־גה ויורד אל המטבח. בועז קלע בשבילו מין כורסת־שׂכיבה, כעין ערסל־חבלים במסגרת של ענפי אקליפטוס. הוא מתכרבל בו, קרוב לאח הבוערת, עטוף בשלוש שׂמיכות־צמר, מתבונן בשתיקה בנערות המכינות את ארוחת־הערב. או בבועז הלומד דקדוק. לעתים הוא נרדם בערסלו וישן על גבו שינה בלי כאבים, אגודלו בתוך פיו, פניו שלוִים, נשימותיו אִטיות וסדו־רות. זה הזמן הקל לו ביותר. כשהוא מקיץ כבר חושך גמור בחוץ והמטבח מואר בחשמל צהוב ובאש הענפים שבאח. אני מאכילה אותו. מגישה גלולות עם כוס מים. אחר־כך הוא יושב בערסלו, נשען על ערימת כריות שבועז תפר משׂקים ומילא בעשׂב־ים, ומקשיב לנגינת הגיטרה עד קרוב לחצות. אחד־אחד, או בזוגות, הם קמים ומברכים אותו מרחוק בנימוס חרישי ומסתלקים. בועז גוהר עליו, אוספו בזהירות בזרועותיו ונושׂא אותו בשתיקה במעלה המדרגות אל חדר־הגג שלנו. מניחו ברוֹך על המיטה ויוצא וסוגר את הדלת.

הוא יוצא ואני נכנסת. מביאה תרמוס תה ללילה ואת מגש התרופות. מכוונת את תנור־הנפט. סוגרת את התריסים שבועז התקין בשבילנו. עוטפת אותו בשׂמיכותיו ושרה כמה שירי־ערשׂ. אם נדמה לו שהתרשלתי, חזרתי על עצמי, או הפסקתי לפני הזמן, הוא פונה אל אמו ומתלוֹנן עלי. אבל יש שהֵבהק חריף, גץ מהיר, ערמומי, ניצת וכבה בעיניו וחיוך הזאב עובר להרף־עין על שׂפתיו. כמו לרמוז לי כי למרות הכּוֹל עדיין הוא שולט במשׂחק, ומרצונו הוא בוחר להשתטות קצת כדי לאפשר לי לשׂחק באחות רחמניה. אם צצה זיעת מכאובים על מצחו החיוֵר הגבוהַ, אני מוחה בכפי. מעבירה אצבעות על פניו ובשׂרידי שׂערו. אחר־כך כפו בין ידי ושתיקה ונמנום ופכפוך בועת נפט לרגעים בדרכּה ממכַל התנור אל הפתיל הבוער באש כחולה. מתוך הנמנום יש שהוא לוחש בצער:

״אילנה. רטוב.״

ואני מחליפה את מכנסיו ואת הסדין שמתחתיו בלי להקים או־

תו. כבר התמחיתי בזה. על המזרן פרשׂתי שעוָנית. ובאחת לפנות־בוקר הוא מתנער, מתיַשב במיטה ותובע להכתיב לי דבר־מה. אני מתיַשבת אל השולחן, מדליקה מנורה ומסירה את המכסה מעל ההֶרמֶס־בייבּי. מחכה. הוא מהסס, משתעל, ולבסוף ממלמל: ״לא חשוב. לכי לישון אמא. גם אַת עייפה.״

וחוזר ומתכרבל בשׂמיכותיו.

בדומיַת הלילה הוא אומר כעבור שעתַים בקולו הפנימי הנמוך: ״יפה לך בשׂמלה הבֶּדוִית.״ או: ״היתה שם שחיטה, לא קרב.״ או: ״חניבעל היה צריך להשׂיג קודם הכרעה בים.״ כשהוא נרדם סוף־סוף עלי להשאיר את מנורת־הקיר דולקת. אני יושבת לסרוג לקול נביחת הכלבים והרוח החורֶשת בגן האפל, עד שעיני נעצמות. בארבעת השבועות האחרונים סרגתי לו אפודה, כובע־צמר, צעיף. ליפעת סרגתי כפפות וסוֶדר שמתכפתר מלפנים. אסרוג גם לך מישל: אפודה. לבנה. עם פסים. מי מגהץ שם את כֻּתנותיך? גיסתך? בת־הדוד? השידוך הגוץ שמצאו לך? אתה אולי כבר למדת לכבס ולגהץ בעצמך את בגדי יפעת ובגדיך? שתיקה. לא תשיב. גלוּת. כאינני וכלא־הייתי. קטונתי מן העֳנשים התנכיים שאתם גוזרים עלי. מה תעשה אם אופיע מחר לפנות־ערב בדלת? מזוָדה בימיני, תיק־פלסטיק על כתפי, דוּבּוֹן צמרירי ליפעת, עניבה ומי גילוח בשבילך, אצלצל ותפתח ואגיד לך: הנה, חזרתי. מה תעשה מישל? לאן תוליך את החרפה? תטרוק בפני את הדלת. לא ישובו בָּקרי השבת שלנו בדירה הדלה, הדרורים השרים אל תוך שנתנו המאוחרת מבין ענפי הזית בחלון הפתוח, יפעת המתגנבת בפיג׳מת־רקפות עם בובתה אל בֵּין שנינו מתחת לשׂמיכה לעשׂות לה מאורת־כריות. כפותיך החמות, ערות־לא־ערות עוד לפני שנפקחו עיניך, יוצאות בגישוש עִוֵר לחרוש בשׂערי הארוך ובתלתליה המקורזלים. נשיקת הבוקר ששְׁלַשְׁתּנוּ מרעי־פים, כבטקס, על בובת־הפלסטיק הקירחת. מנהגך להביא לנו כוס מיץ תפוזים וספל קקאוֹ מסונן למיטה בבָקרי השבת. הֶרגלך להושיב את יפעת על לוח־השיש ליד הכיור באמבטיה, לסבן את לחייה ולחייך בקצף הגילוח שלך, ולהתחרות עמהּ בצחצוח שינים בעוד אני מכינה את ארוחת־הבוקר והדרורים צועקים

בחוץ כאילו היתה החדוָה למעלה מכוחן לשׂאת. טיולי השבת שלנו אל הואדי שלרגלי המנזר. שיר־המעלות במרפסת בביצוע שלישית סומו. קרב־הכריוֹת הגדול ומשלֵי חיות ועופות ובנין המקדש מקוביות על המחצלת עם לשכת הגזית מדומינו והכפתו־רים הצבעוניים מסל התפירה שלי בתפקיד כוהנים ולויים. מנו־חת צהרי השבת בין שלכת עתוני הערב על המיטה והכורסה והמחצלת. מחרוזת סיפורי פריס שלך וחיקויי הקלוֹשַארים־המזמרים שהיו מצחיקים את שתינו עד שהופיעו דמעות. הממל־אות את עיני גם עכשיו, כשאני זוכרת וכותבת. פעם צבעה יפעת בשׂפתון שלי את מפת עשׂרת השבטים שמעל מכתבתך, מתנת מעריב לקוראיו, ואתה בזעמך נעלת אותהּ בחוץ במרפסת "לפשפש קצת במעשׂיה ולתקן את דרכהּ הרעה" ואטמת את אָז־ניך בצמר־גפן לבַל יֵרך לבּך לשמע בכיהּ הדק ואסרת עלי לרחם עליה מפני הכתוב חושׂך שבטו שׂונא בנו. אבל כאשר נקטע בכיהּ פתאום ושקט מוזר השׂתרר, אתה זינקת אל המרפסת ואס־פת בחיבוק את גופהּ הפעוט עמוק אל מתחת לסוֶדר שלך. כאילו הרית אותהּ. לא תחוֹן גם אותי, מישל? לא איאָסף אל חום רחמך השׂעיר מתחת לכותָנתך ככלות עָנשי?

ערב ראש־השנה, לפני חודש, שלחת את גיסך ארמאן בטנדר הפֶּז'וֹ שלו להביא את יפעת אליך. על־ידי הרב בּוּסקילה הודעת לי בכתב כי פתחת בהליכי גירושין, כי דינִי דין אשה מורדת, וכי התחלת לגייס הלוָאות כדי להחזיר "את הכסף הטמא שלכם." בתחילת השבוע היו כאן רחל ויואש: באו לדבּר על לבּי שאש־כור עורך־דין, לא זקהיים, שאעמוד על זכותי לדעת מה עשׂית בבתי, שאתבע לראותהּ, שלא אעז לוַתֵּר עליה. יואש ירד עם בועז לטפל במשאבת המים ורחל חיבקה את כתפי ואמרה עורך־דין או לא, אילנה, אין לך זכות להרוס את חייך ולהפקיר את יפ־עת. התנדבה לנסוע לירושלים ולדבר על לבּך עד שתיאוֹת להת־פייס. תבעה לשׂוחח עם אלכּס בארבע עינים. הציעה לגייס את בועז למסע הדילוגים הדיפלומטי, שהיא כנראה מתכננת. ואני ישבתי מולה כמו בובה אוטומטית ככלות הקפיץ ולא אמרתי כלום מלבד תעזבו אותי כבר. כשנסעו עליתי אל אַלק לדאוג שיבלע את התרופות. שאלתיו אם יסכים שתבואו אתה ויפעת

לכאן על־פי הזמנתו של בועז. אַלק גיחך ביבושת ושאל אם חש־
קה נפשי לערוך לנו כאן איזו אורגיה קטנה. והוסיף ואמר בטח,
זיסֶרית, להיפך, חדרים לא חסרים ואני אשלם לו מאה דולר על
כל יום שיסכים להיות פה. למחרת ציוָה פתאום להזעיק בדחיפות
את זקהיים. שהגיע כעבור שעתַים, אדום ומתנשף, בסיטרואֶן
שלו מירושלים וספג גערה צוננת והוראה להעביר אליך מיָד עוד
עשׂרים אלף דולר. שאותם כנראה החלטת למרות הכּול לקבל,
טומאה או לא טומאה: כי הצ׳ק לא חזר אלינו עד היום. עוד ציוָה
אַלק על זקהיים לרשום את הבית ואת האדמות שסביבו על שם
בועז. דורית זקהיים קיבלה במתנה מגרש קטן ליד נס־ציונה.
וזקהיים עצמו, למחרת, שני ארגזי שמפניה.

״אַת אשתו או אַת לא אשתו?״

״אשתו. וגם אשתך.״

״והילדה?״

״אצלו.״

״סעי אליו. תתלבשי ותסעי. זאת פקודה.״

ואחר־כך, בעצבות, בלחש:

״אילנה. רטוב.״

מישל המסכן: עד הסוף ידו על העליונה. אני בין ידיו כבודך
תחת רגליו ואפילו את הילת הקרבּן הראוי לרחמים גסיסתו גוז־
לת ממך ומניחה על ראשו שלו, המקריח. ראיתי את הפתק הנא־
צל שחיברת ושלחת אליו להזמיננו בגודל־נפש שנבוא כולנו
לביתך ובמקום לבכות פרצתי פתאום בצחוק שלא הצלחתי
לכלוא אותו: ״זה סיפוח זוחל, אַלק. נדמה לו שָם שאתה נחלשת,
נדמה לו שהגיעה השעה לספח עכשיו את כולנו אל תחת כנפי
שכינתו.״ ואַלק חרץ את שׂפתיו בהעוָיָה המשמשת אותו בתפקיד
חיוך.

כל יום ראשון אני נוסעת עמו במונית לחיפה, לבית־החולים,
שם מטפלים בו בכימוֹתירפיה. את ההקרנות הפסיקו בינתים.
ולמרבה הפלא, יש שיפור במצבו: עדיין הוא חלש ועייף, מנמנם
רוב שעות היום, ער־לא־ער בלילות, דעתו מטושטשת מתרו־
פות, אבל הכאבים פחתו. כבר יש בכוחו להסתובב שעתים־
שלוש בין הקיר לדלת. לדשדש במקלו לפנות־ערב ולהגיע

בכוחות עצמו למטבח. אני מרשה לו לשהות שם עד שהם מתפז־
רים לחדריהם, קרוב לחצות. אפילו מעודדת אותו לשוחח עמם
כדי להסיח את דעתו. אבל פעם, בשבוע שעבר, אירע שלא
הצליח לשלוט בצרכיו וטינף עצמו במחיצתם. התעצל או שכח
לבקשני שאוביל אותו לשירותים. אני הוריתי לבועז לשׂאתו
מיָד אל חדרנו, ניקיתיו, החלפתי לו, ולמחרת – כעונש – אסרתי
עליו לרדת. מאז הוא משתדל יותר. לפני הגשמים שהחלו לרדת
אתמול אף טייל קצת לבדו בגן: צנום וגבוה בג׳ינסים המרופטים
שלו ובאיזו חולצה מגוחכת. כשהוא מתנהג רע איני מהססת
להרביץ לו. למשל, כשהתחמק ממני באחד הלילות והתגנב וטי־
פס למצפה הכוכבים על הגג ובשובו התמוטט ונפל מסולם־החב־
לים ושכב המום בפרוזדור עד שמצאתיו. הכּיתי אותו כמו כלב־
לב, וכעת כבר ברור לו כי עליה במדרגות אינהּ לפי כוחו והוא
מניח לבועז לשׂאתו מדי ערב בזרועותיו אל חדרנו. למדנו ממך
רחמים.

ואתה? האם אתה מתפנה מעסקי הגאולה ומגיע באחת וחצי
לקחת את יפעת מהגנון? שר להּ בקולך החרוך ״צור מִשלו אכל־
נו״? ״הנך יפָה״? ״אדיר במלוכה״? ואולי כבר שתלת אותהּ אצל
משפחת אחיך, העברת במזוָדה החומה את כל בגדיה וצעצועיה,
והפלגת אל בין הטרשים בהרי חברון? אם תבוא ותביא אותהּ
אסלח לך מישל. ואפילו אשכב אִתך. אעשה כל מה שתבקש. וגם
מה שתתבייש לבקש. הזמן עובר וכל יום שחולף וכל לילה הם
עוד גבעה ועוד עמק שאבדו לנו. לא ישובו. אתה שותק. נוקם
ונוטר ומעניש בכל חומרת שתיקתך. מרחם על כל ישראל מרחם
על חורבות עתיקות מרחם על בועז, על אַלק, אבל לא על אשתך
ובתך. אפילו על הליכי הגירושין מצאת לנכון לבשׂר לי באמצ־
עות הרב שלך. שהודיע לי בשמך כי אני אשה מוּרֶדת ומכאן ואי־
לך אסור לי לראות את יפעת. האוּמנם איני ראויה אפילו לכך
שתתבע ממני הסבר? שתטיל עלי סיגופים ותראה לי דרך
תשובה? שתכתוב לי קללה תנכית?

בועז אומר:

״הכי טוב לך, אילנה, תני לו שיגמור שָמה להתרגז. שיוציא
את זה על הדוסים. אחרי זה בטח יירָגע ויוַתֵּר לך מה שתרצי.״

״אתה חושב שחטאתי לו?״
״אף אחד לא יותר טוב מהשני.״
״בועז. ביושר. אתה חושב שאני מטורפת?״
״אף אחד לא יותר נורמלי מהשני. אולי בא לך למיין קצת זרעים?״
״תגיד: בשביל מי אתה בונה את הקרוסלה הזאת?״
״בשביל הקטנה, אלא מה? למתי שהיא תחזור להנה.״
״אתה מאמין?״
״לא יודע. אולי. למה לא.״

הבוקר שוב הכיתי אותו: מפני שיצא בלי רשות לגזוזטרה ועמד ונרטב בגשם. ארשת של טמטום גמור נפרשׂה על פניו המעוּנים. האם החליט להרוג את עצמו? מגחך. משיב לי שהגשם טוב מאוד לשׂדות. תפסתי בחולצתו ומשכתיו בכוח פנימה וסטר־תי לו. ולא יכולתי לעצור בי, הלמתי באגרופי על חזהו, הִפּלתיו על המיטה והוספתי להכות עד שידי כאבה והוא לא חדל לגחך כנהנה להעניק לי שׂמחה. נשכבתי לידו ונשקתיו על עיניו על חזהו הנפול על מצחו ההולך ומתפשט כלפי מעלה באשמת שׂערותיו הנושרות. ליטפתיו עד שהתנמנם. וקמתי ויצאתי גם אני אל הגזוזטרה לראות מה הגשם עושׂה לשׂדות ולשטוף את צביטת געגועי אליך, אל ריח גופך השׂעיר ריח לחם וחַלְוָה ושום. אל קולך הסדוק מסיגריות ואל מתינותך הנחושה. תבוא? תביא את יפעת? נהיה פה כולנו. יפה כאן. שָקט להפליא.

הנה, למשל, בריכת הדגים ההרוסה: מתוקנת במלט ושוב שטים בהּ דגים. קרפיוֹנים במקום דגי־זהב. המזרקה המחודשת משיבה לגשם בלשונו שלו, לא קולחת כי אם מנטפת. וסביבהּ עצי הפרי והנוי עומדים בדומיה האפורה בתוך המטר הרך היורד עליהם כל היום. אין לי תקוָה מישל. לחינם המכתב הזה. ברגע שתזהה את כתב־ידי על המעטפה, אתה תשסף את הנייר לפיסות קטנות ותשטוף באסלה. כבר ישבת עלי שִבעה וקרעת קריעה. אבוד. מה נותר לי מלבד ללוות את טירופי אל קברו?

ואחר־כך להיעָלם. לא להיות. אם אַלֶק יוריש לי קצת כסף אני אסע מן הארץ. אשׂכור לי חדר קטן בעיר רחוקה גדולה. אם תג־

בר הבדידות אתמסר לגברים זרים. אעצום בחָזקה את עיני ואט־
עם בהם אותך ואותו. עדיין יש בכוחי לעורר מבטי תאוָה נכלמים
בשלושת הנערים התמהונים המסתובבים כאן בין כל הבנות
הצעירות ממני בעשׂרים שנה. כי הקוֹמוּנה של בועז הולכת
ומתרחבת אט־אט: מדי פעם נושרת אצלנו עוד נפש אובדת־דרך.
וכבר הגן מעוּבּד, עצי הבוסתן נגזמו, שתילים חדשים ניטעו
במורד הגבעה. היונים סולקו מן הבית ושוּכּנו בשובך גדול. רק
הטוָס עוד רשאי לשוטט כאוַת־נפשו בחדרים במסדרונות
ובמדרגות. רוב החדרים כבר נוקו. רשת החשמל תוקנה. יש לנו
כעשרים תנורי־נפט. קנויים? או גנובים? אין לדעת. במקום
האריחים השקועים נוצקו רצפות־בּטון. האח במטבח מבוערת
באש ענפים ריחנית. טרקטור קטן עומד בסככת־הפח וסביבו
כלים נגררים, מרסס, מכסחת, קלטרת, מחרשת דיסקוס. לא
לשוא שלחנו את בועז ללמוד בבית־ספר חקלאי. את כל אלה
רכש בכספים שאביו מעניק לו. ויש כוורות דבורים ודיר עזים
ואוּרוָה קטנה לחמור ולולים לאוָזים שלמדתי לטפל בהם. אף כי
התרנגולות עדיין משוטטות בחצר, מנקרות בין הערוגות כמו
בכפר ערבי והכלבים רודפים אחריהן. מול חלוני מנופפת הרוח
בקרעי הדחלילים שיפעת ואני הצבנו בגן הירק לפני ששלחת
לקחת אותהּ ממני. האם היא מבקשת לשוב? שואלת על בועז?
על הטוָס? אם שוב תתאונן על כאב באָזניה אל נא תמהר באנטי־
ביוטיקה. חכּה יום־יומים מישל.

הבוּגנוִיליאות והרדוּפי־הפרא נהדפו מן הבית. סדקי הקירות
נסתמו. שוב אין מרוֹצי עכברים לרוחב הרצפה בלילות. חברו־
תיו וחבריו של בועז אופים לעצמם את לחמם, שריחו החם,
הגרוני, מעורר את געגועי אליך. גם יוֹגוּרט ואפילו גבינות אנח־
נו מכינים מחלב העזים. בועז חישק שתי חביות־עץ ובקיץ הבא
יהיה לנו יין משלנו. על גג הבית ניצב הטלסקופ, אשר בליל
יום־כיפור הוזמנתי לטפס ולהציץ בו וראיתי את הימים המתים
המשׂתרעים על פני הירח.

נמוך, עקשני, שוֶוה, ממשיך הגשם לרדת. למלא את בור
האבן אשר בחצר, זה הבור שוולודיה גוּדוֹנסקי חפר ונכדו ניקה
ותיקן ובטעות הם קוראים לו באר. המזָוים, המחסנים והסככות

נמלאו שׂקי זרעים, שׂקי זבל אורגני וכימי, חביות של נפט וסו־
לר, חָמרי הדברה, פחים של שמן מכונות, צנורות, ממטרות
ושאר אבזרי השקאה. יואש שולח כל חודש את חוברות
"השדה". מכאן או משם נאספו רהיטים ישנים, מיטות־שׂדה,
מזרונים, אִצטבּוֹת, ארונות, ערב רב של כלי בית ומטבח. בנג־
ריה המאולתרת שבמרתף הוא יוצר שולחנות, ספסלים, כורסת־
שׂכיבה בשביל אביו. האומנם בשתי ידיו העצומות הוא מנסה כך
לומר לאַלק דבר־מה? או שגם הוא על־פי דרכו אחוז דיבוק?
בגומחה שנחפרה מתחת לבּוילר החלוד נתגלתה תיבת האוצר
שהטמין שם אביו של אַלק. ובהּ רק עוד חמש מטבעות־זהב תור־
כיות שבועז שומר אותן ליפעת. לך הוא מועיד כאן את תפקיד
הבנאי מפני שסיפרתי לו שבשנתך הראשונה בארץ עבדת כפו־
על בנין.

כּסילוֹפוֹן־הבקבוקים־וְהרוח מנגן בקומת־הקרקע, מפני
שמיטת־הקרשים של אַלק, שולחנו וכסאו ומכונת־הכתיבה הוע־
לו אל חדרהּ הישן של אמו, המשקיף בחלון ובגזוזטרה קטנה אל
רצועת החוף ואל הים. אין הוא כותב מאומה, גם לא מכתיב לי.
המכונה צוברת אבק. ספרים שביקש מבועז לקנות לו בחנות
במושבה עומדים מסודרים על־פי הגובַה, כמו חיילים, על המדף,
אבל אַלק אינו נוגע בהם. די לו בסיפורים שאני מספרת לו. רק
המלון העברי וספר הדקדוק – פתוחים על שולחנו. כי בשעות
ההתבהרות שלו, בצהרים, יש שבועז עולה אלינו: אַלק מלמד לו
כתיב ויסודות התחביר. כמו ששת מול רוֹבּינזון קרוּזוֹ.

בצאתו עובר בועז בכפיפה קלה בדלת, כמחוֶה קידה לשנינו.
אַלק נוטל את מקלו ומתחיל למדוד את החדר בצעדיו הקצובים.
סנדלי־הצמיג־והחבל שבועז עשׂה לו נותנים קול דשדוש. יש
שהוא נעצר, בוהה, נושך את מקטרתו הכבויה, ורוכן ליַשר את
זוית הכסא ביחס לשולחן. מחמיר עם קיפולי שׂמיכתו. מחמיר
עם שׂמיכתי שלי. מסיר את שׂמלתי מעל הוו שבדלת ותולה אותהּ
בתיבה המשמשת לנו ארון בגדים. איש כפוף קצת, מקריח, עורו
דק, דמותו מזכירה לי כומר כפרי סקנדינבי, על פניו תערובת
מוזרה של סיגוף, הרהורים ואירוניה, כתפיו שמוטות כלפי
מַטה, גוּוֹ גרמי ונוקשה. רק העינים האפורות נראות לי סגרי־

ריות, דלוחות, כעיני שיכור מוּעָד. בארבע אני עולה להביא לו תה עשׂבים, פיתה טריה מהתנור, מעט גבינת עזים שעשׂיתי במו ידי. ועל אותו מגש – גם ספל קפה לעצמי. על־פי־רוב אנחנו יושבים ולוגמים בשתיקה. פעם פתח ואמר, ובלי סימן־שאלה בסוף המשפט:

"אילנה. מה אַת עושׂה כאן."

וענה במקומי:

"גחלים. אבל אין גחלים."

ואחר־כך:

"נחרבה קַרתגו. אז מה אם נחרבה. ולולא נחרבה מה היה. הצרה היא אחרת לגמרי. הצרה היא שאין כאן אור. לאן שזזים – נתקלים."

בתחתית המזוָדה שלו מצאתי את האקדח. מסרתי אותו לבועז ופקדתי עליו שיסתיר.

לא נותר עוד זמן רב. כבר חורף. בבוא הגשמים הגדולים יהיה צורך לפרק ולהוריד את הטלסקוֹפּ מהגג. בועז ייאָלץ לוַתּר על שיטוטיו הגלמודים בכרמל. שוב לא יֵצא להיעָלם לשלושה־ארבעה ימים, למדוד את הואדיות המיוערים, לחקור מערות עזוּבות, להבעית עופות־לילה בחוריהם, לאבד את עצמו בסבכי צמחיה עבותה. שוב לא יֵרד אל הים להשיט לבדו רפסודה שאין בהּ אף מסמר. בורח? רודף? מחפשׂ השראה כוכבית? מגשש במרחבים ריקים, יתום ענקי ועילג, אחר איזה חיק אבוד המושך אותו כמו בכישוף?

יום אחד הוא יֵצא לנדודיו ולא יחזור. חבריו ימתינו לו כאן שבועות אחדים, אחר־כך ימשכו בכתפם וייעָלמו אחד־אחד. הקוֹמוּנה תתפזר לכל עבר. נפש חיה לא תישָאר. החרדון, השוּעל והצפע יירשו מחדש את הבית ועשׂבי־הבר ישובו. אני לבדי איעָזב לשמור את חבלי הגסיסה.

ואחר־כך? לאן אלך?

כשהייתי ילדה קטנה, ילדת מהגרים נאבקת עם שׂרידי מבטאהּ המגוּחך ושיירי גינונים לא־מכאן, נפל עלי קסם שירי־המולדת הישנים, שאתה לא מכיר כי הגעת לכאן מאוחר. ניגונים שהיו מביאים לי כמיהוֹת עמומות, ערגה נשית סודית עוד לפני

שהייתי אשה. עד היום אני נרעדת כששומעים ברדיו את "בארץ חמדת אבות". את "היתה צעירה בכנרת". או "עלִי גבעה". כאילו מרחוק מזכירים לי שבועת אמונים. כאילו אומרים ישנה ארץ אבל לא מצאנו אותהּ. איזה לץ מחופשׂ הסתנן והשׂיא אותנו למאוס באשר מצאנו. להשחית את אשר יקר היה ולא ישוב. משך אותנו אל מקסם מדוחים עד שתעינו עמוק במשעול בְּצוֹת והחושך ירד עלינו. תזכור אותי בתפילותיך? אמור נא בשמי שאני מחכה לרחמים. עלי ועליו ועליך. על בנו. על אביו. על יפ־עת ועל אחותי. אמוֹר בתפילותיך מישל שהבדידות התאוָה והכמיהה הן למעלה מכוחנו לשׂאת. ובלעדיהן אנחנו כבויים. אמוֹר שביקשנו לקבל ולהשיב אהבה והנֵה תעינו. אמור שלא ישכחונו ושעדיין אנחנו מהבהבים בחושך. נסה לברר איך נצא. היכן אותהּ ארץ.

או לא. אל תתפלל.

במקום להתפלל תבנה עם יפעת מגדל דויד מקוביות. קח או־תהּ לגן־החיות. לקולנוע. טגן לה את ביציות־העין שלכם, סלק את קרום הקקאוֹ, אמור להּ תשתי קִיש־קִיש־קָרְיָא. אל תשכח לקנות להּ פיג׳מת־פלנל לחורף. וגם נעלים חדשות. אַל תמסור אותהּ לגיסתך. חשוב לפעמים איך בועז נושׂא בזרועותיו את אביו. ובערב בשובך ממסעותיך? יושב בגרבַּיִם מול הטלביזיה עד שהעייפות מכריעה אותך? נרדם בכורסה בבגדיך? מדליק סיגריה בסיגריה? או יושב במקום זה לרגלי הרב שלך ולומד תו־רה בדמעה? קנה לך צעיף חם. בשמי. אַל תצטנן. אַל תחלה.

ואני אחכה לך. אבקש מבועז לבנות מיטת־קרשים רחבה ולרפד מזרן בעשׂבי־ים. ערים וקשובים נשכב בעינים פקוחות בחושך. הגשם יכּה בחלון. בצמרות תעבור רוח. רעמים גבוהים יסעו לכיוון ההרים במזרח וכלבים ינבחו. אם ייאָנח הגוסס, רעידת צינה תעביר בו צמרמורת חדה, נוכל אתה ואני לחבקוֹ מכאן ומכאן עד שיֵחם לו בינינו. כשתחשוק בי איצָמד אליך ואצבעותיו תחלקנה על גבינו. או אתה תיצָמד אליו ואני אלטף את שניכם. כאשר פיללת מאז: להתחבר אליו ואלי. להתחבר בו אלי בי אליו. להיות שלָשתנוּ אחד. שאז מבחוץ מבחושך מבעד לסדקי התריס יבואו רוח וגשם, ים, עננים, כוכבים, לסגור דומם

על שְלָשְתֵּנוּ. ובבוקר בני ובתי יֵצאו עם סל־נצרים לחפור צנו־
ניות בגינה. אַל תצטער.

אמכם

☆

למר גדעון
לגברת (בתשובה למכתב ששלחה לי)
ולבועז היקר
בית גדעון בזכרון־יעקב.

בע״ה ירושלים יום ד׳ במרחשוָן תשל״ז (28.10.76)

שלום!

ככה כתוב אצלנו במזמור ברכי נפשי (תהילים ק״ג): רחום וחנון השם, ארך אפיִם ורב חסד. לא לנצח יריב ולא לעולם יטור. לא כחטאינו עשה לנו ולא כעוונותינו גמל עלינו. כי כגְבוֹה שמים על הארץ גבר חסדו על יראיו. כרחוק מזרח ממערב הרחיק ממנו את פשעינו. כרחם אב על בנים ריחם השם על יר־איו. כי הוא ידע יצרנו, זכור כי עפר אנחנו. אנוֹש כחציר ימיו, כציץ השדה כן יציץ. כי רוח עברה בו ואיננו ולא יכירנו עוד מקומו. וחסד השם מעולם ועד עולם על יראיו. אמן.

מיכאל סומו